D0774109

PAGES D'AMOUR

Séduction

*

Passion

NORA ROBERTS

Séduction

éditions **Harlequin**

Cet ouvrage a été publié en langue anglaise
sous le titre :
FROM THIS DAY

Traduction française de
FABRICE CANEPA

Originally published by Silhouette Books,
division of Harlequin Enterprises Ltd.
Toronto, Canada

HARLEQUIN®

est une marque déposée du Groupe Harlequin

1.

Cette année-là, en Nouvelle-Angleterre, l'hiver n'avait paru céder qu'à contrecœur la place au printemps. Par endroits, la neige recouvrait encore les prairies. Mais les premiers bourgeons avaient fait leur apparition sur les branches des arbres et certains s'ornaient de nouvelles feuilles d'un vert tendre. La substance même de l'air semblait s'être modifiée et portait la promesse de l'été à venir.

B.J. était accoudée à sa fenêtre et observait attentivement le paysage bucolique qui s'étendait sous ses yeux. Une brise légère caressait ses longs cheveux blonds, la faisant frissonner de bien-être. Elle décida de profiter de cette belle journée pour aller se promener.

Il restait encore quelques semaines avant le début des vacances et la moitié seulement des chambres de Lakeside Inn, l'auberge dont la jeune femme assurait la gérance, étaient occupées. Cela lui permettait de jouir d'une certaine liberté dans l'organisation de son emploi du temps.

D'autant qu'elle accordait une entière confiance à ses employés. A ses yeux, son équipe formait une grande famille. Bien sûr, elle n'était pas à l'abri de disputes, de rancœurs et de bouderies. Mais elle parvenait toujours à surmonter ces épreuves et en sortait généralement plus forte et plus unie.

Cette complicité constituait pour elle l'un des facteurs clés expliquant le succès de l'hôtel. Et elle était très fière d'avoir su cultiver cet esprit de camaraderie au cours des années.

Se détournant de la fenêtre, B.J. entreprit de tresser ses cheveux. Le miroir lui renvoyait son reflet et elle se prit à sourire. Cette coiffure ainsi que le jean et le pull-over trop larges qu'elle portait la faisaient paraître plus jeune encore que ses vingt-quatre ans. C'était peut-être aussi à cause de ses grands yeux bleus qui lui donnaient un air faussement innocent.

Mais ceux qui travaillaient à ses côtés savaient qu'il ne fallait pas s'y fier. B.J. gérait l'auberge avec un professionnalisme pointilleux et avait su gagner le respect de son équipe et de ses clients.

Après avoir enfilé une paire de baskets, la jeune femme quitta sa chambre et descendit au rez-de-chaussée. Gagnant la réception, elle constata avec satisfaction que des fleurs fraîchement coupées avaient été disposées dans le vase qui ornait le comptoir.

B.J. se dirigea alors vers la salle à manger et, comme elle approchait, elle entendit deux serveuses qui discutaient.

— Je suppose que tu n'as pas à te plaindre, déclara Dot d'une voix sardonique. Du moins, si tu aimes les hommes aux petits yeux porcins…

— Wally n'a pas des yeux porcins, répliqua Maggie. Il a même un très beau regard. Et, à mon avis, c'est pour cela que tu es jalouse.

— Jalouse ? Moi ? s'exclama Dot, moqueuse. Ce n'est pas demain la veille que l'un de tes petits amis me rendra jalouse, crois-moi !

La jeune femme avisa alors la présence de B.J. qui les observait d'un air amusé.

— Bonjour, dit-elle.

— Bonjour, Dot. Bonjour, Maggie. Dot, tu viens de mettre deux cuillères et un couteau dans cette serviette.

— Cela ne m'étonne pas, intervint Maggie, moqueuse. C'est la jalousie qui lui fait faire n'importe quoi. Tu sais que Wally doit m'emmener au cinéma, ce soir ?

— Félicitations, répondit B.J. J'espère que cette fois, ce sera le bon…

Dot ne put retenir un ricanement dubitatif. B.J. décida de les laisser à leur dispute et s'éloigna en direction de la cuisine. Contrairement à la salle à manger qui avait conservé un cachet ancien, cette pièce était équipée de ce qui se faisait de mieux et de plus moderne.

D'une propreté impeccable, elle était à la hauteur de la réputation de l'auberge en matière de gastronomie. Comme chaque fois que B.J. posait les yeux sur cet impressionnant alignement de fourneaux, de placards et de robots ménagers, elle eut l'impression de regarder des soldats en ordre de bataille, prêts à passer à l'action dès que la nécessité s'en ferait sentir.

— Bonjour, Elsie, dit-elle à la corpulente cuisinière qui régnait en maîtresse incontestée sur cet univers rutilant.

Celle-ci grommela une réponse sans lever les yeux de la sauce qu'elle était en train de faire monter dans une large casserole de cuivre.

— Je vais aller me promener, lui dit B.J. en se servant une tasse de café. Est-ce que tout se passe bien ?

— Oui. Sauf que Betty Jackson refuse de nous livrer de la gelée de mûre.

— Vraiment ? s'étonna B.J. Et pourquoi cela ?

— Elle a dit que, si tu ne te donnais même pas la peine de rendre visite à une vieille femme solitaire de temps à autre, elle ne voyait pas pourquoi elle nous fournirait en confiture.

— Une vieille femme solitaire ? répéta B.J. en riant. Elle voit plus de gens chaque jour qu'un député en campagne ! Et je n'ai vraiment pas le temps d'aller écouter les derniers ragots de la région.

— Tu t'inquiètes au sujet du nouveau propriétaire ? demanda Elsie.

— Pas vraiment, répondit-elle en haussant les épaules. Simplement, je suis bien décidée à ce que tout soit parfaitement en ordre lorsqu'il arrivera.

— Vraiment ? Eddie m'a pourtant dit que tu avais passé une bonne partie de la journée d'hier à tourner dans ton bureau comme un fauve en cage. Et que tu n'arrêtais pas de marmonner des imprécations au sujet de la visite de ce Reynolds.

— Il exagère. Taylor Reynolds a parfaitement le droit de venir inspecter l'hôtel qu'il vient juste d'acquérir. Mais lorsqu'il m'a téléphoné, il a vaguement évoqué la possibilité de moderniser les lieux et j'avoue que cela m'inquiète un peu. J'espère qu'il ne compte pas transformer l'auberge du tout au tout. Si tel est le cas, je devrai m'efforcer de le convaincre que c'est parfaitement inutile et que nous n'avons besoin de rien…

— Sauf de gelée de mûre, objecta Elsie d'un ton moqueur.

— C'est vrai, acquiesça la jeune femme en riant. Très bien, je vais m'en occuper. Mais si Betty me répète une fois de plus qu'Howard Beall est un garçon très bien et qu'il ferait un mari idéal, je l'étrangle !

— Elle n'a pourtant pas tort, tu sais, répondit malicieusement la cuisinière.

Réprimant un petit soupir d'exaspération, B.J. quitta la cuisine par la porte qui donnait directement sur le parc. Elle alla chercher sa vieille bicyclette rouge au garage et remonta ensuite l'allée bordée d'érables qui permettait de rejoindre la route principale.

Le panorama splendide ne tarda pas à dissiper les idées noires que lui inspirait l'arrivée prochaine de Taylor Reynolds et elle laissa son regard errer sur le paysage familier qui l'entourait.

Les prairies ondulantes s'étaient couvertes de violettes et de coquelicots. Au loin, le lac Champlain miroitait sous les rayons du soleil qui éveillait à sa surface de beaux reflets d'argent. Les montagnes étaient encore recouvertes de neige. Bientôt, celle-ci fondrait pour laisser place à de verts pâturages entrecoupés de petits bois de pins.

Quelques nuages blancs dérivaient paresseusement dans le ciel azuré, poussés par une brise agréable qui se chargeait d'odeurs printanières. Enchantée par le caractère bucolique de cette belle matinée, B.J. se mit à pédaler à vive allure. Et lorsqu'elle arriva enfin en ville, elle avait complètement oublié ses préoccupations et ses inquiétudes.

Lakeside était une petite bourgade typique de cette partie de la Nouvelle-Angleterre. Les maisons blanches étaient entourées de pelouses méticuleusement entretenues et bordées de barrières blanches.

B.J. avait grandi là et connaissait de vue presque tous les habitants. Elle n'avait quitté la région que le temps de décrocher son diplôme universitaire et était revenue sans la moindre hésitation dès la fin de ses études.

Elle aimait la vie simple que menaient les gens d'ici. Et,

après avoir vécu quelques années dans une grande ville, elle n'en appréciait que plus le caractère familier et rassurant de cet endroit.

B.J. parvint enfin devant la maison de Betty Jackson et descendit de bicyclette. A peine eut-elle franchi le petit portail du jardin que la porte d'entrée s'ouvrit, révélant Betty qui la regarda approcher avec une expression malicieuse.

— B.J. ! Quelle surprise ! s'exclama-t-elle enfin. Je me demandais si tu n'étais pas repartie pour New York…

— J'ai été très occupée, ces derniers temps, reconnut la jeune femme d'un ton faussement contrit.

— Je suppose que c'est à cause du nouveau propriétaire, remarqua Betty en faisant signe à B.J. d'entrer. J'ai entendu dire qu'il voulait transformer l'auberge.

Stupéfaite une fois de plus par le fait que rien de ce qui se passait en ville ne paraissait échapper à la vieille dame, B.J. la suivit à l'intérieur. Toutes deux s'installèrent dans le petit salon décoré de centaines de sculptures en forme de grenouille dont Betty faisait la collection.

— Tu savais que Tom Myers comptait ajouter une pièce à sa maison ? demanda la vieille dame en prenant place dans un confortable fauteuil en velours. Loïs va avoir un nouveau bébé. Trois en quatre ans, cela fait tout de même beaucoup… Mais je crois que tu aimes les enfants, n'est-ce pas, B.J. ?

— Bien sûr, madame Jackson, acquiesça la jeune femme, comprenant où elle voulait en venir.

— Mon neveu, Howard, les adore, lui aussi.

B.J. dut faire appel à toute la force de sa volonté pour retenir un soupir d'agacement.

— Justement, dit-elle, il y en a plusieurs à l'auberge, en ce moment. Et ils ont littéralement dévoré nos réserves de confiture. Il ne me reste plus qu'un pot de gelée de mûre et je me demandais si vous en aviez encore à vendre. Personne ne les prépare mieux que vous, madame Jackson, et je suis certaine que vous ruineriez les principaux fabricants du pays si vous décidiez de les commercialiser !

— Ce n'est pourtant pas sorcier, répondit Betty, rayonnante de fierté, Tout est une question de dosage.

— Je crois bien que je serais obligée de fermer si vous ne m'en cédiez pas régulièrement quelques pots, renchérit B.J. M. Conners, notamment, serait effondré s'il en était privé. Vous savez comment il appelle votre gelée ? De l'ambroisie !

— De l'ambroisie, répéta Betty, songeuse. C'est peut-être un tout petit peu exagéré…

Mais le compliment avait eu l'effet escompté et, quelques minutes plus tard, B.J. plaça dans le panier de sa bicyclette une douzaine de pots de confiture. Elle prit alors congé de la vieille dame et remonta en selle pour reprendre le chemin de l'auberge.

Comme elle passait devant le terrain de base-ball, elle se fit héler par les garçons qui s'entraînaient. Aussitôt, elle arrêta son vélo et descendit pour venir à leur rencontre.

— Quel est le score ? demanda-t-elle, curieuse.

— Cinq à quatre en faveur de l'équipe de Junior, répondit l'un des jeunes.

Se tournant en direction dudit capitaine, elle vit que celui-ci l'observait avec attention, un sourire de fierté aux lèvres.

— Je vais vous donner un coup de main, dit-elle en attrapant au vol la casquette du garçon le plus proche.

Elle la vissa sur sa tête et s'avança sur le terrain.

— Tu vas vraiment jouer avec nous, B.J. ? demanda un autre garçon.

— Juste pour un tour de batte. Ensuite, il faut que je retourne travailler.

Junior s'approcha de B.J. et se planta devant elle, les mains sur les hanches.

— C'est moi le lanceur. Et je te parie dix dollars que tu ne toucheras pas une balle, déclara-t-il crânement.

— Je m'en voudrais de te dépouiller de ton argent de poche, répondit la jeune femme.

— Très bien, alors si tu les rates toutes, j'aurai droit à un baiser.

— Si tu veux, répondit-elle en riant. Mais prépare-toi à être déçu !

Junior sourit et alla se placer sur sa base tandis que B.J. s'emparait de la batte. Elle se mit en position et lui fit signe. D'un geste vif, il lança la balle dans sa direction et elle frappa, la manquant de quelques centimètres.

— Et de une ! s'exclama Junior.

— Parce que tu appelles ça lancer ? s'exclama B.J. avec une parfaite mauvaise foi. Elle était à hauteur de menton.

— Ce n'est pas ma faute si tu as deux mains gauches, B.J., répondit Junior, narquois.

Sur ce, il se replaça.

— Tu peux déclarer forfait, tu sais, la nargua-t-il en faisant sauter la balle dans son gant. Celle-là, tu ne l'auras jamais…

— Regarde-la bien, Junior, répliqua B.J., parce que c'est la dernière fois que tu la vois. Je vais la frapper si fort qu'elle volera directement jusqu'à New York !

Junior sourit et propulsa la balle aussi vite qu'il le put. Mais, cette fois, B.J. était prête et elle la cueillit à la perfection. Tandis qu'elle s'élevait en cloche au-dessus du terrain, la jeune femme se mit à courir. Elle effaça sans problème

14

les trois premières bases sous les vivats des joueurs de son équipe.

Mais comme elle approchait de la dernière, elle réalisa qu'elle n'aurait pas le temps de l'atteindre et plongea en avant pour la toucher. Quasiment au même instant, Scott Temple rattrapa la balle.

— Out ! s'exclama-t-il.

— Out ? répéta-t-elle, furieuse. Je l'ai atteinte à temps ! C'est un home run !

— Out, répéta-t-il en croisant les bras.

— Je crois que tu as besoin de lunettes. En tout cas, je demande un avis impartial ! s'exclama B.J. en se tournant vers les autres garçons.

— Vous étiez out, déclara une voix sur sa droite.

Surprise, B.J. se retourna et se retrouva face à un homme qu'elle ne connaissait pas. Brun, grand et bien bâti, il portait un costume sombre très élégant qui le désignait immanquablement comme un étranger à la petite ville. Quittant le bord du terrain, il s'approcha du groupe.

— Vous auriez dû vous contenter de la troisième base au lieu de tenter le home run, ajouta-t-il.

— Je n'ai pas *tenté* un home run, protesta-t-elle. Je l'ai réussi.

— Non, tu étais out, insista Scott.

B.J. lui adressa un regard noir avant de se tourner de nouveau vers l'inconnu. Elle ne put s'empêcher d'admirer son visage aux traits parfaitement dessinés. Ses pommettes hautes, son nez droit et ses yeux de jais lui conféraient une indéniable prestance. Le soleil éveillait des reflets cuivrés dans ses cheveux noirs et soyeux.

Ses vêtements, visiblement taillés sur mesure, et ses chaussures en cuir soigneusement cirées trahissaient un homme aisé. Constatant que la jeune femme l'observait, il lui sourit.

— Je vais devoir rentrer, déclara-t-elle, mal à l'aise. Mais ne va pas t'imaginer que je ne parlerai pas à ta mère de tes problèmes de vue, ajouta-t-elle à l'intention de Scott.

Se détournant, elle regagna sa bicyclette.

— Jeune fille ! la rappela l'inconnu.

Se tournant vers lui, elle réalisa qu'il la prenait pour une adolescente. Amusée, elle plaqua sur son visage une expression insolente.

— Ouais ? fit-elle.

— Savez-vous par hasard où se trouve Lakeside Inn ?

— Ecoutez, monsieur, ma mère m'a conseillé de ne pas adresser la parole à des inconnus.

— C'est une recommandation judicieuse, répondit-il en riant. Mais ce n'est pas comme si je vous proposais de faire un tour en voiture !

— C'est vrai, acquiesça-t-elle. C'est à environ cinq kilomètres par là, ajouta-t-elle en lui indiquant la direction. Vous ne pouvez pas vous tromper.

— Merci beaucoup pour votre aide.

— Il n'y a pas de quoi.

L'homme se détourna et fit mine de se diriger vers la Mercedes qui était garée au bord du terrain.

— Eh, attendez ! cria la jeune femme.

Il se retourna, curieux.

— Je n'étais pas out ! s'écria-t-elle.

Sur ce, elle enfourcha sa bicyclette et s'éloigna à vive allure en direction de l'auberge. Suivant le raccourci qu'elle connaissait, elle y parvint avant la Mercedes, se réjouissant d'avance de la mine surprise que ne manquerait pas de faire son client en découvrant qu'il avait pris la gérante de l'hôtel pour une adolescente.

Tandis qu'elle garait son vélo devant l'auberge, la jeune femme vit sortir un couple de jeunes mariés qui y séjournaient.

— Bonjour, mademoiselle Clark, la saluèrent-ils d'une même voix.

— Bonjour ! répondit-elle avec un sourire. Et bonne promenade.

Elle suivit le couple des yeux tandis qu'ils s'éloignaient main dans la main en direction du lac. Puis elle récupéra son chargement de confitures dans le panier de la bicyclette et alla le porter dans la cuisine. Elle regagna ensuite la réception pour prendre son courrier.

Parmi les lettres qui lui étaient adressées, elle trouva une carte postale de sa grand-mère, ce qui la mit d'excellente humeur.

— Vous avez fait vite ! fit une voix, la tirant brusquement de sa lecture.

Levant les yeux, elle se retrouva face au mystérieux inconnu.

— J'ai pris un raccourci, répondit-elle. Est-ce que je peux vous aider ?

— J'en doute, répondit l'homme. Sauf si vous savez où je peux trouver le gérant.

— Si vous voulez une chambre, je peux parfaitement vous en donner une, remarqua-t-elle.

— Vous êtes charmante mais il faut vraiment que je parle au gérant.

— Vous êtes en face de lui, répondit B.J. Enfin... d'elle...

L'homme fronça les sourcils et la considéra avec un mélange

d'étonnement et d'incrédulité, se demandant visiblement si elle se moquait de lui.

— Et je suppose que vous gérez l'auberge le soir en sortant du lycée, répondit-il enfin d'un ton sarcastique.

Ce malentendu qui avait initialement amusé la jeune femme commençait à l'agacer.

— Il se trouve que je dirige Lakeside Inn depuis près de quatre ans, déclara-t-elle d'une voix glaciale. Si vous avez le moindre problème ou la moindre question, je suis donc parfaitement à même d'y répondre. Et s'il vous faut simplement une chambre, signez le registre et je serai ravie de vous en proposer une.

L'homme hésita, réalisant apparemment qu'elle était parfaitement sérieuse.

— Vous êtes vraiment B.J. Clark ? demanda-t-il.

— C'est exact.

Il hocha la tête, médusé, et, d'un geste presque mécanique, tira vers lui le registre qu'elle lui présentait pour y inscrire son nom.

— Je suis désolé, lui dit-il alors. Mais reconnaissez que votre apparence et les circonstances dans lesquelles nous nous sommes rencontrés expliquent mon erreur…

— Si cela peut vous rassurer, mon apparence ne reflète aucunement les mérites de l'auberge, répliqua-t-elle un peu sèchement.

— Ce n'est pas ce que je voulais dire, protesta-t-il, légèrement mal à l'aise.

— En tout cas, je suis certaine que vous serez parfaitement satisfait de nos services, monsieur…

B.J. tourna le registre vers elle et, en lisant le nom de l'inconnu, sentit sa belle assurance fondre comme neige au soleil.

— Monsieur Reynolds ? s'exclama-t-elle, sidérée.

— Taylor Reynolds, en effet, acquiesça-t-il avec un sourire amusé. Ravi de faire votre connaissance, mademoiselle Clark.

— Mais…, balbutia-t-elle, terriblement gênée, nous ne vous attendions pas avant lundi…

— Je me suis libéré plus tôt que prévu.

— Très bien. Bienvenue à Lakeside Inn, dans ce cas.

— Merci. Vous serait-il possible de mettre un bureau à ma disposition durant mon séjour ici ?

— J'ai bien peur que nous n'en ayons pas de disponible. Mais vous pourrez utiliser le mien, si vous le désirez, répondit la jeune femme en lui tendant la clé de leur meilleure chambre.

— Parfait. J'aimerais également voir vos livres de compte le plus rapidement possible.

— Mais certainement, répondit-elle en s'efforçant de dissimuler l'agacement que lui inspiraient les exigences de ce nouveau propriétaire. Si vous voulez bien me suivre…

A cet instant, ils furent interrompus par Eddie qui venait de dévaler l'escalier pour rejoindre la réception.

— B.J. ! s'exclama-t-il, hors d'haleine. Le poste de télévision de Mme Pierce Lowell est tombé en panne et elle ne peut plus regarder ses dessins animés !

— Tu n'as qu'à lui donner le mien et appeler Max pour faire réparer celui de Mme Lowell.

— Malheureusement, il est parti en week-end, répondit son adjoint.

— Tant pis, répondit-elle. Je crois que je survivrai deux jours sans télévision. Donne-lui mon poste et laisse une note sur mon bureau pour me rappeler que je dois contacter Max dès lundi.

Eddie hocha la tête et remonta les marches quatre à quatre. Se tournant vers Taylor, elle lui adressa un sourire d'excuse.

— Je suis désolée, lui dit-elle. Eddie a toujours tendance à dramatiser. Mais Mme Lowell est l'une de nos meilleures clientes et elle ne rate jamais son émission de dessins animés du samedi matin.

— Je vois, répondit Taylor.

B.J. lui fit signe de le suivre et le conduisit à son bureau. Tous deux pénétrèrent à l'intérieur et Taylor observa attentivement la petite pièce encombrée d'étagères et de classeurs qui contenaient tous les documents ayant trait à la gestion de l'auberge.

— Ce n'est pas très spacieux, s'excusa B.J., mais j'espère que cela fera l'affaire pour quelques jours.

— Je compte rester deux semaines, corrigea Taylor d'un ton sans appel.

Traversant la pièce, il s'approcha du bureau et souleva le presse-papiers en bronze de la jeune femme qui représentait une tortue coiffée d'une casquette.

— Deux semaines ? répéta B.J. d'un ton incertain.

— C'est exact. Cela vous pose-t-il un problème ?

— Non, pas du tout, répondit-elle, gênée par la façon dont il la regardait.

Elle avait brusquement l'impression d'être un insecte soumis à l'observation attentive d'un entomologiste.

— Est-ce que vous jouez souvent au base-ball, mademoiselle Clark ? demanda-t-il en s'adossant au bureau.

— Non. Je passais simplement par là…

— En tout cas, votre saut vers la dernière base était particulièrement audacieux. D'ailleurs, ça se lit encore sur votre visage.

20

Du bout du doigt, Taylor effleura la joue de la jeune femme qui ne put s'empêcher de frissonner à ce contact. Elle constata avec une pointe d'embarras que son index était maculé de poussière.

— En tout cas, je n'étais pas out, déclara-t-elle fièrement. Et si Scott le pense, c'est qu'il a besoin d'un bon ophtalmo !

— J'espère juste que vous gérez cette auberge avec autant d'enthousiasme, déclara Taylor en riant. Je jetterai un coup d'œil à vos comptes dès cet après-midi.

— Je suis certaine que vous serez parfaitement satisfait de ce que vous y trouverez, répondit-elle aussi dignement qu'elle le put. L'hôtel fonctionne sans problème. Notre chiffre d'affaires est bon et nous dégageons des profits substantiels.

— Tant mieux. Je suis certain que les changements que je compte apporter ne feront que conforter ces excellents résultats.

— J'ai effectivement cru comprendre que vous entendiez procéder à quelques aménagements, acquiesça B.J., incapable de dissimuler la méfiance que lui inspirait cette idée. Puis-je savoir ce que vous avez en tête ?

— Eh bien, il faut que je me familiarise avec la situation actuelle avant de prendre la moindre décision mais il me semble que cet endroit serait parfait pour implanter un centre de vacances. J'envisage de financer la construction de courts de tennis, d'une piscine, d'un centre de remise en forme. Je compte aussi moderniser les bâtiments actuels.

B.J. le regarda d'un air atterré.

— Mais ils n'en ont pas besoin ! protesta-t-elle enfin. Et notre clientèle n'est pas adaptée à ce type de projet. Ce que cherchent nos visiteurs, c'est un endroit paisible, une chambre confortable et une cuisine de qualité. C'est pour cela qu'ils reviennent régulièrement nous voir.

— La transformation de cette auberge vous ferait peut-être perdre quelques habitués mais, croyez-moi, vous attireriez une nouvelle clientèle bien plus large. D'autant qu'aucun établissement n'offre de services similaires dans la région.

— C'est parce que nous sommes à Lakeside et pas à Los Angeles, répliqua vivement la jeune femme. Les gens qui viennent ici recherchent la tranquillité. Ils veulent un cadre bucolique, pas un club de vacances à la mode !

— Vous paraissez bien sûre de vous, mademoiselle Clark.

— Je le suis. Vous possédez peut-être cette auberge mais moi, je connais l'endroit où elle se trouve, monsieur Reynolds. Et, surtout, je connais nos clients. Ils aiment cet hôtel parce qu'il répond à certaines attentes précises. Et je ne vous laisserai pas les décevoir au nom de vos projets pharaoniques !

Taylor la contempla durant quelques instants, un sourire amusé aux lèvres.

— Mademoiselle Clark, déclara-t-il enfin d'une voix teintée d'ironie, s'il me prenait la fantaisie de démolir cette auberge brique par brique, rien ne pourrait m'empêcher de le faire. Je suis le seul à pouvoir décider des modifications qu'il convient d'apporter ou non. Votre poste de gérante ne vous confère absolument aucune autorité en ce domaine. Est-ce bien clair ?

— Parfaitement ! s'exclama B.J., furieuse. Mais ce qui est encore plus clair à mes yeux, c'est que le fait d'avoir assez d'argent pour acheter cette auberge ne vous permet pas pour autant de comprendre comment elle fonctionne. Vous considérez peut-être l'arrogance et l'entêtement comme de précieuses qualités dans le monde des affaires mais, personnellement, je n'y vois que la marque d'une profonde bêtise.

Sur ce, B.J. tourna dignement les talons et quitta la pièce, prenant bien soin de claquer la porte du bureau derrière elle.

2.

Folle de rage, B.J. retourna dans sa chambre. Taylor Reynolds était probablement l'homme le plus insupportable qu'il lui ait jamais été donné de rencontrer.

Pourquoi avait-il fallu qu'il choisisse précisément son auberge pour développer ses sombres projets ? Ne pouvait-il donc pas aller jouer au Monopoly ailleurs ? Il possédait suffisamment d'hôtels pour cela.

La compagnie de Reynolds détenait en effet plus d'une centaine d'établissements aux Etats-Unis, sans compter quelques hôtels de luxe implantés à l'étranger. Si Taylor tenait vraiment à relever de nouveaux défis, pourquoi ne montait-il pas un club de vacances en Antarctique ?

Comme elle se faisait cette réflexion, B.J. aperçut le reflet que lui renvoyait le miroir de l'armoire. Son visage était maculé de boue, le jean et le pull qu'elle portait étaient couverts de poussière et ses cheveux étaient tressés en couettes.

En fait, elle avait l'apparence d'une enfant de dix ans qui aurait passé la journée à jouer dans les bois.

— Pas étonnant qu'il m'ait traitée avec une telle condescendance ! s'exclama-t-elle avec une pointe d'agacement.

B.J. savait qu'elle paraissait beaucoup plus jeune qu'elle ne l'était réellement et que cela avait nui plus d'une fois à sa crédibilité. Aussi s'efforçait-elle d'ordinaire de faire très attention à la façon dont elle s'habillait et de gommer autant qu'elle le pouvait cet aspect juvénile.

— Non seulement, j'ai l'air d'une adolescente attardée mais, en plus, je me suis bêtement mise en colère, soupira-t-elle. Je suis sûre que, s'il n'en avait pas déjà l'intention, il est à présent bien décidé à me renvoyer... Mais il n'aura pas à se donner cette peine ! Je préfère démissionner plutôt que travailler pour un tyran dans son genre ! Qu'espère-t-il, au juste ? Que je le regarderai démanteler mon auberge sans rien dire ?

Forte de cette décision, la jeune femme se débarrassa de ses vêtements et enfila une robe couleur ivoire et des chaussures à talons. Après s'être recoiffée, elle choisit des boucles d'oreilles et un collier dans sa boîte à bijoux.

S'observant avec attention dans le miroir, elle jugea que cette nouvelle tenue lui conférait un surcroît de maturité et de crédibilité. Il ne lui restait plus à présent qu'à rédiger la lettre qu'elle comptait remettre à Taylor Reynolds.

Lorsque B.J. pénétra en trombe dans son bureau, elle trouva Taylor assis à sa table de travail. Il était en train de consulter les registres de l'auberge. D'un pas décidé, elle traversa la pièce et se planta devant lui, attendant qu'il daigne lever les yeux vers elle.

Lorsqu'il le fit enfin, elle se raidit en avisant le sourire amusé qu'il arborait.

— B.J. Clark..., s'exclama-t-il, ironique. Quelle transformation ! J'ai presque du mal à vous reconnaître...

Se carrant dans son fauteuil, il l'observa de la tête aux pieds, sans paraître se soucier le moins du monde du caractère insultant de cette inspection. Mais ce machisme assumé ne surprit guère la jeune femme. Après tout, il ne faisait que conforter l'impression d'arrogance naturelle qui se dégageait de cet homme…

— Il est toujours incroyable de découvrir les trésors que peuvent dissimuler un jean et un pull-over informe.

Bien décidée à ne pas répondre à ses provocations, B.J. déposa sur le bureau la lettre qu'elle venait de rédiger.

— De quoi s'agit-il ? demanda Taylor en haussant un sourcil étonné.

— De ma démission, répondit-elle en le défiant du regard. Et, maintenant que je ne suis plus votre employée, monsieur Reynolds, je vais pouvoir vous dire ce que je pense de vos méthodes. Vous n'êtes qu'un tyran opportuniste qui s'imagine que tout est à vendre, que tout problème peut se régler en y mettant le prix. Eh bien, vous vous trompez ! Cette auberge existe depuis des dizaines d'années et a su préserver un charme et un cachet qui lui assurent une clientèle fidèle. Et vous voulez la transformer en parc d'attractions ! Je ne doute pas du fait que vous parviendrez à vos fins. Mais, pour cela, vous réduirez à néant le travail de tous ceux qui vous ont précédé, vous pousserez à la démission certaines personnes qui travaillent ici depuis plus de vingt ans et vous anéantirez tout le charme de la région. Les gens ne viennent pas ici pour jouer au squash ou pour une cure de thalassothérapie mais pour se promener et profiter du calme et du grand air…

— Est-ce que vous avez terminé votre réquisitoire, maître ? demanda Taylor d'un ton sarcastique qui ne parvenait pas réellement à dissimuler la menace sous-jacente que B.J. percevait dans sa voix.

— Pas tout à fait, répondit-elle, bien décidée à ne pas se laisser intimider. J'ai encore une chose à vous dire : vous êtes un homme détestable et je suis vraiment heureuse de ne pas avoir à travailler pour vous.

Sur ce, elle tourna les talons et se dirigea vers la porte. Mais Taylor ne lui laissa pas le temps de quitter la pièce. Contournant le bureau, il l'agrippa par le bras et la força à faire volte-face pour le regarder.

— Mademoiselle Clark, je vous ai laissée exprimer votre opinion en toute liberté pour deux raisons. Tout d'abord, vous êtes absolument charmante lorsque vous êtes en colère. Je l'avais déjà remarqué tout à l'heure et je viens d'en avoir l'éclatante confirmation. Il s'agit d'une considération purement personnelle mais je tenais à être parfaitement honnête à cet égard. La seconde raison est d'ordre professionnel : contrairement à ce que vous pouvez penser, je me refuse à me conduire en tyran et à prendre des décisions sans consulter les personnes les plus qualifiées. Et je respecte votre opinion, dans le fond sinon dans la forme…

A cet instant, Taylor fut interrompu par Eddie qui passait la tête par l'embrasure de la porte.

— Nous avons retrouvé Julius, annonça-t-il joyeusement à la jeune femme. Je pensais que tu serais heureuse de l'apprendre…

Sur ce, il disparut aussi soudainement qu'il était apparu.

— Qui est ce Julius ? demanda Taylor, étonné.

— Le basset danois de Mme Frank, répondit B.J. Elle ne va nulle part sans lui.

— Je pensais que les chambres étaient interdites aux animaux.

— C'est exact. Mais nous lui avons installé une niche à l'arrière du bâtiment.

Taylor hocha la tête. Réalisant qu'il la tenait toujours par le bras, la jeune femme tenta de se dégager. Mais il ne lui en laissa pas la possibilité. Au contraire, il la guida vers le bureau et la fit asseoir sur l'une des chaises qui lui faisaient face avant de le contourner pour reprendre sa place initiale.

Comme elle faisait mine de se lever, il secoua la tête.

— Vous vous êtes exprimée librement, remarqua-t-il. A présent, c'est à mon tour de le faire. Je considère que vous connaissez bien mieux que moi cet établissement. Et, bien que je m'estime libre d'en faire ce que bon me semble, je tiendrai compte de votre opinion en la matière.

Il ramassa la lettre de démission de B.J., la déchira en quatre et jeta les morceaux dans la poubelle.

— Vous ne pouvez pas faire cela, protesta-t-elle.

— Je viens pourtant de le faire, objecta-t-il en souriant.

— Cela ne m'empêchera pas d'en rédiger une nouvelle, vous savez.

— Et elle subira le même sort. Inutile de gâcher votre papier à lettres, mademoiselle Clark. Je n'ai aucunement l'intention d'accepter votre démission pour l'instant. Le moment viendra peut-être et, dans ce cas, je vous le ferai savoir.

B.J. ouvrit la bouche pour protester mais il l'interrompit d'un geste.

— Si vous insistez, je n'aurai pas d'autre choix que de fermer l'auberge le temps de chercher quelqu'un qui soit capable de vous remplacer, déclara Taylor. Bien sûr, cela prendra peut-être quelques mois…

— Vous plaisantez ! Je suis certaine que vous trouverez très rapidement.

— Qui sait ? répondit Taylor en la regardant droit dans les yeux. Il me faudra peut-être six mois…

La jeune femme frémit, réalisant ce qu'il était en train de dire.

— Six mois ? répéta-t-elle. Mais c'est impossible ! Nous

avons de nombreuses réservations pour cet été. Et que deviendra le personnel ?

— Il risque effectivement de se retrouver au chômage technique pendant quelque temps, concéda Taylor en souriant d'un air faussement ennuyé.

— Mais c'est du chantage ! protesta vivement B.J.

— Je crois que c'est le terme qui convient, en effet. Je suis heureux de constater que vous comprenez très vite, mademoiselle Clark.

— Vous n'êtes pas sérieux ! s'exclama-t-elle, révoltée. Vous n'allez pas fermer l'auberge juste parce que j'ai démissionné !

— Peut-être, peut-être pas… En tout cas, vous ne me connaissez pas assez pour en être certaine. Etes-vous prête à courir un tel risque ?

Un silence suivit cette question.

— Non, répondit enfin la jeune femme. Contrairement à vous, j'ai le sens de l'éthique et des responsabilités. Mais j'avoue que je ne comprends vraiment pas pourquoi vous tenez tant à me voir rester alors que mes idées sont diamétralement opposées aux vôtres.

— Vous n'avez pas besoin de le savoir, répondit Taylor en haussant les épaules.

Une fois de plus, B.J. fut tentée de le gifler. Mais cela n'aurait probablement fait qu'envenimer une situation qu'elle jugeait déjà suffisamment tendue comme cela.

— Quel âge avez-vous, mademoiselle Clark ? demanda brusquement Taylor.

— Je ne vois pas en quoi c'est important, répliqua-t-elle.

— Vingt et un ? Vingt-deux ans ?

— Vingt-quatre.

— Vingt-quatre ans, répéta Taylor d'un ton songeur.

Cela signifie que j'ai huit ans de plus que vous. Vous deviez encore être majorette au lycée lorsque j'ai ouvert mon premier hôtel…

— Je n'ai jamais été majorette.

— Soit. Mais cela ne change rien à ce que je voulais dire. J'ai bien plus d'expérience professionnelle que vous. Mais je sais aussi que cela ne suffit pas toujours. Et c'est pour cette raison que j'ai besoin de vous : parce que vous connaissez mieux que personne la clientèle, les fournisseurs et le personnel de cette auberge. Et j'aurai besoin de ces connaissances durant la période de transition.

— Très bien, monsieur Reynolds. Puisque vous ne me laissez pas le choix, je suis prête à conserver mon poste le temps que vous vous fassiez une idée plus précise de nos activités. Mais je tiens à ce que vous soyez conscient d'une chose : tant que je serai gérante, je m'efforcerai de préserver l'identité de l'auberge. Et si vous entendez la modifier, vous ne pourrez pas compter sur ma coopération.

— Je ne me faisais aucune illusion à ce sujet, répondit Taylor avec un sourire malicieux. Mais, puisque nous avons trouvé un compromis, j'aimerais que vous me fassiez visiter les lieux afin que je puisse me rendre compte de la façon dont les choses fonctionnent. Vous aurez ensuite deux semaines pour me convaincre de la justesse de vos idées.

— Je ne suis pas certaine que ce soit suffisant, objecta la jeune femme.

— Ne vous en faites pas pour moi. Je me targue d'être capable d'évaluer rapidement une situation. D'ailleurs, je suis convaincu que vous aurez à cœur de me montrer que j'ai tort et que l'auberge doit demeurer en l'état.

Quittant son siège, Taylor contourna le bureau et la prit par le bras.

30

— Venez, lui dit-il en l'aidant à se lever. Faites-moi faire le tour du propriétaire.

Résignée, B.J. entreprit donc de lui faire visiter l'hôtel. Elle s'efforça d'adopter à son égard une attitude aussi détachée que professionnelle mais ne tarda pas à réaliser combien cela lui était difficile.

Il y avait en lui quelque chose qui la mettait vaguement mal à l'aise. A la dérobée, elle se mit à l'observer, cherchant à comprendre les raisons de cette gêne.

Et elle ne tarda pas à réaliser avec une pointe d'effroi que, si Taylor lui apparaissait comme un homme des plus détestable, il n'était pas pour autant départi d'un certain charme auquel elle n'était pas insensible.

Il émanait de lui un mélange d'assurance, de force et d'humour qu'en de toutes autres circonstances, elle aurait pu trouver très attirant.

Cette idée avait quelque chose de terrifiant. Et la perspective de passer les deux prochaines semaines en sa compagnie ne contribuait guère à la rassurer.

— Vous rêvez, mademoiselle Clark ? demanda brusquement Taylor.

Arrachée à ses pensées, la jeune femme réalisa qu'elle n'avait pas écouté un mot de ce qu'il venait de lui dire.

— A vrai dire, improvisa-t-elle en s'efforçant de dissimuler son embarras, j'étais en train de me demander si vous aviez envie de manger quelque chose.

— Avec plaisir, répondit-il en souriant.

Elle le guida jusqu'à la salle à manger. C'était une grande pièce meublée de façon rustique. Le papier peint légèrement décoloré par le temps, les appliques de style Arts déco et l'épaisse moquette qui recouvrait le sol conféraient aux lieux un charme un peu compassé. La grande cheminée dans laquelle pétillait un joyeux feu de bois ajoutait à la convivialité des lieux.

La plupart des tables étaient disposées de façon à permettre aux convives de discuter entre eux s'ils le désiraient. Quelques-unes, au contraire, étaient installées un peu à l'écart pour ménager l'intimité de ceux qui y étaient attachés.

Taylor parcourut la pièce des yeux et hocha la tête d'un air appréciatif.

— Parfait, murmura-t-il comme pour lui-même.

A cet instant, ils furent rejoints par un homme corpulent qui s'inclina galamment devant B.J.

— Si la musique est la pâture de l'amour, jouez encore ! s'exclama-t-il avec emphase.

— Donnez-m'en jusqu'à l'excès, répondit la jeune femme. En sorte que ma faim gavée languisse et meure.

L'homme éclata de rire et, après un dernier petit salut, s'éloigna en direction de l'une des tables disponibles.

— Shakespeare ? s'étonna Taylor. A l'heure du déjeuner ?

Malgré elle, B.J. ne put s'empêcher de sourire.

— Vous venez de faire la connaissance de M. Leander. Il vient à l'auberge deux fois par an depuis plus de dix ans. Il était comédien dans une petite troupe shakespearienne et ne peut s'empêcher de déclamer des vers en toute occasion.

— Et vous lui donnez toujours la réplique ?

— J'adore Shakespeare. Mais j'avoue que je révise un peu chaque fois qu'il effectue une réservation.

— Cela fait-il partie des prestations que vous offrez à vos clients ? demanda Taylor en souriant.

— En quelque sorte.

Elle parcourut la pièce du regard et choisit une table à prudente distance des Dobson, deux jumeaux facétieux dont elle jugeait prudent de se tenir à l'écart. Tandis qu'ils prenaient place, Dot s'approcha d'eux et jeta à Taylor un regard admiratif.

— B.J., Wilbur vient d'apporter des œufs et ils sont toujours aussi petits. Elsie est folle de rage.

— Je m'en occupe, soupira la jeune femme. Prends la commande de M. Taylor. Excusez-moi, ajouta-t-elle à l'intention de ce dernier, je vais devoir vous laisser. Bon appétit. Et n'hésitez pas à m'appeler si vous avez la moindre question ou si quelque chose n'est pas à votre convenance.

Sur ce, B.J. s'éloigna en direction de la cuisine, soulagée d'avoir enfin un prétexte pour échapper à la présence aussi troublante qu'exaspérante de Taylor Reynolds.

Durant les heures qui suivirent, son attention fut monopolisée par une foule de détails qui détournèrent son esprit du magnat de l'hôtellerie et de ses grands projets.

Elle dut convaincre les jumeaux Dobson de relâcher les grenouilles qu'ils gardaient dans la baignoire de leur chambre, au grand mécontentement de leur voisin de palier que les coassements des batraciens tenaient éveillé une bonne partie de la nuit.

Elle tenta ensuite de consoler une femme de chambre que sa récente rupture avec son petit ami rendait sujette à des crises de larmes aussi incontrôlables qu'embarrassantes pour les clients.

Mais comme l'après-midi touchait à sa fin, B.J. finit par s'étonner de ne pas avoir croisé Taylor. Elle se demanda ce qu'il avait bien pu faire de sa journée et finit par conclure qu'il était probablement resté enfermé dans son bureau pour éplucher ses livres de compte et imaginer où il pourrait faire construire ses courts de tennis et son Jacuzzi.

A l'heure du dîner, la jeune femme s'accorda une pause et

monta dans sa chambre pour lire. Lorsqu'elle redescendit vers 10 heures, la salle à manger était quasiment déserte. Quelques clients s'attardaient au bar, discutant à mi-voix tandis que le pianiste improvisait sur un thème de jazz.

Une fois de plus, elle ne vit pas trace de Taylor Reynolds. S'installant à l'une des tables disponibles, elle commanda un cocktail et s'autorisa enfin à réfléchir à la situation dans laquelle elle se trouvait.

Il lui restait deux semaines pour convaincre le nouveau propriétaire des lieux de l'absurdité de ses projets insensés. Et, si elle comptait y parvenir, il allait lui falloir faire preuve d'un peu plus de diplomatie qu'elle n'en avait montré le matin même.

Taylor était visiblement un homme très décidé. Il le lui avait prouvé en menaçant de fermer l'auberge pour la forcer à rester. Si elle continuait à lui tenir tête, elle ne ferait probablement que l'agacer et renforcer ses convictions.

Face à un homme comme lui, mieux valait faire patte de velours que sortir ses griffes, décida-t-elle. Après tout, il lui avait clairement laissé entendre qu'il n'était pas insensible à son charme et elle marquerait certainement plus de points en lui souriant qu'en lui déclarant une guerre ouverte.

Forte de cette conviction, la jeune femme quitta le bar et gagna la pièce attenante où était installé un poste de télévision. Aucun client ne s'y trouvait et B.J. décida de s'accorder quelques minutes de solitude bien méritées.

Mais comme elle prenait place dans l'un des confortables fauteuils qui entouraient l'écran, elle reconnut le film d'horreur qui était diffusé ce soir-là. Elle ne tarda pas à se laisser happer par l'histoire et à suivre avec fascination les tribulations des malheureuses victimes sur lesquelles s'acharnait un tueur en série.

— Vous savez que vous verriez mieux si vous ne mettiez pas votre main devant vos yeux, fit une voix derrière elle alors qu'à l'écran, le psychopathe massacrait une famille à la tronçonneuse.

Surprise, B.J. sursauta et se tourna vers Taylor qui la contemplait avec amusement.

— Désolé de vous interrompre, s'excusa-t-il. Mais j'avoue que je me demande pourquoi vous regardez ce film alors qu'il vous met dans un tel état.

— C'est une véritable malédiction, répondit-elle avec un rire un peu nerveux. J'adore ce genre de films mais ils me terrifient. J'ai dû voir celui-ci au moins trois fois mais je n'arrive pas à m'y faire. Regardez ! C'est le moment que je préfère…

Taylor se rapprocha d'elle et s'agenouilla auprès de son fauteuil pour regarder la scène. Tous deux suivirent des yeux l'héroïne qui parcourait les couloirs de la maison dans laquelle se cachait le maniaque.

— Quelle gourde ! s'exclama-t-elle. Franchement, n'importe qui ayant un tant soit peu de jugeote sortirait de là en vitesse ou s'enfermerait à double tour dans sa chambre pour appeler la police ! Qu'espère-t-elle faire, avec ce couteau de cuisine ?

Brusquement, le tueur surgit des ténèbres et se rua sur l'héroïne. Aussitôt, B.J. détourna les yeux.

— Je ne peux pas voir ça ! lui dit-elle. Prévenez-moi quand ce sera terminé.

La jeune femme sentit alors le bras de Taylor entourer ses épaules et il plaqua doucement son visage contre son torse comme pour la protéger. Elle sentit les battements réguliers de son cœur contre sa joue et l'odeur de son corps qui s'insinuait en elle, éveillant une sensation troublante.

D'une main très douce, il effleura ses cheveux, lui arrachant un petit frisson. Instinctivement, elle se raidit et tenta de se dégager mais il la retint contre lui.

— Pas encore ! lui dit-il. Le tueur est toujours là à rôder…

Un instant plus tard, il s'écarta d'elle et lui tapota l'épaule.

— Sauvée par une page de publicité ! s'exclama-t-il en souriant.

Terriblement embarrassée, B.J. se leva et entreprit de ranger les magazines éparpillés sur la table basse pour se donner une contenance. Taylor la regardait faire avec une pointe d'amusement qui l'agaça prodigieusement.

— Je voulais m'excuser au sujet de ce qui s'est passé cet après-midi, lui dit-elle d'une voix aussi professionnelle que possible. Et également pour ne pas avoir pu finir de vous faire visiter l'auberge.

— Ce n'est pas grave, répondit-il sans la quitter des yeux. J'ai exploré les lieux par moi-même. Et j'ai même réussi à discuter un peu avec Eddie entre deux urgences. Il a l'air de prendre son travail très à cœur !

— C'est vrai, acquiesça la jeune femme. Je suis certaine qu'il fera un excellent gérant dans quelques années. Tout ce qui lui manque, c'est un peu d'expérience.

— Venant de quelqu'un d'aussi jeune que vous, c'est une remarque intéressante.

— L'expérience n'est pas une question d'âge mais d'années passées à exercer un métier, déclara B.J. un peu sèchement.

— Vous avez raison. D'ailleurs, ma remarque n'était pas une critique, lui assura Taylor. J'ai parlé avec plusieurs clients et tous semblent vous tenir en très haute estime.

36

S'approchant de B.J., il écarta une mèche de cheveux qui lui tombait sur l'œil.

— Au fait, qu'est-ce qu'elles représentent ? demanda-t-il en effleurant sa joue du bout des doigts.

— Quoi donc ? demanda celle-ci, plus troublée qu'elle ne l'aurait souhaité.

— Les initiales de votre prénom.

— C'est un secret très bien gardé, répondit-elle. Même ma mère n'est pas au courant.

Derrière elle, l'héroïne du film poussa un cri strident, la faisant sursauter violemment. Sans savoir comment, elle se retrouva de nouveau nichée entre les bras de Taylor. Aussitôt, elle fit mine de se dégager mais il secoua la tête.

— Non, lui dit-il d'une voix très douce en caressant doucement sa joue. Cette fois, je ne vous laisserai pas vous échapper aussi facilement.

Avant même qu'elle ait eu le temps de protester, il se pencha vers elle et l'embrassa. Ce n'était pas un baiser tendre et séducteur. C'était une conquête destinée à obtenir une reddition complète et inconditionnelle. Il l'attira contre lui, pressant son corps contre le sien.

Sa langue trouva celle de la jeune femme et il redoubla d'audace, lui mordillant les lèvres et laissant ses mains courir le long de son dos. Malgré elle, B.J. se trouva emportée par cette étreinte.

Elle eut brusquement l'impression que son corps tout entier s'embrasait tandis qu'un mélange de désir et de terreur s'emparait d'elle. Incapable de résister à la violence de sa propre réaction, elle rendit à Taylor son baiser, s'émerveillant presque de l'intensité de ses propres sensations.

Jamais personne ne l'avait embrassée de cette façon. Il y avait quelque chose de vertigineux dans le pouvoir qu'il exerçait sur elle en cet instant. C'était presque comme si son corps s'était soudain libéré du joug de son esprit pour exprimer une passion trop longtemps réprimée.

Lorsque Taylor la libéra enfin, elle était pantelante, vaincue, incapable de trouver la force de protester ainsi qu'elle aurait probablement dû le faire.

— C'était très agréable, dit-il d'une voix un peu rauque.

Il caressa doucement sa joue et sourit d'un air presque espiègle.

— Nous pourrions peut-être recommencer, suggéra-t-il.

Alors qu'il se rapprochait de nouveau d'elle, B.J. plaça ses mains sur sa poitrine pour le repousser. Elle n'était pas certaine de pouvoir résister à un nouvel assaut de ce genre et avait besoin de temps pour comprendre ce qui venait de lui arriver.

— Je ne crois pas que ce soit une bonne idée, monsieur Reynolds, objecta-t-elle aussi froidement qu'elle le put.

— Taylor, lui rappela-t-il en la regardant droit dans les yeux. Ce matin, ajouta-t-il, lorsque nous étions dans votre bureau, je me suis dit qu'il serait plaisant d'apprendre à mieux vous connaître. Je ne pensais pas que cela irait aussi vite.

— Monsieur Reynolds…

— Taylor.

— Taylor, répéta-t-elle, j'aimerais savoir si vous agissez de cette façon avec tous les gérants de vos hôtels.

Si elle avait espéré le blesser par cette remarque, elle fut très déçue. Car il se contenta d'éclater de rire.

— Ce que nous venons de faire n'a absolument aucun rapport avec l'auberge ou la façon dont elle est gérée, répondit-il enfin. Je ne fais que céder à mon irrésistible attirance pour les femmes qui portent des couettes.

Il fit mine de la reprendre dans ses bras mais elle le repoussa violemment.

— Je ne veux pas ! s'exclama-t-elle, terrifiée.

Il dut percevoir la détresse qui perçait dans sa voix car il s'immobilisa aussitôt et hocha la tête.

— Très bien, dit-il. Comme vous voudrez. Mais, même si cela prend plus de temps, je finirai par l'emporter.

— Ce n'est pas un jeu ! protesta B.J.

Taylor s'écarta d'elle et plongea les mains dans ses poches. Il étudia attentivement le visage de la jeune femme qui trahissait un mélange de colère et de désarroi.

— C'est intrigant, déclara-t-il enfin. Il y a en vous quelque chose de tout à la fois innocent et provocateur.

— Ecoutez, s'exclama B.J. que son comportement rendait folle, je ne le fais pas exprès et je n'ai jamais cherché à vous intriguer ! La seule chose qui m'importe, pour le moment, c'est de vous convaincre de ne pas toucher à cette auberge. Lorsque j'y serai parvenue, je serai ravie de vous voir repartir pour votre loft de New York.

Sans lui laisser le temps de répondre, elle tourna les talons et quitta la pièce à grands pas.

3.

En se levant ce matin-là, B.J. décida que Taylor Reynolds portait l'entière responsabilité de la scène embarrassante qui s'était jouée entre eux la veille. Elle décida pourtant de se cantonner à un professionnalisme sourcilleux afin d'éviter la moindre ambiguïté.

Tout en enfilant son tailleur le plus strict, elle repensa au plaisir qu'elle avait éprouvé lorsque Taylor l'avait embrassée et à la façon pitoyable dont elle l'avait supplié de ne pas recommencer.

Si seulement elle avait su trouver une réplique cinglante pour refroidir les ardeurs de ce goujat, songea-t-elle. Mais, pour cela, il aurait fallu qu'elle puisse contrôler la façon dont elle avait réagi à ce baiser.

Jamais encore elle ne s'était sentie aussi profondément troublée. Son corps tout entier s'était brusquement embrasé et son esprit avait perdu tout contrôle, assistant impuissant à sa propre démission. Tout en sachant qu'elle était en train de commettre une erreur, elle avait répondu avec passion à cette étreinte et s'y était noyée avec délice.

Avec le recul, elle chercha à se convaincre que c'était parce que Taylor l'avait surprise, parce qu'elle n'avait pas eu le temps de comprendre ce qu'il s'apprêtait à faire. A présent, elle connaissait le risque qu'elle courait en le laissant prendre l'initiative et serait prête à le repousser s'il s'avisait de recommencer.

Elle ne pouvait se permettre de céder au magnétisme qu'il exerçait sur elle alors que son propre avenir professionnel et celui de tout le personnel de l'auberge étaient en jeu.

D'ailleurs, Taylor et elle ne partageaient rien : ils étaient issus de deux mondes différents que tout opposait, en dehors de cette regrettable attirance d'ordre purement physique.

Ne le lui avait-il pas amplement prouvé en exerçant sur elle cet odieux chantage ?

Comme elle se rappelait leur confrontation à ce sujet, la jeune femme réalisa que, hélas, c'était lui qui tenait toutes les cartes en main. Après tout, elle était son employée et n'avait aucune légitimité pour s'opposer à ses projets, si ridicules soient-ils.

Et si elle voulait avoir la moindre chance de l'emporter, il allait falloir jouer serré. Mais B.J. n'était pas le genre de femme à se laisser décourager par un tel défi. Tant qu'elle conserverait la moindre chance de convaincre Taylor de préserver l'auberge, elle continuerait à se battre.

Forte de cette décision, elle quitta sa chambre et descendit au rez-de-chaussée. Comme souvent le dimanche matin, l'hôtel était calme. Les clients dormaient tard et descendaient par petits groupes pour prendre leur petit déjeuner.

En temps normal, B.J. en profitait pour se consacrer à des tâches administratives et rattraper le retard qu'elle avait accumulé durant la semaine. Avant de gagner son bureau elle décida néanmoins de passer par la salle à manger pour prendre un café et s'assurer que tout était en ordre.

Là, elle eut la désagréable surprise de découvrir que Taylor était déjà levé.

— Quelle chance ! s'exclama-t-il d'un ton parfaitement cordial. Moi qui pensais déjeuner seul...

A contrecœur, la jeune femme prit place en face de lui et lui décocha un sourire aussi froid que poli.

— J'espère que vous avez bien dormi, lui dit-elle.

— Merveilleusement ! Votre brochure ne ment pas. Cet endroit est d'un calme étonnant.

— Je suis ravie de vous l'entendre dire, monsieur Reynolds, répondit-elle en insistant sur l'emploi de son nom de famille.

— Je dois dire que, jusqu'à présent, je ne suis pas déçu par cet endroit. Il correspond en tout point à l'idée que je m'en étais fait.

Maggie s'approcha d'eux, arborant une expression rêveuse. B.J. comprit aussitôt qu'elle devait penser à la soirée qu'elle avait passée avec Wally, son petit ami.

— Je prendrai du café et des toasts, dit-elle d'un ton légèrement insistant.

Prise en faute, Maggie rougit et hocha la tête.

— Moi aussi, dit Taylor, amusé.

Lorsque la serveuse se fut éloignée en direction de la cuisine, il observa attentivement B.J. qui sentit aussitôt renaître en elle le malaise qu'il lui inspirait.

— Vous savez, déclara-t-il enfin, je suis impressionné par la façon dont vous dirigez votre personnel.

— Pourquoi dites-vous cela ? demanda-t-elle, étonnée.

— Cette fille avait visiblement l'esprit ailleurs. Mais il vous a suffi d'un regard pour lui rappeler ses responsabilités.

— C'est probablement parce que nous nous connaissons bien. Je serais prête à parier que Maggie pensait à Wally et au film que tous deux sont allés voir au cinéma, hier soir.

— Je vois, acquiesça Taylor en riant.

— A mes yeux, reprit-elle, les membres du personnel doivent former une famille. Cela permet de créer une atmosphère moins formelle, plus détendue. Nos clients le sentent et c'est l'une des choses qu'ils apprécient lorsqu'ils viennent ici.

La jeune femme s'interrompit tandis que Maggie revenait avec leur commande.

— Dois-je comprendre que vous avez un a priori contre les clubs de vacances ? demanda Taylor lorsque la jeune serveuse se fut éloignée.

B.J. hésita quelques instants avant de répondre, cherchant les mots justes.

— Non, dit-elle enfin. Simplement, ces centres ont une fonction totalement différente de celle de l'auberge. Les clients qui les fréquentent s'attendent à se voir proposer une foule d'activités différentes. Ici, au contraire, ils viennent pour se détendre et se délasser. Ils aiment prendre leur temps. Certains vont à la pêche, d'autres font un peu de ski de fond en hiver. Mais la plupart préfèrent se promener et jouir simplement de la tranquillité des lieux. Et nous nous efforçons de leur offrir le calme et le confort qu'ils recherchent. Je crois que c'est tout l'intérêt de Lakeside Inn…

— Cela reste à prouver, objecta Taylor.

Il s'était exprimé d'un ton affable mais, dans ses beaux yeux noirs, B.J. vit briller d'autres ambitions qu'elle était certaine de ne pas partager.

— L'aube aux yeux gris couvre de son sourire la nuit grimaçante…

Levant la tête, B.J. découvrit le visage sympathique de M. Leander qui lui souriait, attendant qu'elle lui donne la réplique.

— Et diapre de lignes lumineuses les nuées d'Orient, répondit-elle sans hésiter.

Leander s'inclina et s'éloigna d'un pas étonnamment léger pour un homme de sa corpulence.

— Un jour, il vous prendra en défaut, observa Taylor en le suivant des yeux.

— La vie n'est qu'une succession de risques, répondit-elle en souriant. Mieux vaut les accepter comme ils viennent.

Se tournant vers elle, Taylor posa sa main sur la sienne, lui arrachant un frisson.

— Si vous le pensez vraiment, les jours qui viennent risquent d'être fascinants, murmura-t-il d'une voix lourde de sous-entendus.

Avec une pointe d'angoisse, B.J. se demanda s'il fallait y voir une promesse ou un avertissement.

A travers la fenêtre entrouverte, on pouvait apercevoir les pelouses verdoyantes du parc qui entourait l'auberge et le ciel d'azur. Le pépiement des oiseaux et l'odeur de l'herbe fraîchement coupée constituaient une invitation presque irrésistible à la promenade.

Mais B.J. et Taylor ne prêtaient guère attention à ce panorama idyllique. Enfermés dans le bureau de la jeune femme, ils venaient de passer en revue tous les documents administratifs ayant trait à la vie de l'hôtel : livres de compte, fiches de paie des employés, commandes aux fournisseurs, budget pour l'année en cours...

B.J. avait présenté en détail le bilan de ses activités et pensait s'être tirée avec brio de cet exigeant exercice. Taylor l'avait écoutée avec beaucoup d'attention avant de la féliciter pour la précision de son exposé et la qualité de son travail.

Puis il lui avait posé toutes sortes de questions qui lui prouvèrent, s'il en était besoin, qu'il connaissait son métier à la perfection. Ainsi, malgré leurs différends, ils étaient parvenus à gagner un certain respect mutuel.

Au moins, songea-t-elle, Taylor ne paraissait plus la considérer comme une adolescente attardée, incapable de gérer l'auberge. Elle se prit même à espérer qu'il verrait à présent d'un œil plus favorable les recommandations qu'elle pourrait lui faire.

— Je remarque que vous vous approvisionnez en grande partie auprès des fermes de la région, remarqua Taylor qui parcourait le facturier.

— C'est exact, acquiesça-t-elle. Cela profite à tout le monde. Nos produits sont de première fraîcheur et nous contribuons à dynamiser l'économie locale. Lakeside Inn joue un rôle non négligeable dans l'équilibre de la région : nous fournissons des emplois, nous consommons divers produits et services et nous attirons des clients qui font vivre les boutiques des environs.

Comme Taylor s'apprêtait à lui répondre, Eddie ouvrit la porte et pénétra dans le bureau, arborant une expression angoissée.

— B.J., s'exclama-t-il, les Bodwin sont arrivées !

Réprimant un soupir résigné, la jeune femme se tourna vers Taylor qui la contemplait avec une pointe d'étonnement.

— A l'entendre, ces Bodwin doivent s'apparenter aux sept plaies d'Egypte, observa-t-il.

— Vous n'êtes pas très loin de la vérité, concéda-t-elle. Si vous voulez bien m'excuser, je n'en ai que pour une minute.

B.J. quitta la pièce et se dirigea à grands pas vers la réception. Là, les deux sœurs Bodwin l'attendaient. Toutes deux se ressemblaient comme deux gouttes d'eau : grandes et décharnées, elles arboraient le même visage ridé, les mêmes yeux perçants, le même nez en bec d'aigle surmonté de lunettes à monture d'acier.

— Mademoiselle Patience, mademoiselle Hope, s'exclama la jeune femme, faisant visiblement des efforts d'amabilité. Je suis ravie de vous revoir !

— C'est toujours un plaisir pour nous de revenir chez vous, déclara Patience d'une voix claironnante.

— Tout à fait, murmura sa sœur.

— Eddie, prends les bagages de ces demoiselles et installe-les dans leur chambre habituelle.

Eddie hocha la tête et s'exécuta, visiblement ravi d'échapper momentanément aux deux harpies. B.J. vit alors Taylor sortir du bureau et se diriger vers eux.

— Mesdemoiselles, je vous présente Taylor Reynolds, déclara-t-elle. C'est le nouveau propriétaire de l'auberge.

— Enchanté de faire votre connaissance, les salua ce dernier avant de leur serrer la main.

B.J. eut la stupeur de voir Hope Bodwin rougir légèrement à ce contact. Décidément, songea-t-elle, Taylor semblait exercer la même fascination sur toutes les femmes.

— Mes félicitations, jeune homme, lui dit alors Patience. Vous avez acquis une excellente maison. Mlle Clark est une gérante hors pair et j'espère que vous saurez la récompenser à la hauteur de ses mérites.

Taylor décocha à B.J. un sourire amusé et posa doucement la main sur son épaule.

— Je suis tout à fait convaincu des qualités de Mlle Clark, déclara-t-il. Soyez assurées, mesdemoiselles, que je saurai lui témoigner toute ma gratitude.

Le sous-entendu qui perçait dans sa voix n'échappa pas à la jeune femme. Elle se déplaça de façon à dégager son épaule.

— Je vais demander qu'on prépare votre table habituelle, mesdemoiselles, déclara-t-elle en indiquant la salle à manger sur le seuil de laquelle venait d'apparaître Maggie. Donnez-leur la numéro deux, ajouta-t-elle à l'intention de la serveuse. Et veillez à ce qu'elles ne manquent de rien.

— Merci, mademoiselle Clark, répondit Patience Bodwin. Vous êtes adorable.

Sur ce, les deux sœurs s'éloignèrent en direction du restaurant.

— Vous leur donnez la table numéro deux ? s'étonna Taylor. Je croyais qu'elle était faite pour six.

— C'est exact. Mais c'est celle que préfèrent les sœurs Bodwin. M. Campbell la leur attribue toujours.

— Vous oubliez que M. Campbell n'est plus le propriétaire des lieux.

— Et alors ? répliqua durement B.J. Voulez-vous que je leur refuse leur table ? Que je les fasse manger dans la cuisine ? Vous êtes peut-être habitué à parcourir des bilans et des livres de compte mais je crois que vous manquez de discernement lorsqu'il s'agit de vos clients. Les gens ne sont pas de simples numéros et on ne peut pas les placer où l'on veut simplement parce que cela nous arrange !

A la grande surprise de la jeune femme, Taylor éclata de rire.

— Vous savez que vous avez un caractère impossible ! s'exclama-t-il joyeusement. Je n'arrive pas à comprendre pourquoi vous déformez toujours mes paroles.

— Mais c'est vous qui m'avez demandé de donner une autre table aux sœurs Bodwin ! protesta vivement B.J.

— Vous devriez apprendre à écouter les autres, répliqua Taylor. J'ai simplement dit que j'étais surpris que vous attri-buiez une table pour six à deux personnes.

47

— Très bien, soupira-t-elle. Dans ce cas, dites-moi ce que vous auriez fait à ma place.

— Exactement la même chose que vous, B.J., répondit-il en haussant les épaules. Je ne vois pas de raison de troubler les habitudes de vos clients tant qu'il y a assez de tables libres.

B.J. serra les dents, luttant désespérément pour conserver son calme. Dans les yeux de Taylor, elle lisait une lueur d'amusement qui la rendait folle de rage. Mais force était de reconnaître qu'une fois de plus, elle l'avait laissé la pousser à bout sans raison.

— Monsieur Reynolds…, commença-t-elle.

— Taylor, la reprit-il. J'ai remarqué que vous appeliez tous vos collaborateurs par leurs prénoms mais que vous évitiez toujours d'employer le mien. C'est un peu vexant, vous savez…

Taylor posa ses mains sur les épaules de la jeune femme. Lorsqu'elle essaya de se dégager, il raffermit son emprise et la regarda droit dans les yeux.

— Allons, insista-t-il. Ce n'est pas si difficile que cela. Essayez…

Le cœur battant, B.J. sentit son corps tout entier réagir à la proximité de Taylor. C'était une sensation terriblement troublante. Une douce chaleur se répandait en elle, éveillant des fourmillements sur sa peau et la faisant frissonner malgré elle. Furieuse et impuissante, elle prenait une fois de plus toute la mesure de l'attraction qu'il exerçait sur elle.

— Taylor…, protesta-t-elle faiblement.

— Très bien, acquiesça-t-il. J'adore entendre mon prénom dans votre bouche. J'espère que vous le prononcerez plus souvent, désormais.

B.J. ne répondit pas, se contentant de le contempler avec défiance.

— Dites, B.J., est-ce que par hasard, je vous ferais peur ?

— Non, balbutia-t-elle d'une voix mal assurée. Pas du tout, ajouta-t-elle en s'efforçant de paraître plus convaincue.

— Vous savez que vous êtes une piètre menteuse ! s'exclama Taylor en riant.

Sans attendre sa réponse, il se pencha vers elle et effleura sa bouche de la sienne, la faisant frémir de la tête aux pieds. Il ne cherchait pas vraiment à l'embrasser, se contentant de la caresser du bout des lèvres, éveillant en elle une passion incoercible.

Finalement, incapable de résister à ce supplice de Tantale, elle se pressa contre lui et lui rendit son baiser avec une ardeur qui la surprit elle-même. Mais c'était plus fort qu'elle. Pour la première fois de sa vie, elle se sentait absolument incapable de résister à la tentation.

Bien sûr, elle regretterait probablement par la suite d'avoir cédé aussi facilement mais, pour le moment, tout ce qui comptait, c'était de sentir la bouche de Taylor contre la sienne et ses mains qui avaient glissé de ses épaules pour se poser sur ses hanches.

Le monde entier paraissait avoir disparu pour laisser place au plaisir brûlant qu'il lui offrait. Mais, lorsque leurs lèvres se séparèrent enfin, elle le sentit brusquement refluer pour laisser place à un mélange de honte et de confusion. Pendant quelques instants, tous deux restèrent immobiles.

— Je ferais mieux d'aller m'assurer que tout va bien en cuisine, murmura-t-elle enfin pour dissiper le silence pesant qui s'était installé.

Taylor sourit et, dans ses yeux, elle vit briller une lueur moqueuse.

— Bien sûr, concéda-t-il. Mais vous ne pourrez pas fuir

éternellement l'évidence, B.J. Tôt ou tard, vous serez à moi. D'ici là, je saurai bien patienter.

La jeune femme le foudroya du regard.

— C'est incroyable ! s'exclama-t-elle, furieuse. Jamais je n'ai rencontré quelqu'un d'aussi présomptueux ! Je ne suis pas un objet, Taylor ! Et je n'appartiens qu'à moi-même !

— C'est peut-être ce que vous croyez, répondit-il en riant. Mais vous vous trompez. Vous serez à moi. Si j'avais le moindre doute à ce sujet, vous venez de le dissiper avec brio.

B.J. serra les poings, luttant de toutes ses forces contre la tentation qu'elle avait de le gifler.

— Je n'ai absolument pas l'intention de figurer au nombre de vos trophées, monsieur Reynolds, articula-t-elle d'une voix glaciale.

Sur ce, elle tourna les talons et se dirigea vers le restaurant, s'efforçant de ne pas se laisser déstabiliser par le sourire ironique de Taylor qui la suivait des yeux.

4.

Le lundi était toujours la journée la plus chargée pour B.J. Elle était d'ailleurs intimement convaincue que, si quelque calamité devait se produire, ce serait ce jour-là, justement parce qu'elle n'aurait pas le temps de gérer la crise de façon satisfaisante.

Evidemment, la présence de Taylor Reynolds dans son bureau ne rendait pas les choses plus faciles. Elle n'avait pas oublié ce qu'il lui avait dit la veille et lui en voulait toujours pour l'arrogance dont il avait fait preuve à son égard.

Pourtant, elle était bien décidée à ne pas laisser leurs différends personnels prendre le pas sur leurs relations de travail. D'une voix glaciale, elle lui détailla donc chaque coup de téléphone qu'elle passait, chaque lettre qu'elle rédigeait et chaque facture qu'elle réglait.

Il l'accuserait peut-être d'être distante et insensible mais certainement pas de ne pas se montrer coopérative.

Taylor, quant à lui, avait opté pour une attitude tout aussi professionnelle. Il se garda de toute allusion déplacée, se contentant de la traiter avec une politesse sourcilleuse et d'ignorer la froideur ostensible dont elle faisait preuve à son égard.

Jamais elle n'avait rencontré un homme aussi maître de

lui. Rien ne paraissait le toucher. Bien sûr, cela ne faisait qu'alimenter la colère et la frustration de la jeune femme. Elle fut même tentée de renverser sa tasse de café sur son beau costume pour voir s'il prendrait la chose avec autant de philosophie.

— J'ai raté quelque chose ? demanda alors Taylor.

— Pardon ?

— Pour la première fois de la journée, vous étiez en train de sourire.

B.J. rougit et détourna les yeux, s'efforçant de retrouver un semblant de contenance.

— Je suis désolée, répondit-elle. Je pensais à autre chose. Si vous voulez bien m'excuser, ajouta-t-elle en se levant, je vais aller m'assurer que le ménage a bien été fait dans les chambres. Voudrez-vous prendre votre déjeuner ici ou dans la salle à manger ?

— Dans la salle à manger, répondit Taylor en s'adossant confortablement à son siège. Est-ce que vous me tiendrez compagnie ?

— Je suis désolée, s'excusa la jeune femme d'une voix faussement contrite. Mais j'ai beaucoup de choses à faire, aujourd'hui. Néanmoins, je vous recommande le rosbif. Il est succulent.

Taylor hocha la tête et la suivit des yeux en silence tandis qu'elle quittait la pièce. Soulagée, B.J. gravit l'escalier pour aller inspecter les chambres.

Au cours de l'après-midi qui suivit, elle parvint habilement à éviter Taylor. Il lui fallut pour cela redoubler de méfiance et d'habileté et ce petit jeu de cache-cache l'amusa beaucoup. Evidemment, tôt ou tard, elle serait obligée de se retrouver en face de lui. Mais elle ne se sentait pas encore prête à le faire.

L'heure du dîner approchait et l'auberge était parfaitement silencieuse. La plupart des clients s'étaient retirés dans leur chambre en attendant l'ouverture du restaurant et les couloirs étaient déserts.

En chantonnant, B.J. se dirigea vers la lingerie pour vérifier l'état des stocks de draps, de taies d'oreiller et de serviettes. Après avoir calculé ce dont ils auraient besoin pour la période estivale, elle nota sur son calepin la commande qu'elle enverrait dès le lendemain à son fournisseur. Puis elle s'intéressa aux réserves de produits de toilette que l'hôtel mettait gracieusement à la disposition de ses clients.

Tandis qu'elle effectuait ces tâches familières, elle se prit à rêver aux promenades qu'elle ferait durant la belle saison, aux excursions en barque sur le lac, aux longues soirées qu'elle passerait sur la terrasse de l'auberge.

Ces rêveries plaisantes ne tardèrent pourtant pas à se teinter d'une légère impression de malaise. Pour la première fois de sa vie, elle se prit à regretter de ne pas avoir à ses côtés quelqu'un avec qui elle aurait pu partager ces moments privilégiés.

Jusqu'alors, la jeune femme n'avait jamais souffert de la solitude. Après tout, elle vivait dans une auberge et il y avait toujours du monde autour d'elle : les employés qui travaillaient à ses côtés, les clients de passage et les habitués avec lesquels elle s'était liée d'amitié…

Mais elle réalisa brusquement qu'elle n'en était pas moins seule. Elle n'avait personne pour l'entraîner main dans la main au bord du lac, les soirs où la lune était pleine, pour partager ses secrets, ses doutes, ses joies et ses angoisses, pour discuter de tout et de rien pendant des heures au gré de sa fantaisie.

Chaque fois qu'on lui avait parlé de mariage ou de relation

stable, elle avait éludé la question. Peut-être parce qu'elle ne se sentait pas prête à endosser de telles responsabilités. Peut-être parce qu'elle rêvait encore au Prince charmant, à un mystérieux inconnu qui saurait éveiller en elle une vertigineuse passion.

Ce serait un homme charismatique, fort, sûr de lui et, bien sûr, terriblement beau.

Un homme comme Taylor Reynolds.

Cette pensée prit B.J. de court et elle se figea brusquement, le cœur battant à tout rompre.

Bien sûr, force était de constater qu'il existait entre eux une certaine alchimie. Les baisers qu'ils avaient échangés le prouvaient de façon incontestable. Il était aussi très beau. Et doué d'une intelligence aiguë. Et d'un charisme indéniable…

Mais il était aussi arrogant, suffisant et égoïste. Et il avait le don de la mettre hors d'elle.

N'était-ce pas justement parce que au fond, il l'attirait ? lui souffla une petite voix pernicieuse.

— Non, déclara-t-elle résolument. Je n'ai vraiment pas besoin de quelqu'un comme lui !

Cette affirmation la rasséréna quelque peu et elle se dirigea vers la porte de la lingerie d'un pas décidé. Mais, lorsqu'elle l'ouvrit, ce fut pour se trouver nez à nez avec Taylor Reynolds.

Malgré elle, elle sursauta, comme prise en faute. Il l'observa d'un air amusé.

— Vous êtes drôlement nerveuse, remarqua-t-il. Et vous marmonnez toute seule. Peut-être avez-vous besoin de vacances…

— Je…

54

— De longues vacances, ajouta-t-il en lui caressant doucement la joue.

B.J. se raidit, furieuse.

— C'est vous qui m'avez fait peur, protesta-t-elle. Que faites-vous ici ?

— Il faut croire que je jouais à cache-cache, tout comme vous, répondit-il avec un sourire sardonique.

— Je ne vois vraiment pas de quoi vous voulez parler, répliqua B.J. avec une parfaite mauvaise foi.

En réalité, elle était mortifiée d'avoir été percée à jour aussi facilement.

— Si vous voulez bien m'excuser, reprit-elle en faisant mine de s'éloigner.

— Savez-vous que, lorsque vous êtes en colère, une petite ride verticale apparaît entre vos sourcils ?

— Je ne suis pas en colère, répondit-elle d'une voix glaciale. Je suis juste très occupée.

Sa froideur ne parut pas le décourager le moins du monde. Au contraire, son sourire s'élargit encore. B.J. maudit intérieurement le trouble qu'elle éprouvait lorsqu'elle se trouvait en sa présence.

— Taylor, si vous voulez me dire quelque chose en particulier, je vous écoute.

— A vrai dire, je tenais à vous transmettre un message.

Il tendit la main vers son front qu'il effleura du bout du doigt, comme pour faire disparaître le froncement de sourcils de la jeune femme.

— Un message des plus intrigant, reprit-il.

— Vraiment ? dit-elle en reculant nerveusement pour échapper à cette caresse qui la troublait bien plus qu'elle ne l'aurait voulu. De quoi s'agit-il ?

— Je l'ai noté pour être certain de ne commettre aucune erreur, répondit Taylor.

Il tira un petit papier de la poche intérieure de sa veste et le déplia.

— C'est de la part d'une certaine Mme Peabody, lut-il. Elle voulait vous dire que Cassandra a accouché. Elle a eu quatre filles et deux garçons. Des sextuplés. C'est incroyable, non ?

— Pas lorsqu'il s'agit d'une chatte, répondit la jeune femme en souriant malgré elle. Mme Peabody est l'une de nos plus vieilles clientes. Elle vient à l'auberge deux fois par an.

— Je voix, acquiesça Taylor, amusé par sa propre méprise. En tout cas, j'ai fait mon devoir. A vous de faire le vôtre.

La prenant par la main, il l'entraîna en direction de l'escalier.

— L'air de la campagne m'a ouvert l'appétit, déclara-t-il. Vous connaissez le menu du soir et vous pourrez commander pour nous !

— C'est impossible, protesta-t-elle.

— Au contraire, s'exclama Taylor d'un ton malicieux. Je séjourne dans cette auberge. Or vous m'avez dit que vous faisiez toujours de votre mieux pour satisfaire vos clients. Je vous demande juste de dîner en ma compagnie. Ce n'est tout de même pas si terrible, si ?

A contrecœur, B.J. dut se rendre à ses arguments. Si elle avait insisté, elle serait apparue comme une enfant entêtée et elle ne tenait pas à se ridiculiser une fois de plus aux yeux de Taylor.

Résignée, elle le suivit donc jusqu'à la salle à manger où ils prirent place à l'une des tables disponibles. Le repas ne fut pas aussi terrible qu'elle l'avait craint. En fait, elle réalisa même que Taylor pouvait être un compagnon des plus agréable lorsque la fantaisie lui en prenait.

Il se montra tout à fait charmant et tous deux discutèrent de politique, des films qu'ils avaient vus récemment, des livres qu'ils avaient aimés et de leurs études respectives.

B.J. dut reconnaître que Taylor ne manquait pas d'humour et se surprit à plusieurs reprises à rire à gorge déployée tandis qu'il lui racontait quelques-unes des anecdotes les plus savoureuses qui lui étaient arrivées à l'université.

Elle fut plus étonnée encore de découvrir en lui un auditeur attentif. Il lui posa de nombreuses questions sur sa famille, sur son enfance et sa vie à Lakeside et écouta avec attention les réponses qu'elle lui fit, paraissant réellement s'intéresser à ce qu'elle disait.

La jeune femme finit par regretter qu'ils ne se soient pas rencontrés en d'autres circonstances. Car si elle n'avait pas su quel tyran Taylor pouvait être en affaires, elle serait certainement tombée sous son charme.

Hélas, quelles que soient les qualités dont il faisait preuve, il n'en restait pas moins l'homme qui l'avait menacée de renvoyer tout le personnel de l'hôtel pour obtenir ce qu'il désirait, celui qui avait décidé de transformer Lakeside Inn en complexe touristique et qui s'était conduit à son égard de façon plus que cavalière.

Et, chaque fois qu'elle était sur le point de céder au dangereux pouvoir de séduction qui émanait de lui, elle se forçait à se rappeler tout cela et à reprendre de la distance. Tous deux étaient en guerre et elle n'était pas encore prête à rendre les armes.

Comme le repas touchait à sa fin et qu'ils étaient en train de prendre leur café, Eddie s'approcha de leur table.

— Monsieur Reynolds ? Vous avez un appel de New York.

— Merci, Eddie, répondit Taylor. Je le prendrai dans le bureau. Je n'en aurai pas pour longtemps, ajouta-t-il à l'intention de B.J.

— Inutile de vous dépêcher à cause de moi, lui assura la jeune femme. J'ai beaucoup de choses à faire ce soir.

— Je passerai tout de même vous voir plus tard, déclara Taylor d'un ton qui n'admettait pas de réplique.

Leurs regards se croisèrent et elle se prépara à un nouveau conflit. Mais, brusquement, il éclata de rire et se pencha vers elle pour déposer un léger baiser sur son front. Interloquée, elle ne chercha même pas à le repousser ou à protester.

Avant même qu'elle ait pleinement recouvré ses esprits, il avait disparu. D'un geste absent, elle se frotta le front pour chasser la sensation de brûlure qui persistait, à l'endroit précis où s'étaient posées les lèvres de Taylor.

Prenant une profonde inspiration, elle se força à repousser le trouble qui l'habitait et vida sa tasse de café d'un trait avant de quitter le restaurant. Elle se dirigea alors vers le bar.

Là, l'ambiance était très différente. Dans la lumière tamisée, quelques couples installés autour des petites tables réparties dans la pièce discutaient et plaisantaient en sirotant un cocktail ou une pinte de bière.

Une odeur de cigarette, de feu de cheminée et de vieux bois flottait dans l'air. Aux yeux de B.J., cette scène familière avait quelque chose de profondément réconfortant. D'un pas lent, elle se dirigea vers un meuble sur lequel était posé un vieux gramophone à pavillon.

Elle ouvrit le buffet et s'agenouilla pour passer amoureusement en revue la collection de vieux soixante-dix-huit tours qui y était rangée. Finalement, elle en choisit un et, le tirant de sa pochette, le plaça précautionneusement sur le tourne-disque.

D'une main experte, elle remonta le mécanisme à ressort et lança la platine avant de placer délicatement l'aiguille sur le sillon extérieur. Un discret crachotement se fit entendre, suivi par la voix rauque et sensuelle de Billie Holiday. Quelques couples quittèrent leurs tables et se mirent à évoluer lentement au rythme de la musique.

Durant l'heure qui suivit, B.J. enchaîna les standards de jazz des années 30 et 40, passant des ballades mélancoliques au ragtime et au rythm and blues le plus endiablé avec l'habileté d'un disc-jockey accompli.

Comme chaque lundi, elle prenait un plaisir immense à voir son public apprécier ces morceaux d'un autre âge. Elle avait souvent remarqué que cette musique avait le don de réunir les auditeurs de toutes générations, peut-être parce que sa simplicité apparente était à la source de tant de courants musicaux divergents. Peut-être aussi parce qu'elle s'accordait parfaitement avec l'ambiance hors du temps qui régnait dans l'auberge.

Au fond, cela n'avait aucune importance, songea-t-elle en souriant. Et, comme à son habitude, elle se contenta de laisser la magie opérer, retrouvant avec bonheur ces chansons qu'elle connaissait par cœur et dont elle ne se lassait jamais.

— Mais qu'est-ce que vous faites ? fit une voix, juste derrière elle, la rappelant brusquement à la réalité.

La jeune femme se retourna pour découvrir Taylor qui l'observait d'un air interloqué.

— Je vois que vous avez fini de téléphoner, lui dit-elle. J'espère qu'il ne s'agissait de rien de grave.

— Rien d'important, éluda-t-il. Puis-je savoir ce qui se passe, ici ?

B.J. le regarda avec une pointe d'étonnement. Puis elle haussa les épaules.

— Je ne sais pas, répondit-elle. Je passe seulement de la musique. Mais asseyez-vous et demandez à Don de vous servir un bon cocktail. Désolée, il va falloir que je change l'aiguille…

Se détournant, elle attendit la fin du morceau pour remplacer l'aiguille du tourne-disque avant de lancer un nouveau soixante-dix-huit tours.

— Je vais aller me chercher un verre, dit-elle alors à Taylor. Vous voulez quelque chose ?

— Je vous l'ai dit : une explication.

— Une explication à propos de quoi ?

— B.J., seriez-vous en train de jouer les ravissantes idiotes ? Je vous connais suffisamment pour ne pas être dupe, vous savez.

— Je suppose que c'est un compliment, répondit la jeune femme d'un ton sarcastique. Du moins ce qui s'en rapproche le plus chez vous. Merci, donc. Mais j'avoue que cela ne m'aide pas pour autant à comprendre votre question.

— Dans ce cas, je vais la reformuler : pourquoi utilisez-vous cette vieillerie alors que le bar est équipé d'une chaîne hi-fi et d'une sono modernes ?

— Vous êtes sérieux ? s'exclama-t-elle. Vous ne comprenez vraiment pas ?

— Non, répondit-il. Il faut croire que c'est moi qui ne suis pas très malin.

— Nous sommes lundi, répondit-elle.

Taylor laissa errer son regard sur la pièce, s'attardant un instant sur les couples qui dansaient.

— Je suppose que cela explique tout, répondit-il enfin avec une pointe d'ironie.

60

— En quelque sorte, dit-elle très sérieusement. Tous les lundis, je passe de vieux disques. Je suppose que, dans les milieux branchés que vous devez fréquenter, vous appelleriez ça une soirée rétro. Quant à ce gramophone, ce n'est pas une vieillerie, comme vous dites, mais une vénérable antiquité, d'autant plus précieuse qu'elle est encore en parfait état de marche. Je l'ai rénovée moi-même.

— Mais… pourquoi ? demanda Taylor, passablement interdit.

— Pourquoi quoi ? soupira-t-elle avec une pointe d'agacement.

— Pourquoi passez-vous de vieux disques le lundi soir ?

B.J. prit une profonde inspiration, se demandant comment elle aurait pu lui expliquer cela. Alors qu'elle allait répondre, Taylor leva la main.

— Attendez, lui dit-il.

Se détournant, il alla parler à l'un des clients. Quelques instants plus tard, il était de retour avec un sourire satisfait.

— J'ai trouvé quelqu'un pour vous remplacer pendant quelques minutes. Nous discuterons plus tranquillement si vous n'avez pas à vous arrêter toutes les trois minutes pour changer de disque. Venez.

Il la prit par le bras et l'entraîna dehors. L'air frais de la nuit ne contribua pourtant pas le moins du monde à dissiper la colère qui montait en B.J.

— Maintenant, je vous écoute, déclara Taylor en s'adossant au mur de l'auberge.

— Je crois que vous allez me rendre folle ! s'emporta la jeune femme. Comment pouvez-vous être toujours aussi… aussi…

Elle s'interrompit, cherchant vainement le mot juste.

— Borné ? suggéra Taylor. Etroit d'esprit ?

— Exactement ! s'exclama-t-elle. Tout se passait parfaitement bien et voilà que vous arrivez avec vos questions et vos petits airs supérieurs.

Tapant du pied, elle poussa un petit soupir de frustration en avisant le sourire amusé de Taylor.

— Les gens s'amusent, ajouta-t-elle en désignant la salle du bar que l'on apercevait par la fenêtre. Vous avez parfaitement le droit de trouver ce genre de soirée ringarde, dépassée ou tout simplement ennuyeuse. Mais pas d'interdire aux autres d'en profiter ! Tout le monde n'a pas besoin d'un groupe ou des morceaux du top cinquante pour danser !

— Du calme, l'interrompit Taylor en riant. Vous n'êtes pas obligée de vous mettre dans un état pareil.

— C'est à cause de vous, protesta-t-elle.

— Pas du tout, répondit-il. Si vous vous souvenez bien, je me suis contenté de poser une question qui me paraissait parfaitement légitime.

— Et je vous ai répondu. Du moins, je le crois.

Frustrée, elle leva les yeux au ciel.

— Bon sang, soupira-t-elle, comment suis-je censée me rappeler votre question ou ma réponse alors que vous avez bien mis dix minutes à en venir au fait ?

Elle s'interrompit, s'efforçant de retrouver un semblant de calme.

— Très bien, dit-elle enfin. Quelle était donc votre question parfaitement légitime ?

— B.J., je crois que vous épuiseriez la patience d'un saint, remarqua Taylor en secouant la tête. La seule chose que je désirais savoir, c'est pourquoi, en poussant la porte du bar, je m'étais brusquement retrouvé projeté en 1935.

— Parce que chaque lundi, c'est exactement ce qui se passe depuis plus de cinquante ans. C'est une sorte de tradition à laquelle nos clients réguliers sont très attachés. Bien sûr, nous avons également une sono. Et nous l'utilisons les autres soirs de la semaine en alternance avec des concerts de groupes de la région. Mais le lundi est un jour à part.

— Voilà une réponse parfaitement raisonnable, répondit Taylor en s'approchant de la jeune femme. Et je commence même à comprendre l'intérêt d'une telle soirée. Voulez-vous m'accorder cette danse ?

Avant même que B.J. ait eu le temps de lui répondre, il la prit dans ses bras et commença à les faire tourner au rythme de *Embraceable You* dont les notes leur parvenaient à travers la fenêtre entrouverte.

Leurs visages étaient si proches l'un de l'autre qu'elle pouvait sentir son souffle sur ses lèvres. Cette sensation lui arracha un petit frisson.

— Vous avez froid ? lui demanda Taylor.

Elle secoua la tête mais il la serra tout de même un peu plus contre lui et elle sentit la chaleur de son corps s'insinuer en elle, éveillant un trouble aussi dangereux que délicieux. La joue de Taylor reposait à présent contre la sienne et elle ferma les yeux, se laissant aller à cette sensation envoûtante.

— Nous devrions peut-être rentrer, murmura-t-elle sans conviction.

— Certainement, répondit Taylor.

Mais ses lèvres se posèrent sur le lobe de son oreille qu'il caressa du bout de la langue, lui arrachant un petit soupir de plaisir. Elle aurait probablement dû se dégager et lui dire qu'il n'était qu'un goujat et qu'elle ne pouvait plus supporter ce harcèlement continuel.

Elle aurait dû le gifler pour lui faire comprendre une fois

pour toutes qu'elle n'était pas intéressée par ses petits jeux, qu'elle n'avait aucune envie de céder à ses avances parfaitement déplacées.

Elle aurait dû démissionner et refuser de rester plus longtemps l'employée de cet homme qui ne paraissait pas faire la différence entre ses intérêts professionnels et ses penchants personnels.

Mais, tandis qu'elle formulait ces pensées parfaitement cohérentes et sensées, elle ne faisait pas mine de bouger. Prise au piège, elle ne pouvait que s'abandonner à cette inexplicable sérénité qui l'avait envahie.

Tandis que les lèvres de Taylor effleuraient son cou, elle sentit s'affoler les battements de son cœur. Sa respiration se fit légèrement haletante et une douce chaleur se répandit en elle, se communiquant à chacun de ses membres.

Rouvrant les yeux, elle contempla le ciel piqueté d'étoiles. Les caresses de Taylor paraissaient être en harmonie parfaite avec l'air frais de la nuit, le chant lointain des hiboux et l'odeur entêtante des jacinthes qui décoraient la balustrade du porche.

Elle se demanda si elle n'était pas victime de quelque sortilège, s'il ne l'avait pas envoûtée. Peut-être tourneraient-ils à jamais au rythme de cette musique qu'elle aimait tant. Curieusement, cette idée avait quelque chose de terriblement séduisant.

Les doigts de Taylor plongèrent dans ses cheveux, la ramenant brusquement à la réalité. Tandis qu'il caressait doucement sa nuque, la jeune femme avait l'impression que sa volonté se dissolvait sous l'effet du bien-être qu'il faisait naître en elle.

Ses sens paraissaient brusquement aiguisés et elle percevait aussi bien le battement puissant et régulier du cœur de

Taylor contre sa joue que l'odeur de son corps, la texture de sa peau à travers le tissu de sa chemise ou son souffle brûlant qui effleurait sa peau.

Ces sensations alimentaient en elle un besoin qu'elle ne parvenait pas réellement à identifier mais qui grandissait à chaque instant, prenant possession de tout son être.

Elle comprit instinctivement qu'elle était sur le point de découvrir quelque chose qu'elle n'était pas encore prête à accepter. Quelque chose qui avait trait aux sentiments que lui inspirait Taylor.

Et, lorsqu'il se pencha vers elle pour l'embrasser, elle fut saisie d'un mouvement de panique aussi intense qu'irrationnel. Brusquement, elle recula, s'arrachant à ses bras sans même qu'il ait eu le temps d'anticiper son mouvement.

— Non, murmura-t-elle d'une voix tremblante. S'il vous plaît…

Elle s'appuya contre la balustrade du porche, luttant désespérément pour recouvrer un semblant de maîtrise de soi.

— Je ne veux pas, articula-t-elle.

D'un pas, Taylor couvrit la distance qui les séparait. Il posa la paume de sa main sur la joue de la jeune femme et lui sourit sans la quitter des yeux.

— Mais si, c'est ce que vous voulez, lui assura-t-il d'une voix très douce.

B.J. avait l'impression de se perdre sans rémission dans ses yeux de jais. De toute la force de sa volonté, elle lutta pour s'arracher à ce sortilège, pour se rappeler les résolutions qu'elle avait prises et le fait que Taylor et elle demeuraient des adversaires.

Elle savait d'instinct que, s'il la reprenait dans ses bras, elle serait perdue. Jamais elle n'aurait suffisamment de force pour échapper deux fois de suite à cette étreinte délicieuse, à ses lèvres envoûtantes, à ses caresses qui lui faisaient perdre toute emprise sur elle-même.

— Non ! s'exclama-t-elle lorsqu'il fit mine de s'approcher un peu plus encore.

Levant les mains vers lui, elle le repoussa fermement.

— Ne me dites pas ce que je veux ou ce que je ne veux pas, reprit-elle, partagée entre terreur et colère.

Taylor parut hésiter et elle en profita pour faire volte-face et prendre la fuite. Ce n'était peut-être pas une attitude très héroïque, songea-t-elle en pénétrant dans l'auberge. Mais elle ne pouvait se permettre de succomber à l'attirance inexplicable qu'elle éprouvait pour Taylor.

Comme elle atteignait le hall de réception, B.J. s'arrêta pour reprendre haleine. Décidément, songea-t-elle avec un sourire ironique, ce lundi soir ne ressemblait guère à ceux dont elle avait l'habitude.

Et, tandis qu'elle se dirigeait vers la cuisine pour aller trouver Dot, la jeune femme se mit à chantonner à voix basse. Ce ne fut qu'à la troisième mesure qu'elle reconnut l'air qu'elle interprétait : *Embraceable You*.

Elle comprit alors que ses problèmes ne faisaient que commencer.

5.

Ce matin-là, lorsqu'elle se réveilla, B.J. fut assaillie par les souvenirs de ce qui s'était passé la veille au soir entre Taylor et elle. L'espace d'un instant, elle fut tentée de refermer les yeux et de se rendormir. Mais, bien sûr, c'était impossible. Tôt ou tard, il lui faudrait bien affronter la réalité.

Si seulement elle avait pu conserver un semblant de contrôle de soi lorsqu'elle se trouvait en présence de cet homme. Mais c'était plus fort qu'elle : quand il ne la mettait pas en colère, elle ne pouvait s'empêcher de le trouver irrésistible.

Et, chaque fois, elle perdait un peu plus de crédibilité.

La jeune femme finit à contrecœur par sortir de son lit et enfila un nouveau tailleur très strict. Une fois habillée, elle noua ses cheveux en chignon et se répéta plusieurs fois devant la glace qu'elle était une professionnelle et que rien ni personne ne pourrait la détourner de son seul et unique but : défendre les intérêts de Lakeside Inn.

Au moins, songea-t-elle, il n'y aurait ce matin-là ni clair de lune ni musique envoûtante. Qui sait ? Cela lui permettrait peut-être de conserver un semblant de maîtrise de soi. A moitié convaincue par ces arguments, elle descendit l'escalier et gagna la salle à manger.

Elle était bien décidée à décliner l'inévitable invitation de Taylor à partager son petit déjeuner. Aussi fut-elle surprise de le trouver déjà installé devant un café et une assiette sur laquelle trônaient un œuf au plat et des toasts beurrés.

Il se trouvait à la table de M. Leander et tous deux étaient en grande discussion. Lorsqu'il vit B.J. entrer, il lui adressa tout juste un petit signe de la main mais ne fit pas mine de l'inviter à se joindre à eux.

Malgré elle, B.J. se sentit vexée par cette marque de désinvolture. Comment était-elle censée snober Taylor s'il ne faisait même pas l'effort de s'intéresser à elle ?

Boudeuse, elle s'éloigna en direction de la cuisine. Là, elle eut à peine le temps d'avaler un café avant qu'Elsie ne lui fasse clairement comprendre qu'elle la gênait. La jeune femme se réfugia donc dans son bureau.

Elle y travailla pendant une demi-heure, réglant les questions les plus urgentes. Mais, tout en s'activant, elle ne cessait de prêter l'oreille aux bruits du couloir, guettant l'approche de Taylor.

Comme les minutes se succédaient sans qu'il ne fasse mine de la rejoindre, elle sentit une étrange tension la gagner. C'était presque comme si elle regrettait qu'il ne soit pas là. Ce qui était absurde, bien sûr.

Après tout, elle lui en voulait toujours pour sa conduite de la veille. Et elle était ravie qu'il ait enfin décidé de la laisser tranquille.

Hélas, plus elle se répétait ce credo et moins elle parvenait à s'en convaincre. En vérité, malgré sa goujaterie, son arrogance, et son caractère impossible, elle commençait à s'accoutumer à la présence de Taylor et à leurs disputes incessantes.

Brusquement, la porte s'ouvrit et Eddie pénétra dans le bureau.

— B.J. ! s'exclama-t-il, visiblement paniqué. Nous avons un problème !

— Tu parles, marmonna-t-elle, préoccupée par la découverte qu'elle venait de faire.

— C'est la machine à laver la vaisselle, reprit Eddie d'un air aussi accablé que s'il venait de perdre l'un des membres de sa famille. Elle nous a lâchés au beau milieu du petit déjeuner.

B.J. poussa un profond soupir. Décidément, songea-t-elle, cette journée allait de mal en pis.

— D'accord, répondit-elle, je vais appeler Max. Avec un peu de chance, il sera là avant l'heure du déjeuner.

En réalité, il fallut moins d'une heure au réparateur pour arriver à l'auberge. B.J. s'efforça d'attendre patiemment qu'il ait fini d'inspecter la machine à laver avec force grommellements et claquements de langue réprobateurs. Il lui sembla pourtant que Max mettait un temps fou à découvrir l'origine de la panne.

— Dis, tu ne pourrais pas… ?

Max leva la main pour lui intimer le silence.

— B.J., soupira-t-il, je ne te dis pas comment gérer ton auberge. Alors laisse-moi travailler en paix.

La jeune femme se redressa et lui tira la langue avant de réaliser que Taylor se tenait sur le seuil de la cuisine, l'observant d'un air moqueur. Elle rougit et s'efforça vainement de se donner une contenance.

— Vous avez un problème ? demanda-t-il en s'approchant.

— Je m'en occupe, répondit-elle un peu sèchement. Et

je suis certaine que vous avez mieux à faire que de vous occuper d'une machine à laver en panne.

Cette fois, Taylor ne put s'empêcher de sourire.

— Voyons, B.J., vous savez bien que j'ai toujours un peu de temps lorsqu'il s'agit de vous, répondit-il d'une voix malicieuse.

Sans lui laisser le temps de répondre, il leva la main vers son visage et lui caressa tendrement la joue. Max étouffa un petit ricanement amusé. Passablement agacée par cette manifestation de solidarité masculine, B.J. repoussa la main de Taylor et fit un pas en arrière.

— C'est très aimable à vous, dit-elle en essayant de prendre un air détaché. Mais je suis sûre que le problème sera réglé d'ici l'heure du déjeuner. N'est-ce pas, Max ?

— Cela me paraît un peu optimiste, répondit ce dernier en se redressant.

— Optimiste ? répéta la jeune femme. Mais il le faut absolument ! Nous avons besoin de cette machine !

— Ce dont vous avez besoin, c'est de ça, répondit Max en lui tendant un petit disque dentelé.

— Eh bien, tu n'as qu'à en mettre un nouveau. Encore que je ne comprenne pas comment un truc aussi petit peu causer tant de problèmes.

— Ça aurait pu être pire, rétorqua Max. La machine aurait très bien pu déborder. En tout cas, je n'ai pas ce genre de pièce en stock et je vais devoir la commander à Burlington.

— La commander ? s'exclama B.J. Mais elle risque de mettre plusieurs jours à arriver !

Elle lui décocha son regard le plus suppliant, sachant que Max, malgré ses cinquante-cinq ans, n'était pas encore immunisé contre ce genre d'argument. Il essaya bien de s'y soustraire en détournant les yeux mais finit par soupirer d'un air résigné.

— Très bien, B.J. J'irai la chercher moi-même à Burlington. Ta machine sera réparée d'ici ce soir. Mais il est inutile d'espérer quoi que ce soit d'ici l'heure du déjeuner. Je ne suis pas un magicien.

— Merci, Max ! s'exclama la jeune femme.

Se dressant sur la pointe des pieds, elle déposa un petit baiser sur sa joue.

— Qu'est-ce que je ferais sans toi ?

En marmonnant, il rassembla ses outils et se dirigea vers la porte.

— Viens dîner ce soir avec ta femme, lui proposa B.J. C'est la maison qui invite.

— Compte sur moi. A tout à l'heure, B.J.

Elle le suivit des yeux avant de se tourner vers Taylor qui sourit.

— C'est incroyable ce que vous arrivez à faire d'un simple regard. Je pense que ce devrait être puni par la loi. Les hommes qui croisent votre route n'ont vraiment aucune chance.

— Je ne vois pas de quoi vous voulez parler, répondit-elle en haussant les épaules.

— Je crois que si, répondit Taylor en riant.

Il prit doucement le menton de B.J. entre ses doigts.

— Ce regard que vous lui avez lancé était parfaitement calculé.

— Même si tel était le cas, répondit-elle, le cœur battant à tout rompre, je ne vois pas de quoi vous avez à vous plaindre. Je n'ai agi que dans l'intérêt de l'auberge. C'est mon métier, après tout.

— C'est vrai, acquiesça Taylor.

Lâchant le menton de la jeune femme, il se tourna vers la machine à laver.

— Qu'allons-nous faire en attendant que la machine soit réparée ? demanda-t-il.

— Ce que faisaient nos arrière-grands-parents, répondit-elle en désignant l'évier.

Jamais elle n'aurait imaginé que Taylor puisse la prendre au mot. C'est donc avec stupeur qu'elle le vit ôter sa veste et retrousser les manches de sa chemise, révélant des avant-bras musclés dont la simple vue suffit à éveiller en elle un petit frisson de désir qu'elle réprima aussitôt.

Pendant près d'une demi-heure, ils firent la vaisselle côte à côte et, pour la première fois depuis qu'ils avaient fait connaissance, la barrière invisible qui les séparait parut se résorber quelque peu. La situation était bien trop absurde pour ne pas en rire et ils ne tardèrent pas à échanger des plaisanteries et à s'asperger copieusement l'un l'autre.

Cela suffit à dissiper la tension qui subsistait entre eux et, lorsque Elsie revint dans la cuisine, ils ne s'en rendirent même pas compte, continuant à chahuter comme des enfants.

— Pas une seule victime ! s'exclama enfin Taylor tandis que B.J. posait la dernière assiette sur l'égouttoir. C'est un véritable miracle !

— C'est seulement parce que j'en ai rattrapé deux que vous avez failli laisser tomber, remarqua B.J., narquoise.

— Mauvaise langue ! s'exclama-t-il en la prenant par les épaules pour l'entraîner hors de la pièce. Vous feriez bien d'être un peu plus gentille avec moi. Que se passera-t-il si Max n'arrive pas à réparer la machine d'ici ce soir ? Imaginez toutes les assiettes qu'il vous faudra laver toute seule !

— Je ne préfère pas, répondit-elle en riant. J'avoue cependant que j'ai envisagé cette possibilité. Et je connais quelques gamins en ville que je pourrais embaucher si cela arrivait. Mais je suis certaine que Max ne nous laissera pas tomber.

— Vous avez vraiment confiance en lui, remarqua Taylor comme ils pénétraient dans le bureau de la jeune femme.

B.J. prit place à sa table de travail tandis qu'il s'installait en face d'elle et posait ses pieds sur le bureau d'un air parfaitement décontracté.

— Vous ne connaissez pas Max, lui dit-elle. S'il dit qu'il aura réparé la machine avant le dîner, c'est qu'il le fera. Dans le cas contraire, il aurait dit « je vais essayer » ou « j'y arriverai peut-être ». C'est l'avantage de connaître personnellement les gens avec lesquels on travaille, ajouta-t-elle.

Taylor hocha la tête mais, avant qu'il ait pu lui répondre, le téléphone sonna et B.J. décrocha.

— Lakeside Inn, annonça-t-elle. Salut, Marilyn… Non, j'étais occupée ce matin.

Elle adressa un sourire complice à Taylor avant de s'asseoir sur le bord du bureau.

— Oui, il m'a bien transmis ton message. Mais je viens juste de rentrer au bureau. Désolée… Non, il vaut mieux que tu me rappelles quand tu auras une idée du nombre de convives. Ce sera plus simple pour planifier le repas… Ne t'en fais pas, nous avons tout le temps ! Il reste encore plus d'un mois avant le mariage… Fais-moi confiance : j'ai déjà organisé des tas de réceptions de ce genre… Oui, je sais que tu es nerveuse. C'est normal… Bien, rappelle-moi lorsque tu connaîtras le nombre de convives, d'accord ? Il n'y a pas de quoi, Marilyn. Au revoir.

B.J. raccrocha et s'étira pour chasser la raideur de sa colonne vertébrale. Elle réalisa alors que Taylor attendait une explication et se tourna vers lui.

— C'était Marilyn, lui dit-elle. Elle voulait me remercier.

— Telle était bien mon impression.

— Elle doit se marier dans un mois, expliqua B.J. en se massant la nuque. Si elle parvient à la date fatidique sans faire un infarctus, ce sera déjà un miracle ! Franchement, les gens feraient mieux de se marier en petit comité plutôt que d'organiser de telles réceptions.

— Je suis certain que nombreux sont les parents qui doivent être de votre avis après avoir reçu la facture, acquiesça Taylor.

Se levant, il contourna le bureau pour venir se placer face à la jeune femme.

— Laissez-moi faire, lui dit-il.

Posant ses mains sur ses épaules, il entreprit de la masser délicatement. Les protestations de B.J. se noyèrent dans un soupir de bien-être. Elle essaya sans grande conviction de se rappeler les bonnes résolutions qu'elle avait prises le matin même.

— Ça va mieux ? lui demanda Taylor tandis qu'elle fermait les yeux pour mieux s'abandonner à ses doigts.

— Mmm…, ronronna-t-elle. Continuez encore une heure ou deux et ce sera parfait.

Elle baissa la tête pour mieux s'offrir à son massage.

— Depuis que Marilyn a réservé le restaurant, elle m'appelle à peu près trois fois par semaine pour vérifier que tout va bien. Je crois que je n'avais encore jamais vu quelqu'un de si impatient à l'idée de se marier !

— Que voulez-vous ! Tout le monde n'est pas aussi

détaché et maître de soi que vous, ironisa Taylor tandis que ses doigts remontaient le long du cou de la jeune femme jusqu'à ses mâchoires. Et, à ce propos, à votre place, je ne parlerais pas trop de mes idées sur le mariage. Je suis certain que l'auberge tire un bénéfice substantiel de l'organisation de ce genre de réceptions.

— Un bénéfice ? répéta B.J. qui s'efforçait de se concentrer sur ce qu'il disait.

Hélas, le contact de ses doigts sur sa peau rendait l'exercice presque impossible. Elle rouvrit les yeux et prit une profonde inspiration.

— Un bénéfice, répéta-t-elle. Oui…

A contrecœur, elle se dégagea, regrettant brusquement d'avoir oublié qui était réellement Taylor.

— La plupart du temps, en tout cas…, ajouta-t-elle. Mais parfois… C'est-à-dire…

— Peut-être pourriez-vous me traduire cette réponse, remarqua Taylor, amusé.

De plus en plus mal à l'aise, B.J. contourna le bureau pour mettre un peu de distance entre eux.

— Eh bien, commença-t-elle, vous voyez, dans certains cas, nous ne facturons pas l'organisation de la fête. Nous faisons payer le repas et la décoration, bien sûr, mais pas la location de la salle.

— Pourquoi cela ? demanda Taylor, surpris.

— Pourquoi ? répéta B.J. en détournant les yeux.

Malheureusement, la contemplation du plafond ne lui apporta aucune réponse à cette question.

— Tout dépend, dit-elle enfin. Et, bien sûr, il s'agit de l'exception et non de la règle.

Elle se maudit intérieurement, regrettant amèrement de ne pas savoir tenir sa langue.

— Dans ce cas précis, reprit-elle, il se trouve que Marilyn est la cousine de Dot. Vous connaissez Dot, c'est l'une de nos serveuses.

Taylor resta parfaitement silencieux, attendant qu'elle poursuive.

— Elle travaille souvent à l'auberge pendant l'été. Et la réception est en quelque sorte un cadeau de mariage de notre part.

— Notre ? répéta Taylor en levant un sourcil.

— Le personnel et moi, précisa la jeune femme. Marilyn paie le repas, les fleurs et l'orchestre, mais nous fournissons le lieu, le service et…

Elle hésita un instant puis estima qu'il était trop tard pour reculer.

— Et le gâteau de mariage, conclut-elle.

Taylor croisa les doigts et hocha la tête.

— Je vois, murmura-t-il. Le personnel offre son temps, son talent et l'auberge, en quelque sorte.

— Pas l'auberge, protesta vivement B.J. Juste la salle à manger pour la soirée. Cela n'arrive qu'une ou deux fois par an. Et c'est une excellente opération de relations publiques. Qui sait, nous pourrions peut-être même la déduire de notre déclaration fiscale. Il faudrait que vous posiez la question à votre comptable.

Plus elle essayait de se justifier et plus elle se sentait envahie par une colère qui n'était pas tant dirigée contre Taylor que contre elle-même.

— Je ne vois pas ce que vous trouvez de si choquant là-dedans, ajouta-t-elle. Cela fait des années que nous le faisons et cela fait partie intégrante de…

— La politique de la maison ? suggéra Taylor. Peut-être

devrions-nous constituer ensemble une liste de toutes les excentricités qui font partie de cette politique.

— Ne me dites pas que vous iriez jusqu'à priver Marilyn de son mariage ! protesta vivement B.J.

Cette fois, elle était prête à se battre jusqu'au bout. Elle avait donné sa parole à Marilyn et il s'agissait pour elle d'une question d'honneur.

— Désolé de vous décevoir, répondit Taylor. Contrairement à ce que vous semblez croire, je ne suis pas un monstre. Vous vous êtes engagée à mettre l'auberge à sa disposition et il serait très préjudiciable de revenir sur cette promesse. Néanmoins, je tiens à ce que nous discutions de la politique qu'il convient d'adopter à l'avenir.

— Très bien, monsieur Reynolds, répondit froidement B.J.

Un nouveau coup de téléphone providentiel leur évita une nouvelle dispute et la jeune femme tendit la main pour décrocher.

— Je vais nous chercher du café, déclara Taylor.

B.J. hocha la tête et le regarda quitter la pièce. Quelques minutes plus tard, il était de retour, au moment même où elle raccrochait.

— C'était le fleuriste, expliqua-t-elle. Il me disait qu'il ne pourrait pas me livrer les six douzaines de jonquilles que j'avais commandées.

Taylor plaça une tasse de café devant elle et s'installa sur une chaise qui lui faisait face.

— Je suis désolé d'apprendre cela, répondit-il avec un sourire amusé.

— Vous pouvez ! C'est votre auberge et, techniquement, ce sont donc vos jonquilles.

— Je suis touché que vous m'offriez des fleurs, répondit-il en riant. Mais six douzaines, c'est peut-être un peu excessif.

— Vous trouverez peut-être cela moins drôle lorsque vous ne verrez pas ces fleurs sur les tables.

— Pourquoi ne pas commander autre chose que des jonquilles ?

— Vous me prenez pour une imbécile ? s'exclama B.J. Je lui ai demandé, évidemment ! Mais il est en rupture de stock jusqu'à la semaine prochaine. Apparemment, son pépiniériste ne l'a pas livré.

La jeune femme poussa un profond soupir et avala une gorgée de café.

— Je ne comprends pas, remarqua Taylor en fronçant les sourcils. Il doit bien y avoir une dizaine de fleuristes à Burlington. Vous n'avez qu'à les appeler et leur demander de vous livrer ce dont vous avez besoin.

B.J. le regarda avec stupeur.

— Commander des fleurs à Burlington ? s'exclama-t-elle. Vous n'y pensez pas ! Cela nous coûterait une fortune !

Taylor la suivit des yeux tandis qu'elle se levait pour faire les cent pas dans le bureau.

— Il est hors de question que nous utilisions des fleurs artificielles, décréta-t-elle. C'est presque pire que de ne pas mettre de fleurs du tout. Il n'y a donc qu'une seule solution. Mais je vais devoir la supplier. Et elle va encore me parler de son neveu. Je déteste ça. Pourtant, Betty est la seule qui ait un jardin assez grand...

B.J. se rassit derrière le bureau et décrocha le téléphone.

— Souhaitez-moi bonne chance, dit-elle à Taylor qui la contemplait d'un air étonné. Je vais en avoir besoin.

78

— Bonne chance, répondit-il, se demandant visiblement ce qu'elle avait en tête.

Il continua à siroter son café tandis que B.J. appelait Betty Jackson à la rescousse. Lorsqu'elle raccrocha, il l'observa avec un mélange d'admiration et d'ironie.

— Je crois que je n'avais encore jamais vu quelqu'un utiliser la flatterie de façon aussi éhontée, remarqua-t-il malicieusement.

— La subtilité ne fonctionne pas avec elle, répondit B.J. en souriant. Et je ferais mieux d'aller chercher ces fleurs avant qu'elle ne change d'avis.

— Je vous accompagne, déclara Taylor en se levant pour la suivre en direction de la porte.

— Ce n'est pas la peine, protesta-t-elle.

— Oh, mais j'y tiens ! Il me faut absolument rencontrer cette femme qui, selon vous, « fait pousser ses fleurs de ses doigts de fée ».

— J'ai vraiment dit ça ? demanda B.J. en ouvrant de grands yeux.

— Oui. Et c'était l'un de vos compliments les plus mesurés, je vous assure.

— A situation désespérée, mesures désespérées, je suppose, répondit B.J. en riant.

Tous deux quittèrent l'auberge pour rejoindre la Mercedes de Taylor.

— Vous verrez, promit la jeune femme, Betty a vraiment un jardin extraordinaire. Ses rosiers ont même remporté un prix, l'année dernière. D'ailleurs, au lieu de vous moquer de moi, vous feriez mieux de me remercier. Si j'avais opté pour la solution que vous me proposiez, cela nous aurait coûté les yeux de la tête.

— Très chère mademoiselle Clark, répondit Taylor en

lui jetant un regard incendiaire, s'il y a une chose que je ne peux nier, c'est bien que vous êtes une gérante de premier ordre. Et j'ai parfaitement conscience du fait que vous méritez une augmentation.

— Je n'ai rien demandé, protesta vivement B.J.

Se détournant, elle contempla le paysage magnifique qui s'offrait à ses yeux. Une fois de plus, elle songea que sa position vis-à-vis de Taylor était bien trop ambiguë. L'alchimie qui existait entre eux et le trouble que lui inspirait sa présence n'étaient guère compatibles avec leurs rôles de propriétaire et de gérante.

Leurs relations oscillaient entre le formalisme professionnel et le flirt à peine déguisé et la jeune femme avait de plus en plus de mal à concilier ces deux attitudes qui la mettaient continuellement en porte-à-faux.

Le pire, c'était que, plus elle fréquentait Taylor, plus elle percevait les qualités qui se dissimulaient sous son apparente arrogance. Elle aurait parfois préféré pouvoir le réduire à l'homme d'affaires tyrannique et trop sûr de lui qu'elle avait initialement cru voir en lui.

Mais c'était impossible, bien sûr. Au cours des jours précédents, Taylor avait montré bien d'autres facettes de sa personnalité, faisant preuve d'un humour indéniable et d'une intelligence aiguë. Il savait l'écouter, s'adapter à diverses situations et faire des concessions lorsqu'il l'estimait nécessaire.

Et, surtout, il exerçait sur elle une véritable fascination. Il suffisait qu'il la touche pour qu'elle sente s'éveiller en elle un désir inexplicable. Lorsqu'il l'avait massée, elle n'avait pu s'empêcher d'imaginer ce qu'elle éprouverait en sentant ses doigts courir sur sa peau nue et explorer les replis les plus secrets de son corps.

Ce simple souvenir suffisait à éveiller en elle une envie brûlante, un besoin qu'elle aurait voulu ignorer mais qui s'imposait à elle avec une acuité presque terrifiante.

Comment était-elle censée réagir à cela ? Comment pouvait-elle désirer un homme qui avait les moyens de lui faire perdre son travail et de réduire à néant tous les efforts qu'elle avait investis dans cette auberge ?

B.J. avait l'impression d'être déchirée en deux impulsions contradictoires, d'assister impuissante à la guerre que se livraient deux moitiés inconciliables d'elle-même. Et elle n'était pas certaine de vouloir découvrir laquelle l'emporterait.

En attendant, songea-t-elle, elle devrait continuer à marcher sur le fil du rasoir. Et ce n'était pas une situation très agréable.

— Remarquez, dit-elle en souriant, si vous insistez vraiment, je veux bien considérer l'idée d'une augmentation.

Taylor éclata de rire.

— Vous êtes vraiment une fille très étrange, B.J., remarqua-t-il.

— On me l'a déjà dit, reconnut-elle avec une pointe de malice. Ralentissez, nous y sommes presque. C'est la quatrième maison sur la gauche.

Taylor se gara devant la maison de Betty et tous deux descendirent de voiture. Ils remontèrent l'allée conduisant à la porte d'entrée et B.J. ne put s'empêcher de penser que leur visite offrirait à la vieille dame de nombreux sujets de ragots et de spéculation pour les semaines à venir.

En voyant Taylor, elle imaginerait sûrement qu'il se passait quelque chose entre B.J. et ce bel homme qui roulait en Mercedes et était vêtu avec tant d'élégance. La jeune femme jugea plus sage de dissiper ce malentendu au plus vite. Lorsque Betty leur ouvrit la porte, elle présenta donc Taylor comme le nouveau propriétaire de l'auberge.

— Madame Jackson, déclara ce dernier en lui serrant cordialement la main, je suis ravi de faire votre connaissance. J'ai beaucoup entendu parler de vos talents et j'étais curieux de voir votre magnifique jardin.

Avec stupeur, B.J. vit Betty rougir comme une adolescente et, pour la première fois de puis plus de soixante ans, elle parut avoir du mal à trouver ses mots. Une fois de plus, le charme naturel de Taylor faisait des ravages, songea B.J. avec une pointe d'ironie.

— Nous sommes venus chercher les fleurs, dit-elle.

— Oh, bien sûr ! s'exclama Betty, paraissant recouvrer ses esprits.

Elle les fit entrer dans la maison. Là, Taylor contempla le salon décoré de statuettes de grenouilles et hocha la tête d'un air approbateur.

— C'est charmant, déclara-t-il à la grande stupeur de B.J. Je tenais à vous remercier du fond du cœur pour l'aide que vous nous apportez, Betty, ajouta-t-il à l'intention de leur hôtesse. Vous nous sauvez la vie !

— Pensez-vous ! s'exclama la vieille dame en rosissant de plus belle. Ce n'est rien du tout. Je vous en prie, asseyez-vous. Je vais nous préparer un peu de thé. Viens m'aider, B.J.

La jeune femme suivit Betty dans la cuisine. Lorsqu'elles furent hors de portée de voix, celle-ci se tourna vers elle d'un air de reproche.

— Pourquoi ne m'as-tu pas prévenue que tu viendrais avec lui ? demanda-t-elle.

— A vrai dire, je ne savais pas qu'il m'accompagnerait, répondit B.J., étonnée.

— Cela m'aurait au moins laissé le temps de me coiffer ou d'enfiler quelque chose de plus élégant, soupira Betty.

Passablement stupéfaite, B.J. fit l'impossible pour retenir un sourire amusé.

— Je suis désolée, s'excusa-t-elle. J'aurais dû y penser, bien sûr.

— Peu importe, répondit la vieille dame en allumant la bouilloire. L'essentiel, c'est qu'il soit là. Va cueillir les fleurs dont tu as besoin pendant que je finis de préparer le thé. Prends celles que tu veux.

Betty lui tendit alors un sécateur et la poussa littéralement dehors. Partagée entre stupeur, amusement et exaspération, B.J. se dirigea vers les magnifiques plates-bandes de Betty en entreprit de couper les fleurs dont elle avait besoin.

Lorsqu'elle revint quelques minutes plus tard dans la cuisine avec un gros bouquet de jonquilles et de tulipes, elle entendit Betty et Taylor rire dans le salon. Déposant ses fleurs sur la table, elle les rejoignit. Ils étaient installés devant deux tasses de thé fumantes et discutaient comme deux amis de toujours.

— Taylor ! s'exclama Betty qui riait toujours. Vous êtes incroyable !

B.J. observa la scène en silence. Jamais elle n'aurait imaginé que Betty Jackson puisse flirter de cette façon. Cela ne s'était d'ailleurs probablement pas produit depuis plus de trente ans.

Et le plus incroyable, c'est que Taylor agissait ouvertement de même. En avisant la présence de la jeune femme, pourtant, il lui décocha un sourire ravageur et, l'espace d'un instant, elle fut tentée de traverser la pièce pour se jeter dans ses bras.

L'intensité de sa propre réaction la prit de court. Comment

faisait-il ? se demanda-t-elle. Aucune femme ne paraissait immunisée contre son charme. Le pire, c'est qu'il le savait pertinemment et en jouait sans aucun état d'âme. Et que, tout en en étant consciente, elle était incapable d'y résister.

Malgré elle, elle lui rendit son sourire avant de se tourner vers Betty.

— Madame Jackson, votre jardin est vraiment splendide.

— Merci, B.J. J'y consacre beaucoup de temps. Est-ce que tu as tout ce qu'il te fallait ?

— Oui, merci beaucoup. Je ne sais vraiment pas ce que j'aurais fait sans vous.

— Je vais aller te chercher un carton pour que tu puisses transporter les fleurs, déclara Betty.

Un quart d'heure plus tard, ils prirent congé d'elle. Taylor lui promit de revenir et ils regagnèrent la voiture.

— Vous êtes incroyable ! dit B.J.

— Moi ? dit-il en lui lançant un regard parfaitement innocent. Pourquoi donc ?

— Vous savez très bien pourquoi ! s'exclama-t-elle. Je n'avais jamais vu Betty dans un état pareil.

— Ce n'est tout de même pas ma faute si je suis irrésistible, répliqua-t-il en riant.

— Oh si ! Vous n'avez pas arrêté de l'encourager. Vous auriez pu lui demander n'importe quoi.

— Voyons, c'est absurde ! Nous avions juste une petite conversation amicale.

— En tout cas, je ne vous savais pas amateur de thé à la bergamote. Vous en avez repris deux fois.

— C'est très rafraîchissant. Vous auriez vraiment dû en boire une tasse.

— Betty ne m'en a pas proposé, lui fit remarquer la jeune femme.

— Ah, je vois, acquiesça Taylor tandis qu'ils approchaient de l'auberge. La vérité, c'est que vous êtes jalouse.

— Jalouse ? s'exclama B.J. C'est ridicule !

— Au contraire, protesta-t-il en riant de plus belle.

Il gara sa voiture devant l'hôtel avant de se tourner vers la jeune femme pour la regarder droit dans les yeux.

— Ne vous en faites pas, murmura-t-il d'une voix qui la fit frissonner des pieds à la tête. Comment pourrais-je m'intéresser à une autre femme alors que je vous ai rencontrée ?

Sur ce, il se pencha vers elle et l'embrassa. B.J. s'abandonna un instant à cette sensation délicieuse avant de réaliser qu'elle était probablement en train de commettre une énorme erreur. Presque à contrecœur, elle s'arracha à l'étreinte de Taylor.

— Non, murmura-t-elle d'une voix mal assurée.

Il l'observa longuement et elle comprit qu'il avait parfaitement conscience du dilemme qui l'habitait. Elle lui fut reconnaissante de ne pas chercher à pousser son avantage.

— Taylor, soupira-t-elle enfin, je crois qu'il serait temps d'établir certaines règles de conduite entre nous.

— Je ne crois pas aux règles dans les relations entre les hommes et les femmes, déclara-t-il posément. Et je n'en suis aucune.

Une fois de plus, B.J. fut prise de court par le mélange de franchise et d'arrogance qui le caractérisait.

— Si je n'insiste pas, c'est simplement parce que je n'ai pas envie de faire l'amour avec vous en plein jour sur le siège avant d'une voiture. Le moment venu, je suis certain que nous trouverons un endroit bien plus agréable.

— Le moment venu ? répéta-t-elle, interdite. Vous ne pensez quand même pas que je serai d'accord !

— Je crois que vous l'êtes déjà, même si vous ne le savez pas encore. Mais je vous assure que cela viendra.

— Je crois que vous prenez vos rêves pour des réalités ! s'exclama la jeune femme que sa tranquille assurance rendait furieuse.

Sur ce, elle descendit de voiture et claqua la portière derrière elle. Mais, en dépit de sa colère, elle ne pouvait s'empêcher de se demander si, au fond, il n'avait pas vu juste. Et cette idée avait quelque chose de terrifiant…

6.

Fermant les yeux, B.J. offrit son visage aux doux rayons du soleil et réfléchit à la situation dans laquelle elle se trouvait. Depuis la visite qu'ils avaient rendue à Betty, elle avait décidé d'éviter Taylor aussi souvent qu'elle le pouvait et de se concentrer sur son travail.

Mais cela n'avait pas été aussi facile qu'elle l'avait espéré. En tant que gérante, elle était amenée à lui fournir nombre d'informations sur le fonctionnement de l'auberge et à répondre à toutes les questions qu'il pouvait se poser à ce sujet.

Fort heureusement, il n'avait pas cherché à l'embrasser de nouveau et n'avait pas fait la moindre allusion à la tournure plus intime qu'il entendait donner à leurs relations.

La jeune femme rouvrit les yeux et contempla le paysage qui l'entourait. De nombreuses fleurs piquetaient à présent les pelouses de l'auberge et le manteau neigeux qui recouvrait la montagne avait quasiment disparu. L'été approchait et, bientôt, les vacances commenceraient.

Avec elles, viendrait la saison la plus active de l'année pour B.J. Les clients ne tarderaient pas à affluer et elle verrait ses responsabilités démultipliées. Qui sait ? Cela lui donnerait peut-être une excellente excuse pour échapper à Taylor…

Se tournant vers l'auberge, elle admira le beau bâtiment

de brique dans lequel elle vivait depuis près de quatre ans. Sous le porche, deux clients étaient plongés dans une partie d'échecs. B.J. les entendait discuter sans pouvoir discerner ce qu'ils disaient exactement.

La scène dégageait une impression de calme et de sérénité qui réchauffa le cœur de la jeune femme. Depuis qu'elle connaissait les projets de Taylor et qu'elle savait cette tranquillité menacée, elle réalisait mieux à quel point elle était attachée à cet endroit.

Une fois de plus, elle se jura de ne pas le laisser le dénaturer, le transformer en temple du divertissement.

Mais il ne lui restait plus que dix jours pour le convaincre d'y renoncer.

Si seulement il n'avait pas racheté l'hôtel, songea-t-elle tristement. Si seulement il n'était pas arrivé, par un beau jour de printemps, pour semer le trouble dans son esprit et dans son cœur.

Depuis qu'elle l'avait rencontré, elle avait l'impression d'avoir perdu un peu de son innocence, de se trouver sans cesse déchirée entre fascination et défiance.

— Vous semblez bien sombre, fit une voix sur sa droite. J'ai peur que vous ne fassiez fuir les clients…

Se tournant vers Taylor, elle avisa l'irrésistible sourire qui jouait sur ses lèvres. Curieusement, cela ne fit qu'accroître son propre désarroi.

— Je crois qu'il vaudrait mieux que je vous aide à vous changer les idées, ajouta-t-il en s'approchant pour prendre la main de B.J. dans la sienne.

— Je dois retourner travailler, protesta-t-elle. Il faut que j'appelle notre fournisseur de draps.

— Cela peut attendre. J'aimerais que vous me serviez de guide.

— De guide ? répéta-t-elle en essayant vainement de dégager sa main. Où comptez-vous donc aller ?

— Profiter du beau temps et de ce délicieux pique-nique que nous a préparé Elsie, répondit Taylor en lui montrant le panier qu'il tenait à la main. Que diriez-vous d'aller au bord du lac ?

— Vous n'avez pas besoin de moi pour cela, objecta-t-elle. Vous ne pouvez pas le manquer : c'est la grande étendue d'eau qui brille au bout de ce sentier.

— Très drôle, répliqua Taylor en la regardant droit dans les yeux. J'ai bien remarqué que vous faisiez tout pour m'éviter, depuis deux jours. Je sais que nous avons quelques différends sur ce qu'il doit advenir de l'auberge mais…

— Ce n'est pas à cause de cela, protesta la jeune femme.

— Peut-être. Mais je tiens à vous dire que je ne procéderai à aucun aménagement sans vous en avertir préalablement. Et je vous soumettrai tous les plans de l'architecte au fur et à mesure. Croyez-moi, je respecte votre attachement à cet hôtel et je sais ce qu'il représente pour vous.

— Mais…

— Néanmoins, poursuivit Taylor sans lui laisser le temps de poursuivre, je suis le propriétaire des lieux et vous faites partie de mes employés. A ce titre, je vous accorde deux heures de repos. Maintenant, que diriez-vous d'un pique-nique ?

— Je…

— Excellent ! Moi aussi, je serais ravi de déjeuner en votre compagnie.

B.J. comprit qu'elle n'avait aucune chance et, renonçant à arracher sa main à celle de Taylor, elle le suivit en direction du lac. Le sentier qui y conduisait serpentait dans une petite forêt de pins.

Les sous-bois étaient recouverts de fougères et de fleurs sauvages, formant un joli tapis multicolore. Ils aperçurent même quelques écureuils qui jouaient dans les branches des arbres.

— Est-ce que vous avez pour habitude d'enlever de force les femmes avec lesquelles vous voulez pique-niquer ? demanda B.J. qui devait presser le pas pour s'accorder aux longues enjambées de son compagnon.

— Seulement lorsque c'est nécessaire, répondit-il en souriant.

Le sentier s'élargit et déboucha bientôt hors du bois, sur les berges herbues du lac. Taylor s'arrêta un instant pour observer attentivement le panorama. Les eaux étaient parfaitement immobiles, reflétant les nuages qui dérivaient paresseusement dans le ciel.

Au fond, on apercevait les montagnes aux pentes recouvertes de prairies qui, à cette distance, prenaient une teinte légèrement bleutée. Le silence n'était interrompu que par le chant des oiseaux et le bourdonnement des insectes.

— C'est vraiment très beau, déclara Taylor. Est-ce qu'il vous arrive de venir nager dans le lac ?

— Je l'ai fait quelquefois, lorsque j'étais petite, répondit-elle en s'efforçant d'adopter un ton léger.

Mais, en réalité, le fait que Taylor la tienne toujours par la main la mettait terriblement mal à l'aise. Elle aurait préféré que ce geste ne lui paraisse pas si naturel, si évident.

— J'oubliais que vous aviez grandi dans la région. Vous êtes vraiment de Lakeside ?

— Oui. J'y ai passé presque toute ma vie.

La jeune femme prit le panier de Taylor et il lâcha enfin sa main pour lui permettre d'étendre le plaid qui se trouvait à l'intérieur.

— En fait, reprit-elle, je ne suis partie que pour entrer à l'université.

— Vous avez étudié à New York, n'est-ce pas ?

— Oui.

— Et comment avez-vous trouvé la ville ? demanda Taylor en s'asseyant à côté de B.J.

Il releva les manches de sa chemise et elle fut tentée de caresser son avant-bras bronzé. Evidemment, elle se força aussitôt à réprimer cette impulsion.

— Bruyante, répondit-elle enfin. Je ne dis pas que vivre là-bas m'a déplu. C'était une expérience intéressante. Mais j'étais heureuse de revenir ici.

— Cela ne m'étonne pas.

Taylor tendit la main vers elle et détacha le ruban qui retenait ses cheveux. Ses longs cheveux blonds retombèrent en cascade sur ses épaules et il sourit d'un air appréciatif.

— Je vous préfère comme cela, déclara-t-il.

Comme elle tendait la main pour récupérer le ruban, il le lança au loin.

— Vous êtes vraiment insupportable ! s'exclama-t-elle d'un air de reproche. Et terriblement mal élevé.

— On me l'a déjà dit, répondit-il avant de déboucher la bouteille de vin blanc qu'il avait apportée.

B.J. sortit les victuailles qui se trouvaient dans le panier et les disposa sur le plaid devant eux.

— Comment êtes-vous devenue gérante de Lakeside Inn ? demanda alors Taylor en remplissant deux verres.

Il en tendit un à la jeune femme qui avala une gorgée de vin avant de répondre.

— Cela s'est fait assez naturellement, avoua-t-elle.

— Que voulez-vous dire ?

— Lorsque j'étais au lycée, je complétais mon argent de

poche en y travaillant durant les vacances scolaires. Cela me plaisait et, lorsque je suis entrée à l'université, je me suis spécialisée dans la gestion hôtelière. J'ai fait mon stage de fin d'études à Lakeside Inn, aux côtés de M. Blakely, le gérant de l'époque. Quand je suis revenue définitivement, il m'a embauchée comme assistante. Lorsqu'il a pris sa retraite, je connaissais parfaitement l'auberge et j'ai pris sa succession.

La jeune femme prit un sandwich et commença à manger avec appétit.

— Et à quel moment de votre vie avez-vous appris à jouer si bien au base-ball ? demanda Taylor, curieux.

— J'ai commencé lorsque j'avais quatorze ans, répondit-elle en souriant. J'étais folle amoureuse du capitaine de l'équipe de mon collège. C'est lui qui m'a appris les bases du jeu. J'ai tout de suite accroché et j'ai continué par la suite. Je faisais même partie de l'équipe féminine à l'université.

— Et qu'est devenu le capitaine de l'équipe dont vous étiez amoureuse ?

— Il s'est marié et a eu deux enfants, répondit-elle en haussant les épaules. Je crois qu'il vend des voitures, aujourd'hui.

— Je me demande comment il a pu être assez stupide pour vous laisser filer, remarqua pensivement Taylor.

Gênée par le tour que prenait la conversation, la jeune femme décida de faire diversion.

— Je me posais une question, dit-elle. Est-ce que vous passez autant de temps dans tous vos hôtels ?

— Cela dépend, répondit-il en la regardant droit dans les yeux.

B.J. s'efforça de soutenir son regard. Mais elle avait l'impression de se noyer dans ses yeux noirs magnifiques et elle craignit un instant de s'y perdre sans rémission.

— De quoi ? articula-t-elle.

— De la compétence du gérant, tout d'abord. Il est important pour moi de déterminer si j'ai affaire à des gens en qui je peux avoir confiance. Des problèmes que je rencontre, ensuite. Certains requièrent mon attention, notamment lorsqu'ils ont un impact sur le budget de l'hôtel. Et puis, il y a le cas des nouvelles acquisitions. J'essaie alors généralement de déterminer de façon précise comment l'établissement fonctionne et s'il y a lieu de procéder à des transformations. C'est ce qui prend le plus de temps.

— Mais le siège est à New York, remarqua B.J. Vous devez donc passer votre temps à parcourir le pays.

Au grand soulagement de la jeune femme, la conversation avait pris un tour moins personnel. Mais au moment même où elle s'en félicitait, Taylor la prit de nouveau de court.

— C'est vrai, acquiesça-t-il. Je voyage beaucoup. Mais je n'ai pas souvent l'occasion de rencontrer de gérant aussi séduisant que vous, B.J. Et, très honnêtement, c'est peut-être l'une des raisons pour laquelle je m'attarde si longtemps à Lakeside.

B.J. avala sa salive, sentant les battements de son cœur s'accélérer. Comment était-elle censée garder le contrôle d'elle-même s'il lui faisait de telles déclarations ? A force de volonté, elle parvint à conserver un semblant de maîtrise de soi et ne pas révéler à quel point ses compliments la troublaient.

— Vous feriez mieux de manger au lieu de jouer les beaux parleurs, répliqua-t-elle d'un ton moins enjoué qu'elle ne l'aurait voulu.

Taylor éclata de rire et hocha la tête.

— Bien parlé, répondit-il. D'autant que ce pique-nique est délicieux. Elsie est vraiment une cuisinière hors pair.

Il resservit un peu de vin à la jeune femme et mordit à belles dents dans son sandwich.

— Au fait, dit-il après quelques instants de silence, vous avez reçu un appel, ce matin.

— Vous vous souvenez de qui il s'agissait ?

— Oui, répondit Taylor. D'un certain Howard Beall. Il a demandé que vous le rappeliez et a dit que vous aviez son numéro.

B.J. ne put s'empêcher de soupirer. Betty Jackson avait fini par la persuader de laisser une chance à son neveu et de passer quelques soirées en sa compagnie. Mais cette perspective ne lui souriait guère.

— Eh bien ! s'exclama Taylor en avisant son expression. On peut dire que cette nouvelle semble faire naître en vous un enthousiasme délirant…

B.J. ne put s'empêcher de sourire et haussa les épaules. Dans les yeux de Taylor, elle lisait une certaine curiosité mais n'avait aucune envie d'entrer dans les détails. Elle trouvait déjà bien assez embarrassante l'insistance dont Betty Jackson faisait preuve pour la pousser à sortir avec son neveu.

S'allongeant sur le dos, elle contempla les petits nuages blancs qui flottaient au-dessus du lac. Malgré le peu d'enthousiasme dont elle avait fait preuve initialement, elle était heureuse d'avoir accepté l'invitation de Taylor. Elle adorait cet endroit et venait souvent s'y installer lorsqu'elle voulait s'isoler.

— Je crois que vous aimeriez beaucoup le lac en hiver, déclara-t-elle, pensive. Lorsque la neige recouvre les berges et que le lac est gelé. Parfois, les gens viennent pour y faire du patin à glace. Est-ce que vous aimez le ski ?

— Beaucoup, répondit Taylor.

— C'est l'endroit idéal pour cela. On peut aussi bien

faire du ski de fond autour du lac que du ski de descente en montagne. Et cela attire de nombreux clients à l'auberge. Nous servons alors de délicieuses fondues…

Taylor s'allongea à côté d'elle. Elle se sentait si bien qu'elle ne s'en alarma pas, heureuse au contraire d'avoir quelqu'un avec qui partager ce moment de calme et de tranquillité.

— Ce que je préfère, lui dit-il, c'est la fondue au chocolat.

— Dans ce cas, vous seriez aux anges. Elsie n'a pas son pareil pour la préparer. Elle ajoute toujours un peu de rhum et une pointe de fleur d'oranger.

— J'en viens presque à regretter de ne pas avoir acheté l'auberge plus tôt, dit Taylor en riant.

— Ne vous en faites pas, vous aurez bientôt droit à son célèbre gâteau à la fraise. Sans compter que la saison de pêche va bientôt commencer. Nous aurons alors de la truite et du brochet.

— J'ai bien peur de ne pas être un grand fanatique de pêche. Y a-t-il d'autres activités à pratiquer, dans la région ?

— Eh bien, il est possible de faire de l'équitation. Ou de la voile sur le lac…

B.J. s'interrompit, sentant les doigts de Taylor se poser sur son bras sur lequel il commença à dessiner d'invisibles arabesques qui arrachaient à la jeune femme de délicieux frissons. Cette sensation était si agréable qu'elle ne chercha pas à le repousser.

— Bien sûr, ce que les gens préfèrent, c'est la marche. Il y a de très nombreuses promenades aux alentours.

Les doigts de Taylor remontaient à présent le long de son épaule pour se poser sur sa joue qu'il caressa doucement.

— Il est aussi possible de camper, articula-t-elle avec difficulté.

— Et la chasse ? demanda Taylor en effleurant ses lèvres, la faisant frémir de part en part.

— Qu'est-ce que vous dites ? demanda-t-elle, se sentant perdre pied.

— Je me demandais s'il était possible de chasser, lui dit Taylor.

Ses doigts s'étaient glissés sous le pull-over de B.J. pour se poser sur son ventre, éveillant instantanément au creux de ses reins une délicieuse sensation de chaleur qui se répandit rapidement dans chacun de ses membres. Fermant les yeux, elle s'abandonna à cette exploration.

— Bien sûr, murmura-t-elle d'une voix un peu rauque. Le gibier est abondant dans la région. Il paraît qu'il y a même des lynx dans la montagne.

— C'est fascinant, commenta Taylor dont la main reposait à présent sur l'un de ses seins qu'il caressait délicatement. Le syndicat d'initiative serait fier de vous.

Son pouce glissa sur le téton de la jeune femme et elle le sentit se dresser contre le tissu de son soutien-gorge. Malgré elle, elle ne put retenir un petit soupir de plaisir. Elle avait à présent l'impression que ses veines charriaient un feu liquide qui l'embrasait de l'intérieur. Son cœur battait la chamade et tous ses sens paraissaient aiguisés.

— Taylor, murmura-t-elle d'une voix presque suppliante. Embrassez-moi.

— Pas tout de suite, répondit-il.

Ses lèvres s'attardèrent sur son cou qu'il couvrit de petits baisers. Lentement, il remonta jusqu'à sa joue avant de se poser enfin sur sa bouche. Tremblante de désir, B.J. lui rendit son baiser avec passion, se noyant sans rémission dans cette étreinte délicieuse.

L'envie qu'elle avait de lui en cet instant était si intense qu'elle confinait presque à la souffrance. Son corps tout entier paraissait se disloquer sous l'effet de ce besoin incoercible. Et lorsque Taylor se fit plus pressant, elle crut qu'elle allait défaillir.

Mû par un instinct primordial, son corps se pressait contre le sien comme s'il espérait fusionner avec lui. Elle aurait voulu que tous deux ne fassent plus qu'un, que le plaisir qu'ils se donnaient l'un à l'autre ne prenne jamais fin.

S'arquant pour mieux s'offrir à ses mains qui parcouraient son corps, elle gémit contre sa bouche. Le temps lui-même semblait se dissoudre alors que la faim qu'elle avait de Taylor redoublait.

Mais lorsqu'il commença à déboutonner son chemisier, elle réalisa brusquement ce qui était en train de se passer. Si elle ne réagissait pas très rapidement, ils dépasseraient un point de non-retour. Cet accès de passion culminerait en une étreinte aussi sauvage que vide de sens.

Quel avenir pouvait-elle espérer d'une telle liaison ? Taylor et elle étaient trop radicalement différents l'un de l'autre. Ils appartenaient à des mondes qui n'étaient même pas censés se rencontrer.

Or, si elle se donnait à lui, elle risquait de s'investir émotionnellement et de transformer ce qui n'était qu'une simple passade en un sentiment plus profond. Et, lorsqu'il partirait sans un regard en arrière, il lui briserait le cœur.

Elle tenta donc de le repousser, luttant pour se libérer de ses bras qui l'enserraient, de ce corps qui lui faisait perdre la raison. Sentant sa résistance, Taylor s'écarta immédiatement, la regardant avec un mélange de désir et de frustration.

— Laissez-moi, dit-elle, suppliante.

— Pourquoi ferais-je une chose pareille ? s'enquit-il d'une voix rauque qui la fit frémir au plus profond d'elle-même.

S'il choisissait d'insister, réalisa-t-elle, elle n'aurait ni la force ni le courage de lui résister. Elle attendit donc qu'il parle, sachant que son destin était suspendu aux mots qu'il s'apprêtait à prononcer.

Pendant ce qui lui parut une éternité, il se contenta de contempler le visage de la jeune femme. Il dut y lire le désespoir qui l'habitait car sa colère reflua lentement. Finalement, il se pencha vers elle et déposa un léger baiser sur ses lèvres tuméfiées.

— Les couettes vous conviennent peut-être plus encore que je ne le pensais, lui dit-il enfin. Il y a en vous une innocence que je m'en voudrais de détruire.

Soulagée et déçue à la fois, B.J. commença à réunir les restes de leur pique-nique qu'elle rangea dans le panier.

— Je suis désolée, murmura-t-elle.

— Cela ne fait rien, déclara Taylor en souriant. Il me faudra juste un peu plus de temps pour parvenir à mes fins.

B.J. frissonna, blessée par ses paroles. Visiblement, il la considérait toujours comme un trophée qu'il était désireux d'ajouter à sa collection. Et c'était une sensation d'autant plus humiliante qu'elle-même se sentait de plus en plus attirée par lui.

— Je vous ai dit que je gagnais toujours, B.J., reprit-il.

— Pas cette fois ! s'exclama-t-elle, furieuse. Je refuse que vous m'ajoutiez à la liste de vos conquêtes ! Ce qui vient de se passer était…

— Juste un début, l'interrompit-il en se levant.

Il prit le bras de la jeune femme et l'aida à se relever.

— En fait, ajouta-t-il, nous commençons à peine à nous connaître, tous les deux. Et, un jour, je prendrai ce que vous m'avez promis ici. Et, cette fois, vous ne me repousserez pas, j'en suis certain.

— Vous n'êtes qu'un monstre d'arrogance !

Mais ces paroles sonnaient faux, aussi bien aux oreilles de Taylor qu'à celles de B.J. Tous deux savaient qu'il s'en était fallu de peu qu'elle ne s'offre à lui sans la moindre retenue. Et que, si une telle situation devait se renouveler, elle n'aurait peut-être pas la force de se refuser.

— Je crois que nous devrions rentrer, déclara Taylor. Le charme de ce pique-nique est rompu.

Sur ce, il ramassa leur panier et se mit en marche en direction de l'auberge. Et, après quelques instants d'hésitation, B.J. se résigna à le suivre.

7.

De retour à l'auberge, B.J. n'avait qu'une envie : s'éloigner aussi vite que possible de Taylor et trouver un endroit où elle pourrait se terrer, le temps de recouvrer un semblant d'amour-propre. Car elle était parfaitement consciente d'être entièrement responsable du désastre qui venait de se produire.

Non seulement elle avait été incapable de résister au charme de Taylor ainsi qu'elle se l'était promis mais, en plus, elle l'avait encouragé. Et le pire, c'est qu'elle ne parvenait pas à comprendre ses propres réactions.

Jamais elle n'avait eu tant de mal à maîtriser ses propres émotions, à savoir ce qu'elle voulait vraiment. Et lorsque Taylor avait posé les mains sur elle, elle avait perdu tout contrôle. C'était comme si, d'un geste, il avait balayé toutes ses défenses pour éveiller en elle un feu qui l'avait consumée tout entière.

Elle aurait voulu croire qu'il ne s'agissait que d'une réaction physiologique qui relevait exclusivement de la biologie. Après tout, Taylor était incontestablement un homme très attirant. Et la façon dont il l'avait regardée aurait probablement suffi à faire chavirer n'importe quelle femme.

Mais il y avait bien plus que cela, c'était évident. Lorsqu'il posait les yeux sur elle, elle avait l'impression que plus rien d'autre n'existait, que tous deux étaient seuls au monde. Et lorsqu'il la touchait, elle se sentait devenir flamme.

Jamais un homme n'avait produit sur elle un tel effet. Entre ses bras, elle se transformait, découvrait une part d'elle-même qu'elle n'avait jusqu'alors fait qu'entrevoir. Elle était femme. Elle était désir. Elle était tentation. C'était une sensation grisante, vertigineuse, qui lui donnait l'impression que tout était possible, que plus rien ne lui était interdit.

C'est pour cela qu'elle lui avait demandé de l'embrasser, oubliant toutes les résolutions qu'elle avait prises, toutes les raisons qui rendaient impossible une liaison entre Taylor et elle.

Comme ils arrivaient devant l'auberge, la jeune femme se tourna vers son compagnon.

— Je vais rapporter le panier dans la cuisine, lui dit-elle, terriblement gênée. Est-ce que vous aurez besoin de moi pour autre chose ?

— Je ne suis pas sûr que vous teniez vraiment à entendre la réponse à cette question, répondit Taylor avec un sourire malicieux.

— Je ferais mieux de retourner travailler, déclara B.J. en rougissant jusqu'à la racine des cheveux.

Mais, lorsque tous deux pénétrèrent dans le hall de l'auberge, B.J. oublia brusquement son embarras. Devant le comptoir de la réception, se tenait une jeune femme qu'elle ne connaissait pas. Grande, brune et très mince, elle aurait aisément pu passer pour un mannequin tout droit surgi d'un magazine de mode.

Le tailleur qu'elle portait contrastait par son élégance et son raffinement avec la tenue décontractée qu'adoptaient la plupart des clients de l'auberge. Un nombre impressionnant de luxueuses valises en cuir était posé à ses pieds, comme si elle entendait séjourner à l'hôtel durant plusieurs mois.

— Je vous laisse vous occuper de mes bagages, disait-elle à Eddie qui était visiblement tombé sous le charme et la regardait avec une admiration confinant à la vénération. Prévenez M. Reynolds que je suis arrivée.

— Darla ! s'exclama ce dernier. Quelle surprise ! Qu'est-ce que tu fais ici ?

La belle brune se tourna vers Taylor, et B.J. découvrit un visage presque trop parfait pour être réel.

— Taylor ! s'écria-t-elle, ravie. J'arrive tout juste de Chicago où j'ai terminé le travail que tu m'avais confié.

S'approchant de lui, elle le serra dans ses bras et l'embrassa affectueusement sur les deux joues.

— J'ai pensé que tu voudrais que je te donne mon avis au sujet de ta dernière acquisition et je suis venue directement, reprit-elle.

— Ta conscience professionnelle ne cessera jamais de m'étonner, répondit Taylor avec un sourire légèrement teinté d'ironie. Laisse-moi te présenter B.J. Clark, la gérante de l'auberge. B.J., voici Darla Trainor. C'est la décoratrice à laquelle je confie l'aménagement de la plupart de mes hôtels.

— Enchantée, déclara Darla en serrant la main de B.J.

Le regard amusé qu'elle lança au jean fatigué et au pull-over trop large que portait B.J. n'échappa pas à cette dernière qui se sentait déjà intimidée par l'élégance de la décoratrice.

— D'après ce que j'ai pu constater, reprit Darla à l'intention de Taylor, il y a beaucoup à faire.

Elle contempla la pièce dans laquelle ils se trouvaient d'un air mi-dédaigneux, mi-amusé.

— Que voulez-vous dire ? demanda B.J. sur la défensive.

— Eh bien... Disons que la décoration est un peu frustre. Rurale, je dirais. Cela a sans doute du charme pour certaines personnes mais ce n'est pas digne d'un hôtel de grand standing. Prenez l'entrée, par exemple, il me semble évident qu'il faudrait l'agrandir. Pour le moment, elle ressemble plus à un placard qu'à un véritable hall de réception. J'imagine du rouge. Pour le tapis, peut-être, ou bien pour la tapisserie... C'est une couleur qui donne tout de suite une impression de luxe.

— C'est ridicule, s'exclama B.J. en se tournant vers Taylor.

— Nous en discuterons plus tard, répondit celui-ci, diplomate.

B.J. ouvrit la bouche pour protester de plus belle mais il lui décocha un regard noir et elle jugea préférable de garder pour elle ce qu'elle pensait des idées de Darla Trainor.

— Si cela ne vous ennuie pas, déclara cette dernière, je vais aller me rafraîchir un peu. Rejoins-moi dans ma chambre si tu veux, Taylor. Et commande-nous quelque chose à boire.

— Pas de problème, acquiesça-t-il. Eddie, vous ferez porter deux martinis dans la chambre de Mlle Trainor. Quel est le numéro, Darla ?

— Je ne sais pas encore, répondit-elle avant de se tourner vers Eddie qui paraissait toujours aussi fasciné par la belle inconnue.

— Donne-lui la 314, intervint B.J. d'un ton sec. Et occupe-toi de ses bagages.

Son assistant parut brusquement recouvrer ses esprits et prit la clé qui se trouvait sur le tableau derrière lui.

— J'espère que la chambre sera à votre convenance, déclara B.J. en se forçant à sourire à Darla. N'hésitez pas à faire appel à nous si vous avez besoin de quoi que ce soit.

Sur ce, elle fit mine de s'éloigner.

— Je passerai vous voir tout à l'heure, lui dit Taylor.

B.J. se tourna vers lui.

— Mais certainement, monsieur Reynolds, répondit-elle d'une voix acidulée. Je reste à votre entière disposition. Bienvenue à Lakeside Inn, mademoiselle Trainor, ajouta-t-elle. Je vous souhaite un excellent séjour parmi nous.

Taylor demeura en compagnie de Darla Trainor durant la majeure partie de la journée et B.J. n'eut donc aucun mal à l'éviter. Elle ne put cependant s'empêcher de remarquer qu'ils passaient beaucoup de temps dans la chambre de la décoratrice et en conclut que celle-ci n'opposait peut-être pas à Taylor une résistance aussi farouche qu'elle-même.

Cette idée, loin de la réconforter, fit naître en elle une sensation qui ressemblait fort à de la jalousie. Elle essaya de se convaincre qu'il ne s'agissait en fait que d'un simple sursaut d'amour-propre.

Car si ce qu'elle soupçonnait était fondé, cela signifiait que Taylor n'avait pas mis longtemps à la remplacer. Pour lui démontrer qu'elle ne s'en souciait pas le moins du monde, B.J. appela Howard Beall et convint de le retrouver le lendemain soir.

Il n'était peut-être pas aussi séduisant que Taylor mais, au moins, il ne la laisserait pas tomber pour quelques martinis en compagnie d'une pseudo-décoratrice qui ressemblait à Cindy Crawford...

Ce soir-là, B.J. choisit avec un soin tout particulier la tenue qu'elle porterait pour dîner. Après mûre réflexion, elle choisit une robe de soie noire qui mettait parfaitement en valeur sa silhouette. Le col fermé par une rangée de petits boutons de nacre soulignait sa poitrine menue et la finesse de son cou. La jupe, légèrement fendue, révélait le galbe de ses mollets.

Elle décida de ne pas attacher ses cheveux et se contenta de les laisser retomber en cascade dorée sur ses épaules. Pour parfaire l'ensemble, elle ajouta une pointe de maquillage et une légère touche de parfum. Lorsqu'elle fut prête, elle observa attentivement le résultat dans sa glace et sourit.

Elle n'était pas aussi parfaite que Darla Trainor mais, en la voyant, Taylor regretterait peut-être l'occasion qu'il avait définitivement ratée. Satisfaite, la jeune femme quitta sa chambre et descendit l'escalier pour gagner le restaurant.

Là, elle aperçut Taylor et Darla qui s'étaient installés à une table située légèrement à l'écart, comme s'ils tenaient à préserver leur intimité. Malgré elle, B.J. sentit son cœur se serrer dans sa poitrine.

Ils formaient indubitablement un très joli couple, songea-t-elle. Il émanait d'eux un mélange de sophistication et d'élégance qui les distinguait de tous les autres convives présents et les rendait presque intimidants.

Comme B.J. hésitait sur le seuil de la pièce, Taylor l'aperçut. Son regard glissa sur la jeune femme et elle sentit naître sur sa peau un léger fourmillement, comme s'il venait de l'effleurer. Elle s'efforça pourtant de ne rien laisser paraître de son trouble.

Lorsque Taylor eut achevé son inspection, il fit signe à B.J. de le rejoindre. Cela suffit à éveiller en elle une colère froide. S'imaginait-il qu'elle était à son service ? Qu'il lui suffisait d'un geste pour qu'elle se précipite vers lui ? Pour qui se prenait-il donc ?

La voix de la raison lui souffla que, quoi qu'elle puisse penser de lui, il n'en restait pas moins le propriétaire de l'auberge et qu'elle était son employée. Que cela lui plaise ou non, elle devait lui obéir.

Elle prit pourtant tout son temps pour le faire, s'arrêtant délibérément auprès de plusieurs clients pour échanger quelques mots. Lorsqu'elle rejoignit enfin Taylor et Darla, elle leur adressa son sourire le plus professionnel.

— Bonsoir, leur dit-elle. J'espère que votre repas se passe bien.

— C'est absolument délicieux, comme toujours, répondit Taylor en se levant pour offrir une chaise à la jeune femme.

Elle hésita un instant avant de s'asseoir, décidant qu'elle n'avait rien à gagner en le provoquant inutilement.

— Votre chambre est-elle à votre convenance, mademoiselle Trainor ? demanda-t-elle.

— Tout à fait, acquiesça celle-ci avec un sourire indulgent. Même si la décoration m'a quelque peu étonnée.

— Vous boirez bien un verre avec nous, suggéra alors Taylor.

— Volontiers, répondit B.J. à contrecœur. Je prendrai un kir, ajouta-t-elle à l'intention de Dot qui venait de les rejoindre.

Taylor commanda un verre de vin blanc et Darla une coupe de champagne.

— Puis-je savoir ce qui vous a surprise ? s'enquit alors B.J.

— A vrai dire, je ne pensais pas que cette auberge serait

si… provinciale. Evidemment, j'ai remarqué quelques jolis meubles anciens mais j'avoue que, comme Taylor, mes goûts en matière de décoration hôtelière me portent plus vers le contemporain.

— Puis-je savoir comment vous imagineriez les chambres, dans ce cas ? demanda B.J. en s'efforçant de maîtriser la colère qui bouillonnait en elle.

— Tout d'abord, je changerais l'éclairage, déclara Darla d'un ton pensif. Les lampes sont archaïques et je les remplacerais par des néons installés dans les plinthes. Cela donnerait quelque chose de plus tamisé, de moins jaune… Evidemment, j'enlèverais les papiers peints qui sont terriblement démodés. J'opterais sans doute pour une tapisserie beige clair ou saumon. Le parquet n'est pas parfait mais je crois qu'une fois vitrifié, il fera l'affaire. Par contre, la salle de bains est un véritable désastre. Ces baignoires sont d'un autre âge.

Darla s'interrompit pour porter sa coupe de champagne à ses lèvres.

— Nos clients ont toujours trouvé que ces baignoires avaient beaucoup de charme, objecta B.J.

— Je n'en doute pas. Mais une fois que nous aurons procédé aux changements qui s'imposent, je suis persuadée que votre clientèle évoluera rapidement. La région est très belle et située à proximité de grands centres urbains. Des prestations de luxe attireraient certainement de nombreux cadres supérieurs à la recherche d'un week-end de tranquillité.

Darla sortit un paquet de cigarettes de son sac à main et en alluma une. Elle exhala une bouffée avec un plaisir évident sans se soucier le moins du monde du panneau qui indiquait que la salle à manger était un lieu non fumeur.

— Et vous ? demanda B.J. à Taylor. Est-ce que vous avez également quelque chose contre les vieilles baignoires ?

— Je dirais qu'elles conviennent parfaitement à l'atmosphère actuelle de l'auberge. Mais Darla a raison : si nous voulons attirer de nouveaux clients, il faudra probablement effectuer certaines transformations.

— Je vois, s'exclama B.J., furieuse. Dans ce cas, laissez-moi vous faire quelques suggestions, à tous les deux. Que diriez-vous d'installer des miroirs au plafond des chambres ? Cela leur donnerait un petit côté décadent qui leur manque. Du chrome et du verre. Des murs blancs. Et un lit rond géant avec des coussins fuchsia. Vous aimez le fuchsia, n'est-ce pas, Taylor ?

— Je ne crois pas avoir sollicité votre avis en matière de décoration, répondit ce dernier un peu sèchement.

Dans ses yeux, elle lisait une colère naissante et elle comprit brusquement qu'elle était en train d'aller trop loin. Mais c'était plus fort qu'elle. Elle ne pouvait tout de même pas les laisser défigurer cette auberge et la priver de tout son charme.

— J'ai bien peur que vos goûts ne soient quelque peu vulgaires, remarqua Darla, encouragée par la réprobation de Taylor.

— Vraiment ? dit B.J., narquoise. Je suppose que cela ne devrait pas vous étonner. Après tout, je ne suis qu'une provinciale pas très au fait des dernières tendances contemporaines…

— Je suis certaine que mes propositions te conviendront, Taylor, déclara Darla sans relever la remarque caustique de la jeune femme.

Elle plaça doucement la main sur son bras et B.J. sentit sa colère monter d'un cran. Il était évident que tous deux étaient bien trop proches pour qu'elle puisse espérer faire entendre sa voix.

— Bien sûr, reprit Darla, cela prendra un peu de temps. Après tout, nous parlons d'une transformation drastique et pas de simples aménagements.

— Prenez tout le temps que vous voudrez, répliqua B.J. en se levant brusquement. Mais, en attendant, ne vous avisez pas de toucher à mes baignoires !

Sur ce, elle s'éloigna à grands pas, manquant percuter Dot qui revenait prendre leur commande.

— Sers-leur une généreuse portion d'arsenic, lui dit-elle. C'est la maison qui invite !

Ignorant l'expression stupéfaite de la serveuse, elle traversa alors la salle à manger et quitta la pièce. Comme elle débouchait dans le hall, elle aperçut la commode rustique et les aquarelles accrochées aux murs. Rageusement, elle songea qu'elles seraient bientôt remplacées par une étagère asymétrique noir et blan et des lithographies d'art contemporain. Quant au gramophone qui avait tant étonné Taylor, il céderait probablement la place à une chaîne hi-fi dernier cri.

Comment pouvaient-ils être aussi stupides ? se demanda-t-elle. Ne voyaient-ils pas que chaque pièce portait la marque du temps et s'inscrivait dans une tradition qui façonnait la personnalité même de l'auberge ? Que c'était justement ce qui la rendait si attachante pour leurs clients ?

Chaque chambre était unique et possédait sa propre personnalité. Dans celle de Darla étaient accrochées une série de pastels qui formaient un savant contraste avec ce papier peint dont elle faisait si peu de cas.

Il y avait une fenêtre en alcôve d'où l'on pouvait contempler le parc et le lac qui s'étendait au-delà. Quant au mobilier, il renfermait un véritable trésor : un petit secrétaire en noyer qui dissimulait en son sein plusieurs tiroirs secrets.

Et combien de fois B.J. avait-elle entendu les clients qui avaient séjourné dans cette chambre louer le calme et la sérénité qui y régnaient ?

Mais, bientôt, tous ces trésors disparaîtraient pour céder la place à une décoration aussi stylée qu'anonyme, aussi moderne que dénuée de tout caractère. Et B.J. se refusait à l'accepter.

Si Taylor devait vraiment laisser carte blanche à Darla, elle n'aurait d'autre choix que de démissionner. Et, cette fois, elle ne se laisserait pas intimider par ses menaces ou ses tentatives de chantage. Mais, en attendant, elle ferait tout son possible pour éviter qu'une telle catastrophe ne se produise.

Forte de cette résolution, B.J. monta dans sa chambre. Comme elle y pénétrait, elle aperçut son reflet dans le miroir en pied qui trônait près du petit bureau. Et cette vision acheva de la déprimer. La tenue qu'elle portait ne faisait que souligner la différence irréductible qui existait entre Darla et elle.

La jeune décoratrice possédait une grâce et une sophistication qu'elle ne pouvait espérer égaler. Et, aux yeux d'un homme comme Taylor, elle devait paraître bien quelconque : une fille de la campagne dénuée du raffinement des femmes qu'il fréquentait d'ordinaire.

Serrant les dents, B.J. songea que cela n'avait aucune importance. Son but n'était pas de le séduire mais de le convaincre de la justesse de ses arguments.

D'un autre côté, Darla paraissait très intime avec lui. Et, si elle était vraiment l'une de ses maîtresses comme le laissaient supposer le temps qu'ils avaient passé dans sa chambre et la familiarité dont elle faisait preuve à son égard, elle possédait un avantage évident sur B.J. qui ne pouvait se prévaloir que de ses compétences professionnelles.

Cela ne l'empêcherait pourtant pas de se battre, décida-t-elle en gagnant la salle de bains pour se brosser les dents. Après tout, elle avait consacré des années de sa vie à cette auberge et, au fil du temps, elle s'y était beaucoup attachée.

Ne connaissait-elle pas mieux que personne les clients qui fréquentaient régulièrement l'établissement ? N'était-elle pas dépositaire des années qu'avaient passées ses prédécesseurs à aménager et à gérer cet endroit ?

La lutte qu'elle s'apprêtait à mener dépassait d'ailleurs ces simples considérations. Elle reflétait le combat de tous ceux qui restaient attachés à la tradition et refusaient de céder devant les sirènes d'un progrès qui transformait les lieux comme les gens en clones anonymes.

Comme elle se faisait cette réflexion, elle entendit la porte de sa chambre s'ouvrir. Stupéfaite, elle reposa sa brosse à dents et quitta la salle de bains pour se retrouver face à Taylor.

— Comment êtes-vous entré ? demanda-t-elle, choquée par son attitude cavalière.

— Vous m'avez donné un passe, répondit-il en haussant les épaules.

— Le fait d'être propriétaire de l'auberge ne vous donne pas le droit de pénétrer dans ma chambre de cette façon, objecta-t-elle vivement.

— Je crois que je n'ai pas été suffisamment clair à votre égard, répondit Taylor en s'approchant d'elle. Et je tenais à préciser ma pensée si tel est le cas. Pour le moment, je vous ai laissé une liberté totale en ce qui concerne la gestion de l'hôtel au quotidien. Je n'ai pas empiété sur vos préro-

111

gatives et n'ai aucune intention de le faire. Néanmoins, je me réserve le droit de prendre toute décision concernant l'avenir de cet établissement.

— Mais…, commença B.J.

— Il est inutile de protester, l'interrompit Taylor. Cette décision n'est pas sujette à débats. Cela vous paraît peut-être tyrannique, pour reprendre votre propre expression, mais je crois que vous oubliez un peu trop facilement que cette auberge représente un capital dont vous n'êtes pas propriétaire. De plus, ce n'est pas vous qui assumez les risques financiers liés à son exploitation. Et je ne tolérerai pas que vous donniez des ordres à Darla qui se trouve être l'une de mes employés et ne relève aucunement de votre autorité. C'est moi et moi seul qui suis habilité à lui dire ce qu'elle doit faire et quand elle doit le faire.

— Ce n'est pas cela que je remets en cause, protesta vivement B.J., se sentant prise en faute. Je ne fais que souligner ce que vous paraissez tous deux ne pas remarquer. Les vieilleries que condamne si allégrement Mlle Trainor sont pour la plupart des antiquités de prix. La desserte de la salle à manger est un authentique Hepplewhite. Votre propre chambre renferme deux meubles Chippendale. Quant au gramophone dont vous vous moquiez, il vaut une véritable fortune…

Taylor fit un pas de plus vers la jeune femme et posa la main sur son cou, interrompant brusquement son éloquent plaidoyer. Elle avait terriblement conscience de sa force et, même si la pression de ses doigts était infime, son geste n'en conservait pas moins un caractère menaçant.

— Ce que je demande à Darla ne regarde que moi, dit-il d'une voix vibrante de colère.

Ses yeux noirs brillaient maintenant d'une rage contenue

et B.J. comprit qu'elle avait outrepassé les limites de sa patience.

— J'aimerais donc que vous gardiez vos opinions pour vous ou que vous m'en fassiez part en privé avant d'en faire état devant des tiers. Si vous persistez à interférer dans mes décisions, je vous le ferai regretter amèrement. Est-ce bien compris ?

— Parfaitement, répondit B.J. d'une voix sourde. Et je ne me laisserai plus influencer par la nature de vos relations avec Mlle Trainor.

— Tant mieux. Parce qu'elles ne vous regardent nullement.

— Mais je tiens à vous dire que je continuerai à vous faire part de ma plus extrême réserve concernant vos projets d'aménagement. Lorsque vous m'en avez fait part, je vous ai proposé ma démission et vous l'avez refusée. Je considère donc qu'il est de ma responsabilité de gérante de défendre les intérêts de cet établissement. Si vous n'êtes pas d'accord, vous pouvez toujours me renvoyer.

— Ne me tentez pas, répondit Taylor en laissant glisser sa main un peu plus bas sur la gorge de la jeune femme. J'ai de bonnes raisons de vous maintenir à votre poste mais votre attitude pourrait finir par me pousser à bout. Je vous ai promis que je vous informerais de toute modification que je déciderais d'apporter à l'auberge et je tiendrai parole. Mais si vous persistez à vous montrer discourtoise envers mes autres employés, je n'aurai d'autre choix que de vous licencier pour faute professionnelle.

— Je ne suis pas certaine que Darla Trainor ait besoin de votre protection, railla B.J.

— Vraiment ? répondit Taylor avec une pointe d'amusement. Il me semble pourtant que cette robe que vous avez choisie est une véritable déclaration de guerre. Pourquoi avez-vous décidé de la porter précisément ce soir ? Jusqu'à présent, vous aviez opté pour des tenues beaucoup plus décontractées et moins ouvertement séductrices.

Tout en parlant, Taylor avait commencé à déboutonner sa robe. Fascinée par son regard de braise, B.J. ne trouva pas la force de protester.

— Je ne vois pas de quoi vous voulez parler, protesta-t-elle faiblement. Vous feriez mieux de partir, à présent.

— Vous ne pensez pas ce que vous dites.

Comme pour le lui prouver, Taylor écarta le col de sa robe, révélant la naissance de ses seins. Elle sentit ses doigts effleurer sa peau nue et frissonna des pieds à la tête. Il l'attira alors de nouveau contre lui.

— Vous me désirez autant que je vous désire, lui dit-il.

Comme B.J. s'apprêtait à protester, il l'embrassa. Une fois de plus, l'attirance qui les poussait l'un vers l'autre eut raison de tous les arguments sensés qu'elle aurait pu lui opposer.

Fermant les yeux, elle s'abandonna avec fatalisme au désir qui la submergeait déjà, balayant toute volonté. C'était plus fort qu'elle. Taylor faisait naître en elle un besoin primaire, absolu, contre lequel elle était complètement démunie.

Comme elle capitulait, l'audace de Taylor s'accrut encore et elle n'eut pas la force de lui résister. Elle offrit son corps à ses caresses, sa bouche à ses baisers passionnés et sombra dans un tourbillon de sensations vertigineuses.

Une petite partie d'elle était horrifiée par cette preuve de faiblesse et lui soufflait qu'elle regretterait amèrement de s'être laissée aller à ses pulsions. Mais c'était son corps qui avait pris les commandes et il n'entendait pas se laisser priver des délices que lui offrait Taylor.

Lorsqu'il délaissa sa bouche pour mordiller sa gorge, elle rejeta la tête en arrière et s'accrocha à ses épaules, incapable de retenir les soupirs de plaisir qui lui montaient aux lèvres. Un nouveau baiser suivit, plus enivrant encore que le premier.

Et, brusquement, elle comprit que l'intensité de sa réaction ne pouvait s'expliquer uniquement par l'indéniable attirance physique qu'il exerçait sur elle. Avec une clarté terrifiante, elle réalisa que, sans même s'en apercevoir, elle avait franchi la limite qu'elle s'était juré de ne pas dépasser.

Elle était tombée amoureuse.

Ce n'était pas seulement son corps qui la poussait vers Taylor. Il avait su conquérir son cœur et chaque frisson qu'il éveillait sur sa peau se répercutait au plus profond d'elle, touchant son âme même.

Cette certitude l'emplit d'un profond désespoir. Car ses sentiments à l'égard de Taylor la condamneraient sans doute aux plus amères déceptions. Elle ne pouvait imaginer qu'une fois épuisée la nouveauté de leur liaison, il puisse décider de rester auprès d'elle.

Sa vie était ailleurs, dans ces buildings de verre et d'acier où l'argent ne se comptait qu'en millions de dollars, auprès de ces femmes improbables dont la photo s'étalait dans les magazines. Il lui faudrait à peine quelques semaines pour l'oublier et reprendre son existence habituelle, sans même se douter que, quelque part en Nouvelle-Angleterre, une femme au cœur brisé rêvait encore aux quelques moments de bonheur qu'ils avaient partagés.

Malheureusement, ces sombres présages ne suffisaient pas à endiguer le trouble que lui inspirait Taylor. Chacune de ses caresses, chacun de ses baisers alimentaient un peu plus la flamme qui brûlait en elle, menaçant de la dévorer tout entière.

Brusquement, il s'immobilisa et se recula légèrement, éveillant en elle une terrible sensation de vide et de manque. Instinctivement, elle se serra contre lui et lui tendit ses lèvres.

— Admettez-le, murmura-t-il en les effleurant des siennes. Admettez que vous me désirez et que vous voulez me voir rester.

— Oui, avoua-t-elle en nichant son visage contre son épaule. Je vous désire comme je n'ai jamais désiré personne auparavant. Et je veux que vous restiez.

Il prit doucement son menton au creux de sa main et la força à le regarder. Dans ses yeux, elle lut mille sentiments contradictoires : du désir, du triomphe et aussi une frustration qu'elle ne s'expliquait pas.

De toutes ses forces, elle résista à l'envie qu'elle avait de l'attirer à elle et de sentir de nouveau sa bouche sur la sienne. Taylor, quant à lui, se contentait de la regarder comme s'il voulait lire au plus profond d'elle-même.

Elle craignit un instant qu'il ne perçoive ses sentiments naissants. Cela lui aurait donné sur elle une emprise absolue et cette simple idée la terrifiait. Mais, finalement, le visage de Taylor se ferma et elle vit briller dans ses yeux une lueur de colère.

Lorsqu'il parla, sa voix était froide et détachée, aussi douloureuse qu'une gifle en plein visage.

— Il semble bien que nous ayons perdu de vue l'objectif initial de cette discussion, lui dit-il.

Reculant d'un pas, il plongea ses mains dans les poches de son pantalon.

— J'espère néanmoins m'être montré assez clair, ajouta-t-il d'un ton posé.

La jeune femme sentit le sol tanguer sous ses pieds. Comment pouvait-il lui parler de cette façon après ce qui venait de se passer entre eux ? Ne voyait-il pas combien elle avait envie de lui ?

— Taylor, je…

— Nous en discuterons demain, l'interrompit-il, impitoyable. J'espère que vous collaborerez pleinement avec Mlle Trainor et que vous ferez preuve à son égard de toute la courtoisie qui lui est due. Quels que soient vos différends personnels, elle réside à l'auberge et doit être traitée avec respect et politesse.

— Bien sûr, articula B.J., incapable de retenir les larmes qui lui montaient aux yeux. J'accorderai à Mlle Trainor toute la considération qu'elle mérite.

Profondément humiliée, elle essuya ses yeux du revers de la main.

— Vous avez ma parole, ajouta-t-elle d'une voix tremblante.

Taylor fit un pas dans sa direction mais B.J. se détourna brusquement et gagna la salle de bains dans laquelle elle s'enferma à double tour.

— Allez-vous-en, s'exclama-t-elle, incapable de retenir les sanglots qui la secouaient à présent.

Mais Taylor frappa à la porte.

— Allez-vous-en et laissez-moi tranquille ! lui dit-elle. Je vous ai donné ma parole.

— B.J., ouvrez cette porte, ordonna-t-il.

La colère qu'elle percevait dans sa voix ne fit qu'alimenter son propre désespoir. Comment avait-elle pu être assez stupide pour s'imaginer qu'il la désirait vraiment ?

— Je ne veux plus vous voir, lui cria-t-elle. Allez retrouver votre précieuse Darla et fichez-moi la paix ! J'obéirai à vos ordres mais, ce soir, je ne suis pas de service !

Taylor poussa un juron et, après quelques instants, il quitta la chambre en claquant la porte derrière lui. B.J., quant à elle, resta longuement prostrée sur le sol carrelé de la salle de bains, pleurant toutes les larmes de son corps.

8.

— Tu peux être fière de toi, marmonna B.J. en jetant un regard accusateur au reflet que lui renvoyait la glace, ce matin-là.

Une fois de plus, elle s'était rendue complètement ridicule. Non seulement elle s'était offerte à Taylor alors qu'il venait de la chapitrer durement mais, en plus, il l'avait repoussée sans ménagement.

Bien sûr, ce n'était pas entièrement sa faute. Après tout, n'était-ce pas lui qui flirtait avec elle de façon éhontée ? Qui l'avait embrassée à plusieurs reprises ? Qui l'avait entraînée de force à ce pique-nique où il l'avait conquise à force de caresses ? Qui avait commencé à la déshabiller, la veille ?

Etait-il surprenant, dès lors, qu'elle ait fini par tomber amoureuse de lui ? Car c'était bien ce qui lui était arrivé, qu'elle le veuille ou non. Elle ne l'avait pas choisi et aurait certainement préféré que les choses se passent différemment. Mais cela ne changeait rien à la réalité de ses sentiments.

Sa propre attitude à l'égard de Darla ne s'expliquait pas uniquement par leurs divergences d'opinions en matière de décoration. Elle était jalouse. Et Taylor avait vu juste :

119

c'était pour cette raison qu'elle avait choisi cette robe noire qui, elle le savait, la mettait en valeur.

Evidemment, elle n'avait probablement aucune chance face à cette femme fatale aux manières policées et aux goûts très sûrs. Elle n'était pas une femme du monde, ne maîtrisait pas ces petits détails qui conféraient à Darla ce mélange détonant d'élégance et de raffinement.

Si Taylor devait choisir entre elles, il ne faisait guère de doute qu'il opterait pour la belle décoratrice. Après tout, ils étaient du même monde, partageaient les mêmes valeurs et évoluaient probablement dans les mêmes cercles.

A ses yeux, une liaison avec B.J. n'avait probablement aucun avenir. Il s'agissait d'une simple aventure, d'un moyen de passer le temps pendant qu'il séjournait dans ce coin perdu de la Nouvelle-Angleterre.

Et elle ne pouvait se résoudre à l'accepter. Elle ne se contenterait pas d'être une simple distraction, un vulgaire passe-temps. Malheureusement, c'était probablement plus facile à dire qu'à faire, songea-t-elle amèrement.

Comment était-elle censée résister à un homme dont les baisers lui faisaient perdre la raison, dont les caresses éveillaient en elle un désir si ardent qu'il balayait toute prudence et toute modestie ?

La nuit précédente, elle se serait offerte sans hésiter un seul instant, ne demandant rien d'autre que la satisfaction de ce besoin impérieux qu'elle avait de lui. Et, ce matin, il l'aurait certainement quittée sans un regard, honteux, peut-être, de ce moment de faiblesse.

Comment avait-elle pu être aussi stupide ?

Heureusement, Taylor avait eu suffisamment de maîtrise de soi pour ne pas céder à son invitation. Mais cette marque de respect ne rendait la situation que plus humiliante aux yeux de la jeune femme.

A moins, songea-t-elle tristement, qu'il n'ait tout simplement préféré passer la nuit avec Darla. Cette simple idée lui était intolérable. Lorsqu'elle les imaginait en train de s'embrasser, elle sentait sa gorge se serrer sous l'effet combiné de la tristesse, de la frustration et de la jalousie.

Pendant plus de dix minutes, elle essaya de se raisonner, se répétant qu'un amour qui n'était pas payé de retour ne pouvait se solder que par de l'amertume et de la déception. Elle devait oublier Taylor. Ne voir en lui que le propriétaire de l'auberge et non l'homme qui savait faire naître en elle un désir qui dépassait tout ce qu'elle avait connu jusqu'alors.

Ce serait sans doute l'une des choses les plus difficiles qu'il lui ait jamais été donné de faire mais elle n'avait pas le choix. Toute autre attitude relèverait d'une forme aiguë de masochisme.

Bien décidée à affronter les épreuves que lui réservait cette nouvelle journée, elle attacha ses cheveux, prit une profonde inspiration et quitta sa chambre. Dans le hall, Eddie l'informa que Taylor s'était déjà installé dans son bureau et que Darla n'était pas encore levée.

Pour les éviter, B.J. consacra une bonne partie de la matinée dans le bar dont elle effectua l'inventaire afin d'établir une nouvelle commande avant les vacances d'été.

C'est là que Darla finit par la trouver.

— Alors voici le fameux bar ! s'exclama-t-elle en contemplant la pièce d'un œil critique.

Résignée, B.J. avisa le tailleur élégant qu'elle portait et qui devait avoir été dessiné par un grand couturier parisien. La décoratrice tenait à la main un calepin sur lequel elle avait déjà inscrit un nombre conséquent de notes dont B.J. préférait ignorer la teneur.

Darla s'approcha de l'antique comptoir en chêne derrière lequel se trouvait la jeune femme et secoua la tête d'un air désolé.

— J'ai l'impression de me retrouver dans les années 50, soupira-t-elle.

B.J. se mordit la langue pour retenir la réplique acerbe qui lui démangeait les lèvres.

— Servez-moi un vermouth, lui demanda Darla en prenant place sur l'un des tabourets.

Piquée au vif par le manque de considération dont elle faisait preuve à son égard, B.J. faillit lui répondre qu'elle pouvait très bien se servir elle-même. Mais elle se rappela alors la promesse qu'elle avait faite à Taylor et se résigna à remplir un verre qu'elle plaça devant Darla.

— Souvenez-vous que je ne fais que mon travail, déclara celle-ci avec un sourire aussi cordial qu'artificiel. Vous ne devez pas prendre mes remarques comme une critique personnelle.

— Vous avez sans doute raison, concéda B.J. à contrecœur. Mais je suis très attachée à Lakeside Inn. Cette auberge est beaucoup plus qu'un simple lieu de travail pour moi.

— C'est effectivement ce que m'a dit Taylor. Cela paraissait d'ailleurs beaucoup l'amuser.

— Vraiment ? fit B.J. d'une voix mal assurée.

L'idée que Taylor puisse la considérer avec une telle condescendance la blessait bien plus encore qu'elle n'aurait pu l'imaginer. En fait, Darla n'aurait pas pu trouver meilleur moyen de lui faire du mal si elle l'avait voulu.

— Il a un curieux sens de l'humour, ajouta-t-elle en s'efforçant de dissimuler sa détresse.

— C'est vrai. Je le connais depuis longtemps mais il arrive encore à m'étonner. En tout cas, il semble penser que vous êtes une employée compétente. Il dit que vous avez un don inné pour mettre les gens à l'aise. Mais il regrette que vous soyez si rétive à son autorité. C'est un homme de pouvoir, vous savez, et il n'hésite pas à recourir à des méthodes peu orthodoxes pour obtenir ce qu'il désire.

— Je suis certaine que vous êtes bien placée pour en parler, ne put s'empêcher de répondre B.J.

— C'est vrai. Taylor et moi sommes plus que de simples collaborateurs. Et je sais qu'il lui arrive de mêler le plaisir et le travail.

— Vraiment ? articula B.J., livide.

— Oui. Mais je ne saurais vous conseiller de capitaliser sur un éventuel investissement émotionnel de sa part, lui dit Darla en lui jetant un regard lourd de sous-entendus. Il n'a aucune patience et ne supporte ni les scènes ni les complications.

B.J. se rappela la colère de Taylor lorsqu'elle avait fondu en larmes et jugea que Darla avait probablement raison.

— Je vous dis cela en toute amitié, reprit celle-ci en souriant d'un air affable. Ne vous attachez pas trop à lui. Et n'empiétez pas sur mon territoire.

— Est-ce que vous voulez parler de Taylor ou de vos opinions concernant la décoration intérieure de l'auberge ? demanda B.J.

— Disons qu'il s'agit d'une considération générale.

Se penchant en avant, Darla posa la main sur le poignet de la jeune femme et le serra violemment. B.J. sentit ses ongles soigneusement manucurés s'enfoncer impitoyablement dans sa chair.

— Et si vous n'en tenez pas compte, je ne donne pas cher de votre statut de gérante.

— Lâchez-moi immédiatement ! s'exclama B.J., furieuse de se voir ainsi menacée.

Darla s'exécuta et porta langoureusement son verre à ses lèvres.

— L'essentiel est que nous nous comprenions, toutes les deux, mademoiselle Clark, conclut-elle avec un charmant sourire.

— Ne vous en faites pas, lui assura B.J. d'un air de défi. J'ai bien reçu le message.

S'emparant du verre vide de Darla, elle le plaça dans l'évier.

— Le bar est fermé à cette heure-ci, mademoiselle Trainor, déclara-t-elle en se détournant pour reprendre son inventaire.

— Quelle surprise, s'exclama Taylor en pénétrant dans la pièce. Je ne pensais pas vous trouver ici toutes les deux à une heure pareille.

Sa voix trahissait une certaine ironie mais, en l'observant plus attentivement, B.J. avisa la réprobation qui se lisait dans son regard. Il les soupçonnait probablement de s'être de nouveau disputées.

— J'ai fait le tour de l'auberge pour prendre des notes, expliqua Darla en se rapprochant de lui. Et j'ai bien peur que cette pièce, comme la plupart des autres, ne nécessite une rénovation en profondeur. Son seul mérite est sa taille. On pourrait aisément y disposer deux fois plus de tables. Par contre, la décoration est totalement dénuée de cachet. Il faudra que tu me dises ce que tu comptes en faire : un bar moderne et branché ou une salle de détente. En fait, il serait même possible de couper la salle en deux pour jouer sur les deux tableaux comme nous l'avons fait à San Francisco.

Taylor marmonna un acquiescement qui n'engageait à rien mais ses yeux ne quittaient pas B.J.

— J'irai jeter un coup d'œil à la salle à manger lorsque les clients auront fini de déjeuner, ajouta Darla avec un sourire. Tu pourrais peut-être venir avec moi et me donner ton avis sur la question.

— Je n'ai pas encore pris de décision à ce sujet, répondit-il. Je te laisse te faire ta propre idée et nous en reparlerons plus tard, d'accord ?

Comprenant qu'elle venait d'être congédiée, Darla tiqua. Mais elle était bien trop maîtresse d'elle-même pour trahir son mécontentement.

— Parfait ! s'exclama-t-elle d'un ton faussement enjoué. Je passerai te voir dans ton bureau lorsque j'aurai fait le tour de l'auberge et nous discuterons de tout cela.

Sur ce, elle s'éloigna d'un pas décidé, laissant derrière elle l'odeur subtile et élégante de son parfum.

— Voulez-vous boire quelque chose ? demanda B.J. à Taylor.

— Non. A vrai dire, je voulais vous parler.

La jeune femme continua son inventaire, se forçant à ne pas le regarder en face. Elle craignait trop de succomber une fois de plus à son charme.

— Je pensais que vous m'aviez exposé tout ce que vous aviez à me dire, hier soir, remarqua-t-elle d'un ton qui se voulait léger mais trahissait la tension qui l'habitait.

— Pas tout à fait, répondit Taylor. Pourriez-vous me regarder ? Il n'est pas agréable de parler à quelqu'un qui vous tourne le dos.

— Très bien, soupira-t-elle en se retournant. C'est

vous le patron, après tout. Vous me l'avez fait clairement comprendre.

— Est-ce que vous aimez me provoquer, B.J., ou est-ce chez vous une seconde nature ?

— Je ne sais pas, répliqua-t-elle. Prenez-le comme vous voulez.

Brusquement, une idée lui traversa l'esprit et elle se figea, stupéfaite de ne pas y avoir pensé auparavant.

— Taylor, dit-elle, le cœur battant. Il y a quelque chose dont j'aimerais vous parler. Nous ne sommes pas d'accord quant à ce qu'il convient de faire de cette auberge. Et vous savez combien elle est importante à mes yeux. Je me demandais donc si vous envisageriez de me la vendre. Vous pourriez alors acheter un terrain dans la région et faire construire le centre de vacances dont vous rêvez. Et vous ne seriez pas handicapé par une structure préexistante.

— C'est absurde, protesta Taylor. Où trouveriez-vous l'argent nécessaire pour effectuer un tel investissement ?

— Je ne sais pas, avoua la jeune femme. Je pourrais contracter un emprunt auprès de ma banque. Et solliciter la participation des employés. Je suis sûre que certains d'entre eux seraient prêts à s'associer pour racheter l'hôtel.

— Il n'en est pas question, déclara posément Taylor en se rapprochant du bar. Je n'ai aucunement l'intention de vendre ce que je viens tout juste d'acheter.

— Mais je...

— Il est inutile d'insister, l'interrompit-il.

— Je ne comprends pas les raisons de votre entêtement, s'exclama B.J. Pourquoi n'acceptez-vous pas au moins d'en discuter ? Si vous me laissez un peu de temps, je pourrai même peut-être vous offrir plus d'argent que ce que l'établissement vous a coûté initialement.

126

— Peu importe. Je ne suis pas venu pour discuter de nos différends professionnels mais de questions personnelles.

Tout en parlant, Taylor s'était emparé du poignet, à l'endroit exact où Darla avait enfoncé ses ongles et B.J. ne put retenir un petit cri de douleur. Aussitôt, il retira sa main. Déséquilibrée, elle perdit l'équilibre, partit en arrière et heurta l'étagère, renversant quelques verres qui se brisèrent sur le sol.

— Mais qu'est-ce qui vous prend ? s'exclama Taylor, sidéré. Je vous ai à peine touchée. Pourquoi faut-il que vous réagissiez si violemment chaque fois que je fais mine de m'approcher ? Vous savez pourtant bien que je ne vous veux aucun mal…

Il s'interrompit brusquement, avisant les marques laissées par les ongles de Darla dans la chair de la jeune femme.

— Je suis désolé, s'excusa-t-il, stupéfait. Je ne pensais pas avoir serré aussi fort…

Il paraissait se sentir terriblement coupable et B.J. fut tentée un instant de ne pas corriger sa méprise.

— Ce n'est pas votre faute, lui dit-elle pourtant, refusant de se conduire de façon aussi mesquine. Je me suis blessée mais vous ne pouviez pas le savoir.

— Mais comment pouvez-vous avoir de telles marques ? s'enquit Taylor en faisant mine de lui prendre le bras pour l'observer de plus près.

B.J. retira aussitôt sa main, craignant qu'il ne reconnaisse la marque des ongles et ne la presse de questions.

— Ce n'est rien, répondit-elle évasivement.

S'accroupissant, elle commença à ramasser les morceaux de verre qui constellaient le plancher.

— Il vaudrait mieux utiliser une balayette, remarqua Taylor. Vous risquez de vous couper.

Comme pour illustrer cette mise en garde, B.J. sentit l'un des tessons lui entailler cruellement la peau et ne put retenir un nouveau cri de douleur. Immédiatement, Taylor contourna le bar et sortit un mouchoir en papier de la poche de sa veste.

— Laissez-moi voir, lui dit-il en l'aidant à se redresser.

Il tamponna délicatement la plaie et vérifia qu'elle ne contenait aucun bout de verre.

— Décidément, il semble que je ne vous attire que des ennuis, soupira-t-il.

— Ce n'est rien, protesta-t-elle, troublée par le contact de sa main. Vous allez tacher votre costume.

— Ce sont les aléas de la guerre, répondit-il en souriant.

Il porta le pouce de B.J. à ses lèvres et y déposa un petit baiser avant de l'entourer du mouchoir.

— Pourquoi vous entêtez-vous à attacher vos cheveux alors qu'ils sont si jolis ? demanda-t-il en ôtant les épingles qui retenaient le chignon de B.J.

Il la contempla alors attentivement et hocha la tête d'un air satisfait. Son sourire ne fit pourtant qu'accentuer le désarroi de la jeune femme qui, à présent qu'elle se trouvait en face de lui, réalisait avec une acuité accrue à quel point elle était amoureuse.

— Je me demande comment vous parvenez toujours à me mettre en colère, soupira-t-il. Pour l'instant, vous avez l'air d'un petit animal blessé.

Presque tendrement, il passa une main dans ses longs cheveux blonds et elle sentit une faiblesse familière se communiquer à chacun de ses membres. Une fois de plus, elle brûlait de sentir ses lèvres sur les siennes mais

128

elle savait à présent que les baisers de Taylor auraient un arrière-goût amer.

— Vous savez que j'ai bien failli défoncer la porte de votre salle de bains, hier, lui dit-il d'une voix très douce. Je ne pouvais pas supporter de vous entendre pleurer.

— Ce n'était pas plus plaisant pour moi, répondit-elle en luttant contre les sanglots qui menaçaient justement de la submerger. Et c'était entièrement votre faute.

— C'est vrai, reconnut-il. Et j'en suis profondément désolé.

B.J. ouvrit de grands yeux, stupéfaite par ce mea culpa inattendu. Taylor se pencha alors vers elle et effleura sa bouche d'un baiser. Malgré le désir brûlant qu'elle avait de lui, elle se força à reculer d'un pas.

— Ce n'est pas grave, répondit-elle d'un ton mal assuré.

Taylor la regarda attentivement, comme s'il cherchait à lire ses pensées.

— Venez dîner dans ma chambre, ce soir, lui proposa-t-il. Nous pourrons parler sans être dérangés.

La jeune femme secoua la tête mais les mots qu'elle aurait voulu prononcer restèrent coincés dans sa gorge. Taylor fit un pas en avant, comblant la distance qu'elle avait mise entre eux.

— Cette fois, je ne vous laisserai pas vous échapper aussi facilement, lui dit-il. Il faut que nous puissions discuter calmement, vous et moi. Vous savez que j'ai envie de vous et…

— Je pense que vous devriez vous contenter de ce que vous avez déjà au lieu de courir plusieurs lièvres à la fois.

— Qu'est-ce que c'est censé vouloir dire ? demanda Taylor en fronçant les sourcils.

— Je suis sûre que si vous y réfléchissez un peu, vous comprendrez parfaitement, répliqua-t-elle durement.

Elle leva la main pour lui montrer les marques sur son bras. Mais il se contenta de la regarder avec stupeur.

— Peut-être serait-ce plus facile si vous m'expliquiez de quoi il retourne, objecta-t-il enfin.

— Je ne crois pas. Vous considérez peut-être tout ceci comme un jeu, Taylor, mais ce n'est pas mon cas. Et, de toute façon, j'ai déjà un rendez-vous de prévu, ce soir.

— Un rendez-vous ? répéta-t-il, suspicieux. Vous voulez dire un rendez-vous amoureux ?

— Vous avez l'air surpris. Mais il se trouve que j'ai une vie privée, répondit-elle en le regardant droit dans les yeux. Et mon contrat de travail ne stipule nulle part que je dois être à votre disposition jour et nuit. D'ailleurs, je suis certaine que Mlle Trainor ne demandera pas mieux que de me remplacer, ce soir.

— Certainement, répondit froidement Taylor.

Humiliée par le calme avec lequel il lui avait répondu, B.J. perdit les dernières bribes de sang-froid qu'il lui restait et le foudroya du regard.

— Eh bien, le problème est réglé, dans ce cas, s'exclama-t-elle. Passez une délicieuse soirée, Taylor. Je vous assure que j'ai bien l'intention de faire de même. Maintenant, si vous voulez bien m'excuser, j'ai du travail !

Elle fit mine de s'éloigner mais il la retint par l'épaule et la força à lui faire face.

— Puisque nous avons tous deux d'autres obligations pour ce soir, il vaudrait peut-être mieux que nous réglions dès maintenant la question qui me préoccupe.

Sans attendre sa réponse, il se pencha vers elle et l'embrassa. B.J. garda obstinément les lèvres fermées mais il tira ses cheveux en arrière et profita de son petit cri de douleur pour la forcer à lui rendre son baiser.

Malgré elle, la jeune femme sentit déferler en elle une sensation désormais familière et, au bout de quelques instants, elle comprit que toute résistance était inutile. A ce moment précis, Taylor s'arracha à elle.

— Vous avez terminé ? demanda-t-elle d'une voix glacée qui cachait mal le trouble qui l'avait envahie.

En réalité, elle n'avait qu'une envie : qu'il recommence. Et ce désir avait quelque chose de terriblement humiliant.

— Oh, non, B.J., répondit Taylor, très sûr de lui. Je suis loin d'avoir fini. Mais, pour le moment, vous feriez mieux d'aller désinfecter cette coupure.

Trop furieuse pour formuler une réponse cohérente, elle tourna brusquement les talons et quitta le bar à grands pas. Elle avait l'insupportable impression d'avoir perdu le peu de dignité que Taylor avait jusqu'alors épargnée.

Ne sachant où aller, elle gagna la cuisine sous prétexte de se servir un café.

— Qu'est-il arrivé à ta main ? lui demanda Elsie, alarmée, en abandonnant la préparation des madeleines qu'elle était sur le point de mettre au four.

— C'est juste une égratignure, éluda-t-elle en se servant une tasse de café.

— Tu devrais tout de même mettre un peu de teinture d'iode dessus, lui conseilla la cuisinière.

— Ce n'est vraiment pas la peine.

— Ne fais pas l'enfant et assieds-toi, lui ordonna Elsie en allant chercher une petite bouteille de désinfectant et des pansements dans l'armoire à pharmacie.

Elle s'installa en face de la jeune femme et entreprit de la soigner.

— Ça fait mal ! s'exclama B.J. en grimaçant.

Elsie lui banda le doigt et hocha la tête d'un air satisfait.

— Voilà ! s'exclama-t-elle. Cela ne risque plus de s'infecter.

— Est-ce que tout se passe bien ? demanda B.J. après avoir avalé une gorgée de café. Pas de machine en panne ? Pas de rupture de stock de gelée de mûre ?

— Non, tout va bien. Ou plutôt, tout irait bien si cette fille n'était pas venue se fourrer dans mes pattes ce matin.

— Quelle fille ? demanda B.J., surprise.

— Mlle Trainor…

— Qu'a-t-elle encore fait ? soupira la jeune femme.

— Elle n'arrêtait pas de tourner dans la cuisine en faisant des commentaires désobligeants.

— Et qu'est-ce que tu lui as dit ?

— Eh bien, je l'ai jetée dehors, bien sûr ! s'exclama Elsie en haussant ses massives épaules.

B.J. ne put s'empêcher de rire en imaginant la scène. Après tout, Darla n'avait eu que ce qu'elle méritait.

— Elle a dû être furieuse.

— Elle était folle de rage, acquiesça la cuisinière avec un sourire malicieux. Mais, dis-moi, il paraît que tu sors avec Howard, ce soir.

B.J. ne s'étonna même pas du fait qu'Elsie soit au courant. La cuisinière semblait toujours être au fait de ce qui se passait à l'auberge sans que personne ne comprenne réellement comment. Peut-être était-ce simplement parce qu'elle se trouvait près du pot à café où tous venaient se ravitailler au cours de la journée.

— C'est vrai, confirma B.J. Je crois qu'il veut m'emmener au cinéma.

— Je ne comprends vraiment pas pourquoi tu perds ton temps avec lui alors que M. Reynolds est dans les parages, observa Elsie.

— Cela fait plaisir à Betty et…

B.J. s'interrompit brusquement, réalisant ce qu'Elsie venait de dire.

— Que vient faire Taylor là-dedans ? demanda-t-elle, stupéfaite.

— Eh bien, tu es amoureuse de lui, n'est-ce pas ? Alors pourquoi sors-tu avec Howard ? demanda la cuisinière sur le ton de l'évidence.

— Je ne suis pas amoureuse de lui ! protesta B.J., passablement sidérée.

— Bien sûr que si ! s'exclama Elsie en riant.

— Mais non.

— Mais si.

— C'est vraiment n'importe quoi ! s'exclama la jeune femme. Comment peux-tu dire une chose pareille ?

— Eh bien, cela fait cinquante ans que je suis sur cette planète et vingt-quatre ans que je te connais. J'ai fini par comprendre deux ou trois petites choses…

— Dans ce cas précis, tu te trompes du tout au tout.

— Si tu le dis… En tout cas, quand vous vous marierez, j'espère que vous viendrez habiter ici et que tu continueras à diriger l'auberge.

Cette fois, B.J. manqua s'étrangler avec la gorgée de café qu'elle venait d'avaler.

— Je crois que tu devrais continuer à te concentrer sur la cuisine, remarqua-t-elle enfin. Tes talents de voyante laissent vraiment trop à désirer. Il y a plus de chances que Taylor épouse un porc-épic pour aller vivre sur la lune !

Franchement, cette auberge et moi sommes bien trop provinciales pour un homme comme lui.

— Pour quelqu'un qui ne s'intéresse pas à toi, je trouve qu'il te presse vraiment de très près, remarqua Elsie, narquoise.

— Je suis certaine que, du haut de ces cinquante années de sagesse et d'expérience, tu es parfaitement capable de faire la différence entre une simple attirance physique et la volonté de se marier et de s'installer.

— Eh bien ! On dirait que ma petite B.J. a brusquement grandi, remarqua affectueusement Elsie. Mais quoi que tu puisses en penser, je suis certaine de ce que j'avance. Je connais suffisamment les hommes pour savoir que, cette fois, il ne s'agit pas d'un simple engouement passager. Ce M. Reynolds est bel et bien mordu. Maintenant, file ! J'ai des côtes de porc à faire cuire et tu m'as fait suffisamment perdre de temps comme cela !

Comme B.J. se préparait pour son rendez-vous avec Howard, elle se fit la réflexion qu'elle manquait peut-être un peu d'autorité. Le matin même, Darla, Taylor et Elsie l'avaient traitée chacun à leur manière comme une enfant. Apparemment, si elle voulait être prise au sérieux, il allait lui falloir travailler sur son image.

Comme elle n'était pas partisane de remettre à plus tard ce qu'elle pouvait faire le jour même, la jeune femme sortit de son armoire le chemisier que lui avait offert sa grand-mère. Il mettait parfaitement en valeur son buste et la courbe de sa poitrine et soulignait son ventre plat. Elle choisit également un pantalon noir qui moulait ses hanches et ses longues jambes.

— Je ne suis pas certaine d'être tout à fait prête pour ce genre de tenue, murmura-t-elle en contemplant d'un œil critique le résultat dans sa glace. Et je ne suis pas sûre non plus que ce soit le cas d'Howard.

De fait, elle associait souvent dans son esprit l'image du neveu de Betty à celle d'un petit animal timide. C'était peut-être parce qu'il manquait un peu trop de caractère à son goût. Il était toujours si sage, si réservé et si aimable. Avec lui, elle ne pourrait espérer la moindre fantaisie.

D'un autre côté, songea-t-elle, il était fiable, avait des goûts simples et était doté de valeurs qu'elle partageait et respectait. Et, en cela, il était certainement plus fait pour elle que Taylor Reynolds et ses impitoyables petits jeux de séduction.

Elle décida donc de conserver sa tenue et descendit au rez-de-chaussée pour attendre Howard. Mais, alors qu'elle atteignait la réception, Eddie se précipita vers elle, arborant une expression plus alarmée encore que d'habitude.

— B.J. ! s'exclama-t-il en la rattrapant juste avant qu'elle ne franchisse la porte d'entrée. B.J., il faut que je te parle !

— Eddie, tant que ce n'est pas pour me dire que l'auberge est en train de brûler, cela peut attendre demain, d'accord ? Je dois absolument y aller.

— Mais Maggie a dit que Mlle Trainor avait l'intention de changer la décoration de l'hôtel ! s'écria-t-il d'un air horrifié. Et que M. Reynolds veut le transformer en centre de vacances avec un sauna dans chaque chambre et une salle de jeu illégale !

B.J. sourit, amusée par ces prédictions apocalyptiques. Mais Eddie semblait réellement terrifié à l'idée qu'elles puissent se réaliser et elle ne tenait pas à le laisser dans un tel état.

— Tout d'abord, lui dit-elle, M. Reynolds n'a pas l'intention d'ouvrir une salle de jeu illégale.

— Mais il en possède déjà une à Las Vegas, murmura Eddie sur le ton de la confidence.

— A Las Vegas, le jeu n'est pas illégal, répondit-elle patiemment. C'est même plus ou moins une condition nécessaire pour monter un hôtel rentable.

— Mais Maggie a dit que Mlle Trainor comptait mettre des tapisseries rouges et des tableaux de femmes nues dans le bar !

— C'est absurde ! s'exclama la jeune femme en riant. J'ai entendu M. Reynolds lui-même dire qu'il n'avait encore rien décidé. Et lorsque ce sera le cas, je doute fort qu'il opte pour une décoration aussi radicale.

— Merci pour cette marque de confiance inattendue, fit la voix de leur employeur.

Eddie et B.J. se retournèrent et réalisèrent qu'il venait tout juste de sortir du bureau.

— Eddie, je crois que les sœurs Bodwin vous cherchent, ajouta-t-il.

— J'y vais tout de suite, monsieur, répondit l'assistant de B.J. en rougissant jusqu'à la racine des cheveux.

Il s'éclipsa prestement, laissant B.J. seule face à Taylor, ce qu'elle avait ardemment souhaité éviter. Pendant quelques instants, il se contenta de la regarder attentivement, la buvant littéralement du regard et s'attardant sur la naissance de ses seins que dévoilait son décolleté.

— Eh bien, conclut-il avec un sourire ironique, on dirait que vous avez décidé de mettre à l'épreuve le self-control de votre petit ami.

Elle faillit répondre qu'Howard n'était pas son petit ami

et qu'elle avait une entière confiance dans ses capacités de résistance. Mais elle jugea préférable de n'en rien faire.

— Cela vous plaît vraiment ? demanda-t-elle en tournant sur elle-même pour lui faire admirer sa tenue.

S'immobilisant, elle lui décocha un sourire charmeur et passa la main dans ses cheveux de façon provocante.

— Disons qu'en de toutes autres circonstances, j'aurais pu apprécier ces vêtements à leur juste mesure, répondit-il sèchement.

Ravie de constater qu'elle était parvenue à entamer le détachement dont il faisait preuve d'ordinaire, la jeune femme s'approcha de lui et lui tapota doucement la joue.

— Bonne nuit, Taylor, murmura-t-elle d'une voix sirupeuse. Et ne m'attendez pas !

Sur ce, elle passa la porte et sortit d'un pas triomphant.

Dehors, Howard l'attendait au pied des marches. Lorsqu'il la vit approcher, il ouvrit de grands yeux, apparemment stupéfait par sa nouvelle apparence.

Il bégaya un salut et s'empressa de lui ouvrir la portière de sa voiture. Durant le trajet jusqu'à Lakeside, il ne cessa de jeter à B.J. des coups d'œil admiratifs et elle se sentit lentement reprendre confiance en elle. Au moins, certaines personnes paraissaient capables de l'apprécier à sa juste valeur.

Lorsqu'ils parvinrent enfin en centre-ville, la nuit était en train de tomber et la plupart des fenêtres des maisons étaient illuminées. Les rues, en revanche, étaient presque désertes. Comme ils approchaient du quartier où étaient regroupés le cinéma et la plupart des restaurants, ils virent un peu plus d'animation.

Howard se gara sur le parking où stationnaient déjà une

petite dizaine de véhicules et tous deux descendirent de voiture. B.J. ne put s'empêcher de sourire en contemplant l'enseigne au néon à laquelle manquait une lettre.

— Crois-tu que M. Jarvis la fera un jour réparer ? demanda-t-elle à Howard. Ou qu'il attendra que toutes les lettres s'éteignent les unes après les autres pour la changer ?

Howard ne répondit pas, se contentant de lui décocher un coup d'œil qui la mit vaguement mal à l'aise. Jamais elle ne l'avait vu aussi tendu.

Et lorsqu'il lui prit le bras pour l'escorter jusqu'au cinéma, elle fut très étonnée par la façon possessive dont il la serrait contre lui. On aurait dit qu'il cherchait à indiquer au monde entier qu'elle était à lui.

Mais la jeune femme n'était pas au bout de ses surprises. Lorsqu'ils furent installés dans la salle de cinéma, contrairement à ses habitudes, Howard ne toucha quasiment pas au paquet de pop-corn qu'ils avaient acheté.

Au lieu de garder les yeux fixés sur l'écran, il ne cessait de se tourner vers B.J. Dans l'obscurité, elle ne pouvait deviner son expression mais cela ne fit qu'accentuer le malaise qu'elle éprouvait.

Finalement, elle posa une main sur son bras, le faisant violemment sursauter.

— Howard, lui murmura-t-elle, qu'est-ce qui ne va pas ?

Au lieu de lui répondre, il se pencha vers elle, renversant le pop-corn qui restait, et se pressa contre elle pour essayer de l'embrasser. B.J. mit quelques instants à réaliser ce qu'il avait en tête.

Jamais encore il ne s'était montré aussi entreprenant. D'ordinaire, il se contentait d'un baiser presque fraternel sur la joue lorsqu'il la raccompagnait à l'auberge à la fin de la soirée.

Elle en était même venue à penser qu'il ne comptait pas vraiment aller au-delà et que tous deux sortaient ensemble plus pour faire plaisir à sa tante et pour passer le temps que dans l'espoir de voir leur relation déboucher sur quelque chose de vraiment sérieux.

Mais elle commençait à se demander si les intentions d'Howard étaient vraiment aussi désintéressées. Se dégageant de son étreinte, elle le repoussa durement, provoquant quelques rires parmi les spectateurs de la rangée qui se trouvait juste derrière eux.

— Howard ! murmura-t-elle d'un ton réprobateur. Qu'est-ce qui t'arrive ?

Au lieu de lui répondre ou de se carrer dans son fauteuil pour regarder le film, il se leva brusquement et lui prit le bras. Stupéfaite, elle se leva et le suivit jusqu'à l'allée qui conduisait à la sortie.

— Puis-je savoir ce qui te prend ? lui demanda-t-elle.

— Pas ici, répondit-il. Il y a trop de monde.

A grands pas, il regagna le foyer du cinéma et elle n'eut d'autre choix que de le suivre.

— Howard, tu n'as pas l'air dans ton assiette, lui dit-elle tandis qu'ils se dirigeaient vers le parking. Tu ferais peut-être mieux de rentrer chez toi. Je trouverai bien quelqu'un pour me ramener à l'auberge.

— Pas question ! répondit-il d'un ton véhément.

Il lui ouvrit la portière et elle s'installa sur son siège tandis qu'il contournait la voiture pour venir s'asseoir au volant. Il paraissait très fébrile et B.J. se sentit gagnée par cette inexplicable nervosité.

— Où allons-nous ? demanda-t-elle comme il démarrait.

Il ne répondit pas mais, lorsqu'ils quittèrent le centre-ville, il prit la direction de l'auberge. B.J. se demanda si, vexé par sa rebuffade, il n'avait pas tout simplement décidé de mettre un terme à cette soirée et de la raccompagner chez elle. Cette idée rassura quelque peu la jeune femme que l'attitude d'Howard commençait réellement à inquiéter.

Mais comme elle commençait à se détendre un peu, il bifurqua sur la droite et s'engagea sur une petite route qui s'enfonçait dans les bois. Au bout de quelques mètres, il se rangea sur le côté et coupa le moteur. Réalisant ce qu'il avait en tête, B.J. se tourna vers lui, furieuse.

Mais avant qu'elle n'ait eu le temps de lui dire ce qu'elle pensait de son attitude, il la prit par les épaules et l'embrassa à pleine bouche. Ses mains s'égarèrent presque aussitôt sur son chemisier. Elle le repoussa si violemment que sa tête percuta la vitre.

— Howard Beall ! Tu devrais avoir honte de toi ! Je crois que tu ferais mieux de rentrer et de prendre une douche glacée !

— B.J., tu ne peux pas me faire cela, protesta-t-il faiblement.

Révoltée par ce mélange d'agressivité et de faiblesse, la jeune femme lui lança un regard méprisant.

— Je ne plaisante pas, Howard. Rentre chez toi !

Le ton sur lequel elle venait de s'exprimer acheva de refroidir ses ardeurs et il lui lança un regard de chien battu.

— Tu veux que je te raccompagne ? demanda-t-il d'un ton piteux.

— Je préfère ne pas prendre ce risque, répliqua-t-elle.

Estime-toi heureux que je ne parle pas à ta tante de ce qui s'est passé ce soir.

— Est-ce que je te reverrai ?

— Je ne crois pas, Howard, répondit-elle.

Sur ce, elle descendit de voiture et s'éloigna à grands pas en direction de l'hôtel.

Une demi-heure plus tard, elle parvint en vue de l'auberge. Cette marche nocturne, loin de la calmer, n'avait fait qu'accentuer la colère glacée que lui avait inspirée l'attitude d'Howard. Elle maudit intérieurement les hommes et décida que, désormais, elle les éviterait prudemment.

Mieux valait courir le risque de finir vieille fille plutôt que de passer son temps à résister aux avances de goujats dénués de toute moralité. Comme elle se faisait cette réflexion, un hibou hulula d'un air réprobateur.

— Toi, je ne t'ai rien demandé ! s'exclama-t-elle avec humeur.

— Mais je n'ai encore rien dit, fit une voix basse et profonde sur sa droite.

B.J. poussa un cri de frayeur et fit mine de s'enfuir. Mais quelqu'un la retint par la taille et elle sentit son angoisse se muer brusquement en panique.

— Du calme, dit Taylor en la relâchant. Je ne pensais pas vous trouver ici. Est-ce que vous avez brusquement décidé de faire une petite promenade ?

— Très drôle ! s'exclama-t-elle rageusement.

Se détournant de lui, elle fit mine de se diriger vers l'auberge. Mais elle n'eut le temps de ne faire que quelques pas avant que Taylor ne l'attrape par le poignet.

— Que se passe-t-il ? demanda-t-il. Votre ami est tombé en panne d'essence ?

— Ecoutez, s'exclama la jeune femme, furieuse, je n'ai vraiment pas envie de supporter vos sarcasmes, pour le moment ! Je viens de marcher plusieurs kilomètres après avoir échappé aux assauts d'un véritable obsédé !

— Qu'est-ce qu'il vous a fait ? demanda Taylor, recouvrant brusquement son sérieux. Vous n'avez rien, j'espère.

— Bien sûr que non, répondit B.J. avec un soupir d'exaspération. Howard ne ferait pas de mal à une mouche. Je ne comprends vraiment pas ce qui lui a pris ! Il ne s'était jamais conduit de cette façon auparavant.

— Je ne sais pas si vous êtes cruelle ou particulièrement naïve, remarqua Taylor. Vous êtes-vous seulement regardée ? Ce pauvre type n'avait aucune chance de résister à la tentation.

B.J. le contempla avec stupeur, se demandant comment il pouvait prendre le parti d'Howard dans cette histoire.

— Ne soyez pas ridicule ! s'exclama-t-elle. Howard me connaît depuis toujours. Nous allions même nous baigner tout nus dans le lac lorsque nous avions dix ans ! Et il n'avait jamais eu le moindre geste déplacé avant ce soir. Il a simplement dû regarder trop de films romantiques, ces derniers temps.

— B.J., soupira Taylor. Etes-vous consciente du fait que vous n'avez plus dix ans ?

La jeune femme perçut dans sa voix une pointe de désir qui la fit frissonner. Pendant quelques secondes, ils restèrent immobiles, se faisant face à la lueur de la lune. Le temps paraissait comme suspendu. Puis le cri d'un oiseau de nuit se fit entendre et Taylor parut émerger de cette transe.

D'un pas, il se rapprocha d'elle et la prit dans ses bras.

142

Elle n'avait ni le courage ni l'envie de lui résister. Levant son visage vers lui, elle lui offrit ses lèvres qu'il embrassa avec fougue.

Elle se pressa contre lui et ferma les yeux, se laissant envahir par un flot de sensations délicieuses qui ne tardèrent pas à la submerger complètement.

En cet instant, elle lui appartenait pleinement. Le passé et l'avenir n'existaient plus. Seule comptaient le moment présent et l'émotion profonde que lui inspirait cette étreinte.

Elle gémit doucement contre sa bouche et il se fit plus ardent encore. Ses doigts plongèrent dans les longs cheveux de la jeune femme tandis qu'elle sentait s'éveiller son désir contre ses hanches.

Enlacés, ils s'abandonnaient pleinement l'un à l'autre, oubliant l'endroit où ils se trouvaient. Seule existait la certitude troublante de cette envie qu'ils avaient l'un de l'autre et leur baiser prenait la valeur d'une promesse muette de félicités à venir.

Soudain, la porte de l'auberge s'ouvrit, laissant apparaître Darla vêtue seulement d'un négligé de soie qui soulignait la pâleur laiteuse de sa peau et la sensualité de sa longue chevelure noire qui retombait librement sur ses épaules.

— Je te signale que je t'attends, Taylor, déclara-t-elle d'un ton boudeur.

— Pour quoi faire ? demanda ce dernier tandis que B.J. s'écartait de lui.

— Quelle question ! s'exclama Darla en riant.

Jamais B.J. ne s'était sentie aussi profondément humiliée.

Comment Taylor pouvait-il l'embrasser de cette façon alors qu'une autre femme l'attendait dans son lit ? Choquée, elle fit un pas en arrière. Il essaya alors de la prendre par la main mais elle se dégagea vivement.

— Qu'est-ce que vous faites ? demanda-t-il en fronçant les sourcils.

— Je vais me coucher. Apparemment, vous aviez prévu un autre rendez-vous et je m'en voudrais de vous le faire rater.

— Ne soyez pas ridicule ! protesta-t-il en faisant un pas dans sa direction.

B.J. recula de nouveau. Elle se sentait tiraillée entre la honte, la déception, la tristesse et la colère. Et, finalement, ce fut celle-ci qui l'emporta et elle fusilla Taylor du regard.

— Ne me touchez pas ! s'exclama-t-elle. J'ai eu mon comptant de harcèlement pour ce soir !

Sur ce, elle tourna brusquement les talons et s'éloigna en courant en direction de l'auberge, s'efforçant d'ignorer le regard ironique de Darla.

9.

B.J. décida que le meilleur moyen d'éviter Taylor était de rester enfermée dans sa chambre. Elle y transféra donc tous les dossiers dont elle avait besoin et s'installa à son bureau pour travailler.

Au-dehors, de lourds nuages avaient envahi le ciel et une pluie discontinue crépitait contre les vitres, offrant un parfait contrepoint à l'humeur maussade de la jeune femme.

Durant toute la matinée, elle se concentra sur des tâches administratives rébarbatives qui avaient néanmoins le mérite de détourner son esprit des événements de la veille. Elle commença par mettre à jour la comptabilité de l'hôtel puis passa deux heures au téléphone avec ses différents fournisseurs afin de préparer la saison touristique.

Alors qu'elle s'apprêtait à préparer l'emploi du temps des employés pour les semaines à venir, la porte de sa chambre s'ouvrit et elle vit entrer Taylor. Le simple fait de poser les yeux sur lui suffit à éveiller le mélange de tristesse et d'humiliation qu'elle s'était efforcée de réprimer au cours des heures précédentes.

— On dirait que vous vous cachez, remarqua-t-il d'un ton narquois.

Son ironie ne fit qu'accentuer le profond désarroi de la

jeune femme et elle s'efforça de conjurer les dernières bribes d'amour-propre qu'elle avait réussi à sauvegarder pour le défier du regard.

— Pas du tout, répondit-elle en se contraignant à sourire. J'ai simplement pensé qu'il serait plus pratique de travailler ici et de vous laisser le bureau.

— Je vois, acquiesça-t-il.

Il n'était visiblement pas dupe de cette explication mais se garda de tout commentaire.

— Darla m'a parlé de votre dispute d'hier, reprit-il.

B.J. fronça les sourcils, certaine que, si tel était le cas, la décoratrice avait dû déformer les faits à son avantage.

— Je vous avais demandé de la traiter avec autant de considération que les clients de l'auberge, reprit-il, confirmant ses doutes.

— C'est exactement ce que j'ai fait, répondit-elle en le regardant droit dans les yeux.

— Elle m'a pourtant dit que vous vous étiez montrée discourtoise à son égard, que vous aviez fait des allusions parfaitement déplacées à nos relations, que vous aviez refusé de lui servir un verre et que vous aviez expressément demandé aux membres de votre personnel de ne pas coopérer avec elle.

B.J. serra les dents, sentant monter en elle une rage glacée devant cette manifestation de mauvaise foi.

— Elle a vraiment dit cela ? articula-t-elle froidement en se levant pour faire face à Taylor. Il est fascinant de voir à quel point une même scène peut donner lieu à des interprétations divergentes…

— Si votre version des faits est différente, je ne demande pas mieux que de l'entendre, répondit Taylor.

— Voilà qui est vraiment magnanime de votre part,

railla B.J. Mais je ne perdrai pas mon temps à vous raconter comment les choses se sont passées. Ce serait ma parole contre celle de Darla et je ne me fais aucune illusion sur les conclusions que vous en tireriez.

— B.J., protesta-t-il, pourquoi faut-il que vous vous méfiiez sans cesse de moi ?

— Peut-être est-ce simplement parce que vous passez votre temps à m'accuser, répliqua-t-elle vertement.

— Ce n'est pas du tout ce que j'essayais de faire.

— Vraiment ? Pourtant, bizarrement, je me retrouve sans cesse en train de me justifier. Et je ne veux plus avoir à expliquer le moindre de mes actes, la moindre de mes décisions. Je suis lasse de devoir supporter vos constants changements d'humeur. D'un instant à l'autre, je n'ai aucun moyen de savoir si vous allez m'embrasser, me menacer ou m'accabler de reproches. J'en ai plus qu'assez de me sentir naïve et stupide, d'être infantilisée, d'avoir l'impression de ne pas être à la hauteur. Je n'ai pas l'habitude d'être traitée de cette façon et je n'aime pas du tout ça !

Taylor s'était contenté de l'écouter attentivement, ne trahissant rien des sentiments que lui inspirait cette tirade passionnée. Cette apparente indifférence ne fit qu'accentuer la rancœur de la jeune femme.

— Et surtout, reprit-elle, bien décidée à lui dire tout ce qu'elle avait sur le cœur, je ne peux plus supporter votre précieuse Darla. Elle passe son temps à critiquer cette auberge, à rabaisser tous ceux qui y travaillent et ne ménagent pas leurs efforts pour en faire un lieu accueillant. Elle se montre méprisante à mon égard et n'hésite pas à inventer des histoires montées de toutes pièces pour détruire le peu de crédibilité que j'ai à vos yeux. Quant à vous, vous vous servez de moi pour flatter votre ego, n'hésitant pas à me faire du charme alors que Darla est en train de réchauffer votre lit…

La jeune femme fut interrompue par la sonnerie du téléphone. Par réflexe, elle décrocha.

— Qu'y a-t-il ? demanda-t-elle d'un ton hargneux.

— Je suis désolé de te déranger, lui dit Eddie, surpris par cette agressivité inattendue.

— Tu ne me déranges pas, lui assura-t-elle en s'efforçant de dominer sa colère. Que se passe-t-il, Eddie ?

— J'ai un certain Paul Bailey en ligne pour M. Taylor et je crois qu'il est avec toi.

B.J. se massa la nuque pour lutter contre le mal de tête qui commençait à la tarauder.

— Oui, il est là, répondit-elle. Je te le passe.

Elle tendit le combiné à Taylor qui le prit sans la quitter des yeux. Comme elle s'apprêtait à quitter la pièce pour le laisser seul, il la retint par le poignet.

— Restez là, lui ordonna-t-il.

A contrecœur, elle hocha la tête et alla se placer devant la fenêtre pour regarder d'un œil morne la pluie qui tombait au-dehors. Les réponses de Taylor à ce que lui disait Paul Bailey se limitaient à quelques interjections monosyllabiques auxquelles elle ne prêta aucune attention.

Elle se sentait terriblement frustrée de ne pas avoir pu aller jusqu'au bout de son réquisitoire à l'encontre de Taylor et de Darla, son âme damnée. D'un autre côté, elle en avait probablement déjà dit assez pour justifier son renvoi.

Peut-être était-ce d'ailleurs ce qu'elle pouvait espérer de mieux, songea-t-elle tristement. Car elle ne pourrait supporter indéfiniment la situation dans laquelle elle se trouvait.

Sans parler du fait que l'auberge qu'elle aimait tant ne

tarderait pas à se transformer en centre de vacances dénué de toute personnalité…

Lorsque Taylor raccrocha enfin, elle se tourna vers lui, attendant le verdict auquel elle s'était déjà résignée.

— Faites vos valises, lui dit-il, confirmant ses craintes.

Elle hocha la tête et se tourna de nouveau vers la fenêtre, réalisant qu'une page de sa vie venait de se tourner. Qui sait ce que l'avenir lui réservait, à présent ?

— Prenez tout ce dont vous aurez besoin pour trois jours, ajouta Taylor.

Stupéfaite, elle se tourna vers lui.

— Nous partons dans un quart d'heure. Je vais préparer mes affaires.

— Je croyais que vous alliez me renvoyer, avoua-t-elle, désorientée.

— Comment pouvez-vous imaginer une chose pareille ? s'exclama-t-il comme si cette idée même lui paraissait parfaitement absurde. Vous devriez tout de même m'accorder un peu plus de crédit que cela.

Malgré elle, B.J. sentit un profond soulagement l'envahir. Elle réalisa alors combien elle était attachée à cette auberge à laquelle elle avait consacré tant d'années de sa vie. Des yeux, elle suivit Taylor tandis qu'il gagnait la porte de la chambre à grands pas. La main sur la poignée, il s'immobilisa et se tourna vers elle.

— Paul Bailey est le gérant de l'un de mes hôtels, lui expliqua-t-il. Apparemment, il a besoin de moi pour résoudre un problème.

— Puis-je savoir pourquoi je dois venir avec vous ? demanda B.J., étonnée.

— Parce que je pense que nous aurons besoin de vos conseils. Et parce que cela vous permettra de voir comment je dirige mes autres hôtels. Cela devrait vous permettre de vous faire une idée plus précise de la façon dont je prends mes décisions.

— Mais je ne peux pas quitter l'auberge aussi rapidement, protesta la jeune femme. Qui s'en occupera pendant que je serai avec vous ?

— Eddie, bien sûr. Ce sera une excellente opportunité pour lui de se familiariser avec les responsabilités qui seront peut-être un jour les siennes. Je pense que, jusqu'à présent, vous l'avez un peu trop protégé.

— Mais nous avons cinq nouvelles réservations pour le week-end, protesta B.J.

— Justement ! Cela lui donnera l'occasion de vous prouver ce dont il est capable. Je vous retrouve en bas dans dix minutes.

— Qui vous dit que moi, j'ai envie de vous accompagner ? demanda-t-elle en le défiant du regard.

— Ce n'est pas une question d'envie mais de conscience professionnelle. Et il ne serait pas très cohérent de votre part de refuser après m'avoir si souvent reproché d'agir en tyran. Je compte justement vous offrir une occasion de découvrir comment je travaille et comment je prends mes décisions.

Vaincue par ces arguments, B.J. soupira.

— Vous pourriez au moins me dire où nous allons pour que je puisse choisir des vêtements en conséquence, remarqua-t-elle.

— Nous partons pour Palm Beach, en Floride. N'oubliez pas votre maillot de bain.

Sur ce, il sortit, la laissant seule. Pendant quelques instants, elle resta immobile, tentant de remettre de l'ordre dans ses pensées.

150

Alors qu'elle avait enfin trouvé la force de lui dire ce qu'elle pensait de ses méthodes et de Darla et qu'elle s'était préparée psychologiquement à en assumer les conséquences, voilà que Taylor décidait brusquement de lui demander des conseils au sujet d'un autre hôtel !

L'idée de voyager en sa compagnie la mettait d'autant plus mal à l'aise qu'il n'avait répondu à aucune de ses critiques et qu'elle ignorait toujours quelles étaient ses intentions à son égard.

Une chose au moins était certaine : elle était bien décidée à redoubler de prudence.

Taylor ne laissa à B.J. que quelques minutes pour transmettre ses instructions à Eddie. Ils partirent ensuite directement pour l'aéroport. Pendant le trajet, la jeune femme garda le silence, faisant mentalement la liste de tout ce qui risquait de mal tourner en son absence. Contrairement à Taylor, elle n'était pas certaine qu'Eddie soit capable de faire face aux multiples responsabilités qui seraient les siennes.

Moins d'une heure plus tard, ils quittèrent la voiture de Taylor pour prendre son jet privé qui les attendait en bout de piste, prêt à décoller. Le pilote vint prendre leurs bagages et les emporta à bord tandis que B.J. hésitait au pied de la passerelle.

— Que se passe-t-il ? demanda Taylor, sentant le trouble qui l'habitait.

— A vrai dire, je n'aime pas trop prendre l'avion, lui avoua-t-elle.

— Ne vous en faites pas, la rassura-t-il, il doit y avoir à bord des médicaments contre le mal de l'air.

— Ce n'est pas cela, protesta-t-elle, gênée. En fait,

l'idée de me trouver dans les airs me terrifie. Je suis un véritable cauchemar pour les hôtesses de l'air et les autres passagers.

— Mais de quoi avez-vous peur ? s'étonna Taylor.

— Que l'avion s'écrase, bien sûr !

— C'est absurde, lui assura-t-il. L'avion est le moyen de transport le plus sûr du monde. Vous courez beaucoup plus de risques chaque fois que vous montez dans une voiture.

— Mais les voitures ne volent pas à six mille mètres d'altitude, objecta-t-elle.

Taylor ne put s'empêcher de sourire.

— Moi qui croyais que vous n'aviez peur de rien, lui dit-il, je suis un peu déçu.

— Nous avons tous nos phobies, répondit-elle, vexée.

— Sans doute, concéda-t-il en la poussant gentiment vers la porte de l'appareil.

Ils pénétrèrent dans une vaste cabine qui ressemblait plus à un luxueux appartement qu'à l'intérieur d'un avion. Les fauteuils traditionnels étaient remplacés par de beaux canapés en cuir vissés au sol et placés autour d'une petite table basse.

Au fond de la pièce, se dressait un bar. On trouvait aussi un poste de télévision à écran plat équipé d'un lecteur de DVD et une chaîne hi-fi dernier cri.

— Je suis impressionnée, avoua B.J. en découvrant les lieux. Mais je pense que vous me détesterez quand je commencerai à me rouler par terre en gémissant.

— Pas forcément, répondit Taylor d'une voix pleine de sous-entendus.

La jeune femme ne put s'empêcher de rougir.

— B.J., murmura-t-il, j'aimerais que nous oubliions nos différends, au moins le temps de ce voyage.

152

— Je ne sais pas si c'est vraiment possible, soupira-t-elle en détournant les yeux.

— Nous pourrions au moins déclarer une trêve, insista-t-il.

Comme elle ne répondait pas, il souleva délicatement son menton et la regarda droit dans les yeux. Le sourire qu'il arborait la désarma complètement et elle comprit combien il était futile d'espérer lui résister.

— Qu'en dites-vous ? lui demanda-t-il.

— D'accord, acquiesça-t-elle. Je veux bien essayer.

Taylor hocha la tête et caressa doucement ses lèvres du pouce, la faisant frissonner malgré elle.

— Asseyez-vous et bouclez votre ceinture, lui conseilla-t-il. Nous n'allons pas tarder à décoller.

B.J. s'exécuta et soupira d'un air résigné. Mais Taylor entreprit alors de lui parler de l'hôtel qu'ils allaient visiter et elle l'écouta avec intérêt. Malgré les études qu'elle avait faites, elle n'avait jamais encore eu l'opportunité de visiter un autre hôtel que celui qu'elle dirigeait.

Elle ne manqua pas de poser de multiples questions à Taylor sur la façon dont il était géré. Il lui répondit avec force détails, le comparant avec d'autres établissements dont il était propriétaire.

Elle ne tarda pas à réaliser que son patrimoine comportait des établissements de tous types et de toutes tailles et que chacun d'eux obéissait à des impératifs très différents. Aux yeux de Taylor, la gestion de cet impressionnant patrimoine s'apparentait à un jeu.

Il achetait des hôtels, les transformait de façon à améliorer leur rentabilité et veillait à ce qu'ils s'adaptent aux aléas de la conjoncture. Cette conception de leur métier était radicalement opposée à celle de B.J. qui devait le plus souvent se concentrer sur des détails plus quotidiens.

Elle finit par comprendre que c'était cette divergence de points de vue qui les opposait chaque fois qu'ils parlaient de l'avenir de Lakeside Inn.

Lorsque Taylor pensait en termes de stratégie de groupe, de développement de nouveaux marchés et de complémentarité de ses offres, elle se souciait avant tout du bien-être de ses employés et de ses clients.

Comme ils débattaient avec véhémence de la question, Taylor s'interrompit au beau milieu d'une phrase et lui décocha un sourire malicieux.

— Ça y est ! s'exclama-t-il.

— Qu'y a-t-il ? demanda la jeune femme en fronçant les sourcils.

— Nous avons décollé et vous ne vous êtes aperçue de rien. On dirait bien que vous n'avez plus peur des avions.

B.J. le contempla avec stupeur avant de jeter un coup d'œil par l'un des hublots. Les nuages cotonneux qu'ils venaient de traverser lui confirmèrent ce que Taylor venait de lui dire.

— Ça alors, murmura-t-elle, interdite. Je n'aurais jamais pensé que cela arriverait un jour…

— Je crois que nous devrions fêter votre victoire sur cette phobie, déclara Taylor. Et le fait que nous ayons conclu cette trêve, bien sûr !

Quittant son siège, il alla chercher une bouteille de champagne dans le petit réfrigérateur du bar et remplit deux flûtes. Il en tendit une à sa compagne et tous deux trinquèrent.

— Je crois que je vous dois de sincères remerciements, déclara B.J. en souriant. Sans vous, il m'aurait peut-être fallu des années de psychanalyse pour parvenir au même résultat…

— Je pourrais peut-être déduire le prix des séances de votre salaire, dans ce cas, remarqua malicieusement Taylor.

B.J. éclata de rire et ils continuèrent ainsi à deviser joyeusement.

La jeune femme ne tarda pas à sentir refluer la méfiance qu'elle avait initialement éprouvée lorsque Taylor lui avait proposé de faire la paix.

Il ne chercha pas une seule fois à la toucher ou à l'embrasser. En fait, il se montra le plus charmant et le plus attentionné des compagnons de voyage et parvint même à lui faire oublier définitivement la terreur irraisonnée que lui avaient jusqu'alors inspirée les trajets en avion.

Lorsqu'ils descendirent de l'avion, un agent de la compagnie de location de voitures les attendait devant l'aéroport de Palm Beach. Taylor lui prit les clés du véhicule qu'il avait réservé et signa les papiers que l'homme lui présenta.

Ils prirent alors place dans une Porsche noire et Taylor démarra.

— Où se trouve votre hôtel ? demanda B.J., curieuse.

— A Palm Beach même. Nous sommes actuellement à West Palm Beach et il nous faut traverser le lac Worth pour atteindre l'île proprement dite.

B.J. hocha la tête et s'abîma dans la contemplation du paysage. Le panorama qui s'offrait à ses yeux tranchait nettement avec les paysages auxquels elle était habituée en Nouvelle-Angleterre.

La végétation luxuriante était principalement constituée de plantes méditerranéennes parmi lesquelles poussaient quelques palmiers typiques de la région. Le lac Worth qui les séparait de Palm Beach scintillait à la lumière du soleil radieux qui brillait dans un ciel d'azur.

Quelques minutes plus tard, ils se garèrent devant un bel immeuble blanc qui dominait de ses douze étages les eaux de l'Atlantique. Les initiales de Taylor étaient inscrites au sommet du bâtiment.

Ils descendirent de voiture et remontèrent une allée bordée de palmiers qui traversait une pelouse d'un vert émeraude. Ils se dirigèrent alors vers l'entrée majestueuse qui formait une arche imposante. Taylor ouvrit la porte pour laisser entrer la jeune femme et elle pénétra dans le hall de l'hôtel.

Là, elle ne put s'empêcher de se sentir impressionnée par la vision qui s'offrait à elle.

Le hall de réception était installé dans une immense véranda qui formait une avancée sur le corps principal du bâtiment. Elle prenait l'apparence d'une serre luxuriante où poussaient des centaines de plantes tropicales.

Au centre du sol de pierres multicolores se trouvait une sorte de petit jardin zen entourant une fontaine qui gargouillait joyeusement. Il se dégageait des lieux une impression d'espace et d'exotisme qui tranchait avec l'atmosphère délicieusement compassée de Lakeside Inn.

Les réflexions de B.J. furent interrompues par l'arrivée d'un homme grand et mince au visage bronzé qui était vêtu d'un élégant costume gris clair.

— Bonjour, monsieur Reynolds, dit-il d'un ton empreint d'une certaine déférence. Je suis ravi de vous voir.

— Bonjour Paul, répondit Taylor en lui serrant cordialement la main. B.J., je vous présente Paul Bailey. Bailey, voici B.J. Clark.

— Je suis ravi de faire votre connaissance, mademoiselle Clark, déclara Bailey en lui jetant un regard admiratif.

Elle lui rendit le sourire chaleureux qu'il lui adressait.

— Nos bagages sont dans le coffre de la Porsche noire, sur le parking, indiqua Taylor. Mlle Clark et moi allons nous rafraîchir. Nous vous rejoindrons un peu plus tard.

— Bien sûr, répondit Bailey en lui tendant une carte magnétique sur laquelle était inscrit un numéro de chambre. J'envoie immédiatement quelqu'un chercher vos valises. Avez-vous besoin de quoi que ce soit ?

— Pas pour le moment, merci. B.J. ?

— Pardon ? dit celle-ci qui était toujours plongée dans la contemplation du hall.

— Est-ce que vous avez besoin de quelque chose ? lui demanda Taylor en écartant une mèche de cheveux qui lui tombait dans les yeux.

— Non, merci.

Taylor l'entraîna alors vers les ascenseurs qui se trouvaient au fond de la pièce. Ils pénétrèrent dans l'une des cabines de verre qui s'éleva rapidement vers le dernier étage. Là, ils suivirent un couloir recouvert d'une épaisse moquette couleur ivoire.

Ils ne tardèrent pas à atteindre une suite magnifique et pénétrèrent dans un immense salon qui ouvrait sur l'extérieur par une large baie vitrée d'où on apercevait l'océan qui s'étendait en contrebas. Quelques mouettes tournoyaient dans le ciel avant de plonger vers les flots pour capturer leur pitance.

— C'est incroyable ! s'exclama-t-elle avec enthousiasme en se tournant vers Taylor.

Ce dernier l'observait avec attention mais elle ne put déchiffrer l'expression qui se lisait sur son visage.

— La vue est splendide, ajouta-t-elle, légèrement embarrassée par son silence.

Observant le mobilier du salon qui alliait élégance et modernité, elle se demanda s'il avait été choisi par Darla Trainor. Si tel était le cas, force était de reconnaître que la décoratrice avait fait preuve d'un goût très sûr.

— Puis-je vous offrir quelque chose à boire ? proposa Taylor en se dirigeant vers le bar.

Il pressa un bouton qui ouvrait un petit réfrigérateur astucieusement dissimulé dans le mur et dans lequel était disposée une rangée de petites bouteilles.

— Avec plaisir, répondit la jeune femme. Je prendrais bien un « Cuba libre ».

Comme Taylor commençait à préparer son cocktail, on frappa à la porte.

— Entrez, s'exclama-t-il.

Un garçon d'étage pénétra dans la suite avec leurs valises qu'il déposa dans le salon.

— Vos bagages, monsieur Reynolds, dit-il respectueusement.

Il décocha un regard teinté de curiosité à B.J.

Celle-ci ne put s'empêcher de rougir en songeant qu'il voyait probablement en elle la nouvelle maîtresse de Taylor.

— Voulez-vous que je les installe dans la chambre ? proposa-t-il.

— Ce ne sera pas la peine, répondit Taylor en s'approchant pour lui glisser un pourboire.

Le garçon le remercia et quitta la pièce, les laissant de nouveau seuls.

— Pourquoi les a-t-il tous apportés ici ? demanda-t-elle en fronçant les sourcils. N'était-il pas censé mettre ma valise dans ma chambre ?

158

— C'est ce qu'il a fait, répondit Taylor.

— Oh, je pensais que ce serait vous qui prendriez la suite.

— C'est bien le cas, acquiesça-t-il en lui tendant son verre.

B.J. comprit brusquement ce que cela signifiait et rougit de plus belle.

— Vous ne vous imaginez tout de même pas…

Elle s'interrompit, partagée entre colère et embarras.

— Je ne m'imagine pas quoi ? demanda Taylor en se servant un whisky.

— Vous m'avez dit que vous vouliez me montrer le fonctionnement de l'un de vos hôtels, pas que vous comptiez…

— Vous devriez vraiment apprendre à finir vos phrases, remarqua Taylor avec un sourire malicieux.

— Il est hors de question que je passe la nuit avec vous ! s'exclama-t-elle en le défiant du regard.

— Je ne crois pas vous l'avoir proposé, répondit-il avant d'avaler une gorgée de whisky. Cette suite est composée de deux chambres indépendantes. Je suis certain que vous trouverez la vôtre tout à fait à votre goût.

— Il n'est pas question que je dorme dans cette suite ! déclara-t-elle, furieuse. Tout le monde penserait que je suis… Que nous sommes…

Taylor éclata de rire.

— Si c'est vraiment ce qui vous inquiète, il est déjà trop tard. Le simple fait que vous voyagiez en ma compagnie conduira les gens à penser que nous sommes amants. Si vous demandez une autre chambre, ils imagineront simplement que nous nous sommes disputés, ce qui ne fera que décupler leur curiosité. De toute façon, cela n'a pas grande importance. Ce qui compte, c'est ce que nous faisons ou ne faisons pas, n'est-ce pas ? Et cela ne regarde que nous. Bien sûr, je serais tout à fait ravi de donner un fondement à cette rumeur que vous paraissez tant redouter.

— Vous êtes vraiment le personnage le plus arrogant, le plus égoïste et le plus répugnant qu'il m'ait jamais été donné de rencontrer !

— Dois-je déduire de cette tirade que vous n'entendez pas partager mon lit ? demanda Taylor, sardonique.

— Tout à fait. Et comme nous sommes hors saison, j'imagine qu'il y a d'autres chambres disponibles. J'aimerais en avoir une.

— Auriez-vous peur de succomber à la tentation ? demanda Taylor en souriant.

— Bien sûr que non ! protesta-t-elle vivement.

— Dans ce cas, la question est réglée, conclut-il. Vous dormirez dans l'autre chambre de la suite. Et si vous craignez vraiment que je cède à une pulsion luxurieuse, soyez rassurée. Votre porte est équipée d'un loquet très solide. Maintenant, je dois aller discuter avec Bailey. N'hésitez pas à profiter des multiples activités que propose l'hôtel.

Avant que la jeune femme ait le temps de protester, il quitta la pièce à grands pas.

Après son départ, B.J. décida de faire contre mauvaise fortune bon cœur. Après tout, ce n'était pas tous les jours qu'elle avait l'occasion de séjourner dans la plus belle suite d'un hôtel de luxe. Et elle était bien assez grande pour qu'ils puissent cohabiter sans empiéter sur leurs intimités respectives.

La jeune femme alla donc prendre une douche rapide dans l'une des deux salles de bains et enfila un short et un T-shirt plus adaptés au climat de Palm Beach que les vêtements qu'elle portait.

160

Elle décida ensuite de visiter l'hôtel avant d'aller faire un tour sur la jolie plage de sable blanc qu'elle avait aperçue en contrebas.

Quittant la suite, elle regagna le rez-de-chaussée qu'elle commença à explorer avec curiosité. Elle ne tarda pas à découvrir que Taylor avait tiré le meilleur parti du bâtiment et de son environnement. L'immeuble était percé en de nombreux endroits de baies vitrées qui laissaient pénétrer la lumière du jour.

Les matériaux utilisés donnaient une impression de propreté et de modernité sans conférer aux lieux la froideur qui caractérisait trop souvent les grands hôtels de ce genre. La plupart imitaient la pierre ou le bois, ce qui s'harmonisait à la perfection avec les plantes habilement disposées dans les différentes pièces.

Les commodités offertes aux clients étaient multiples : on trouvait entre autres une salle de gym, un sauna, une piscine alimentée par de l'eau de mer filtrée et un solarium. Lorsque B.J. quitta le bâtiment, elle aperçut plusieurs courts de tennis et une autre piscine.

La plage qui s'étendait au pied de l'hôtel était exclusivement réservée aux personnes qui y séjournaient. Il y avait un terrain de beach volley, un bar et un centre d'activités pour les enfants. De là, l'élégante silhouette de l'immeuble qui se découpait contre le ciel paraissait plus imposante encore.

Cet endroit semblait appartenir à un tout autre univers que l'auberge de Lakeside et B.J. avait presque du mal à imaginer les raisons qui avaient pu conduire Taylor à acquérir deux hôtels si différents.

Et ces deux établissements ne constituaient qu'une infime partie de son empire. Elle essaya de se représenter l'étendue

161

de celui-ci et se sentit légèrement déprimée. Tous deux appartenaient à des univers différents.

Et si elle cédait à ses avances, que pouvait-elle dès lors espérer de leur relation ? Quel avenir pouvait-elle envisager aux côtés d'un homme si riche et si puissant ?

— Bonjour ! fit alors une voix amicale qui la tira de ses sombres réflexions.

Se tournant vers l'homme qui venait de l'aborder, elle découvrit un visage avenant et bronzé qu'illuminait un charmant sourire.

— Vous n'allez pas vous baigner ? lui demanda-t-il.

— Pas aujourd'hui, répondit-elle en souriant.

— Voilà qui est inhabituel, remarqua son interlocuteur en lui emboîtant le pas tandis qu'elle se dirigeait vers le rivage. La plupart des nouveaux arrivants passent la majeure partie de leur première journée dans l'eau.

— Comment savez-vous que je viens d'arriver ? demanda B.J., étonnée.

— Parce que je ne vous avais encore jamais vue auparavant et que la présence d'une aussi jolie femme ne m'aurait pas échappé. De plus, vous n'êtes pas encore bronzée.

— Cela ne risque pas d'arriver, là où j'habite, reconnut-elle. Vous, par contre, vous devez être ici depuis un certain temps.

De fait, l'homme venait de retirer le T-shirt qu'il portait, révélant la couleur dorée de son torse bien bâti.

— Cela fait deux ans, répondit-il.

B.J. lui jeta un regard stupéfait et il éclata de rire.

— En fait, je travaille ici, expliqua-t-il. Chad Hardy, ajouta-t-il. Je suis professeur de tennis.

— B.J. Clark, se présenta la jeune femme en serrant la

main qu'il lui tendait. Comment se fait-il que vous soyez à la plage plutôt que sur les courts ?

— C'est mon jour de congé. Mais si vous voulez que je vous donne une leçon particulière, je serais enchanté de le faire.

— C'est très gentil à vous mais je n'ai pas le temps, lui répondit-elle.

— Puis-je au moins vous inviter à dîner ?

— Non, merci.

— A boire un verre, alors ?

Elle sourit, amusée par son insistance. Rien ne paraissait susceptible de doucher son enthousiasme.

— Désolée mais il est un peu tôt, répondit-elle.

— Je peux attendre, vous savez.

Cette fois, elle ne put s'empêcher d'éclater de rire.

— Non, merci. Au revoir, monsieur Hardy.

— Vous pouvez m'appeler Chad, lui dit-il en la suivant en direction de l'hôtel. Et que diriez-vous d'un petit déjeuner, d'un déjeuner ou d'un week-end à Las Vegas ?

B.J. rit de plus belle, charmée par ses manières franches et directes.

— Vous avez de la suite dans les idées, lui dit-elle. Et j'avoue que je suis un peu étonnée. Je suis certaine que nombre de jeunes femmes seraient ravies d'accepter vos invitations…

— Malheureusement, celle qui m'intéresse ne cesse de les décliner répondit-il galamment. Vous pourriez tout de même faire preuve d'un peu plus de compassion à mon égard.

— Très bien, céda enfin B.J. Si vous m'offrez un jus d'orange, je ne refuserai pas.

— Que diriez-vous d'un jus d'orange, dans ce cas ? demanda-t-il en riant.

— Volontiers, répondit-elle, se prenant au jeu.

Ils gagnèrent le bar qui était installé près de la piscine en plein air et commandèrent deux verres de jus de fruits. La jeune femme parcourut des yeux le parc qui s'étendait autour d'eux.

— Vous avez la belle vie, ici, remarqua-t-elle. Il doit être vraiment très agréable de travailler dans un cadre pareil !

— Je n'ai pas à me plaindre, concéda-t-il. Le climat est idéal et j'adore mon travail. Sans compter le fait qu'il me donne parfois l'occasion de rencontrer des gens fascinants, ajouta-t-il en portant un toast muet.

Il lui prit la main et lui décocha un sourire enjôleur.

— Combien de temps comptez-vous rester ? demanda-t-il.

— Quelques jours, répondit-elle sans chercher à retirer ses doigts. Je ne sais pas combien, exactement. A vrai dire, je suis venue ici sur un coup de tête.

— Dans ce cas, je bois à cette bienheureuse décision, déclara Chad avant de porter son verre à ses lèvres.

— Est-ce que vous vous montrez aussi charmant avec toutes les jolies filles qui séjournent ici ?

— Vous n'avez encore rien vu, lui promit-il avec un clin d'œil complice.

— B.J. ! s'exclama quelqu'un derrière eux.

La jeune femme se retourna et aperçut Taylor qui se dirigeait vers eux. En avisant son regard, elle comprit qu'il devait être de fort mauvaise humeur.

— Est-ce que votre entrevue avec M. Bailey est terminée ? demanda-t-elle.

— Depuis un moment déjà.

Il jeta un coup d'œil à Chad puis à leurs mains toujours jointes.

164

— Je vous cherchais, reprit-il.

— Je buvais un verre, expliqua-t-elle. Taylor, je vous présente Chad Hardy.

— Nous nous connaissons. Bonjour, Hardy.

— Bonjour, monsieur Reynolds. Je ne savais pas que vous séjourniez à l'hôtel.

— Juste pendant un jour ou deux. Quand vous aurez fini, ajouta-t-il un peu sèchement à l'intention de B.J., je vous conseille de monter vous changer. Nous devons dîner avec Paul et votre tenue n'est pas vraiment adaptée.

Sur ce, il leur adressa un petit signe de tête un peu sec et tourna les talons.

Immédiatement, Chad lâcha la main de B.J. et s'adossa à sa chaise pour l'étudier avec un intérêt renouvelé.

— Vous auriez tout de même pu me dire que vous étiez la petite amie du patron, remarqua-t-il. Je ne tiens pas vraiment à perdre mon poste, vous savez !

— Je ne suis pas sa petite amie, protesta-t-elle vivement.

Chad lui décocha un regard qui trahissait un mélange de regrets et d'amusement.

— Vous feriez peut-être mieux de l'en informer, remarqua-t-il. Parce qu'il n'a pas l'air de voir les choses de la même façon que vous. C'est bien regrettable, d'ailleurs, parce que j'aurais été ravi de pouvoir faire plus ample connaissance. Mais je préfère me tenir à prudente distance des terrains minés.

Il se leva et lui sourit.

— En tout cas, conclut-il, si vous revenez un jour ici sans Taylor, n'hésitez pas à me faire signe.

Sur ce, il s'éloigna à grands pas en direction de l'hôtel.

10.

B.J. pénétra en trombe dans la suite et claqua violemment la porte derrière elle avant de se diriger à grands pas vers la chambre de Taylor.

— Vous me cherchez ? fit la voix de ce dernier, juste derrière elle.

Se retournant, elle constata avec un mélange de stupeur et de gêne qu'il se trouvait sur le seuil de la salle de bains, vêtu en tout et pour tout d'une serviette qui enserrait sa taille. Malgré la colère qui l'habitait, elle ne put s'empêcher d'admirer son torse musclé qui se découpait à contre-jour.

— Je…, balbutia-t-elle, hésitante. Oui, je vous cherchais, reprit-elle en se rappelant les commentaires de Chad. La scène que vous m'avez faite près de la piscine était totalement injustifiée. Vous avez sciemment fait croire à Chad que j'étais votre maîtresse !

Oubliant sa demi-nudité, elle vint se planter devant lui et le défia du regard.

— Vous l'avez fait exprès et je ne le tolérerai pas ! s'écria-t-elle rageusement.

Une lueur dangereuse s'alluma dans le regard de Taylor mais, cette fois, elle était bien décidée à ne pas se laisser intimider.

— Vraiment ? dit-il d'une voix railleuse. Je pensais pourtant vous rendre service. En voyant la facilité avec laquelle Hardy a réussi à vous convaincre de vous joindre à lui, j'ai pensé que vous aviez besoin d'un peu d'aide pour vous débarrasser de ce séducteur notoire.

— Nous étions juste en train de boire un verre ! s'exclama-t-elle, furieuse. Ce n'est pas comme s'il avait essayé de m'agresser !

— Je pense que vous êtes trop naïve pour votre propre bien, répondit posément Taylor.

— Qu'est-ce que cela peut bien vous faire ? Je n'ai nul besoin d'être protégée. Si vous tenez vraiment à jouer les chevaliers servants, trouvez quelqu'un d'autre ! Je ne supporterai plus ce genre d'attitude.

— Et comment comptez-vous m'empêcher d'intervenir ? demanda Taylor, narquois.

L'arrogance de sa question transforma la colère de la jeune femme en véritable fureur.

— Franchement, reprit-il, s'il me faut vous faire passer pour ma petite amie pour empêcher Hardy et les beaux parleurs dans son genre de profiter de vous, je n'hésiterai pas à recommencer. Et vous devriez m'en être reconnaissante.

— Reconnaissante ? répéta B.J. De passer pour votre propriété privée ? Pour une imbécile ? Jamais je n'ai entendu quelque chose d'aussi ridicule !

Elle leva la main pour le gifler mais il réagit à une vitesse stupéfiante. Attrapant son poignet, il le rabattit derrière son dos, l'attirant du même coup contre lui.

— A votre place, je renoncerais à ce genre d'attitude. Je ne suis pas certain que vous appréciiez les conséquences de votre geste.

B.J. fit mine de reculer mais il plaça sa main libre sur sa hanche pour l'en empêcher.

— Arrêtez de vous débattre, lui conseilla-t-il. Je n'ai aucune envie de vous faire du mal. Je vous rappelle que nous avions conclu une trêve et que c'est vous qui venez de la rompre.

Il avait parlé d'un ton léger mais la menace qui perçait dans sa voix était bel et bien réelle.

— C'est vous qui avez commencé, répliqua-t-elle, sur la défensive.

— Vraiment ? dit-il en souriant devant ce reproche enfantin.

Se penchant vers elle, il l'embrassa avec passion. Malgré elle, elle fut instantanément submergée par le désir qu'il lui inspirait. Chaque fois que ses lèvres se posaient sur les siennes, elle avait l'impression que plus rien d'autre n'existait que ce besoin impérieux qu'elle avait de lui.

Ses mains, échappant à son propre contrôle, glissèrent le long du dos nu de Taylor et remontèrent jusqu'à son cou qu'elle entoura de ses doigts. Mais, brusquement, il se dégagea et la repoussa fermement.

B.J. recula, manquant tomber à la renverse.

— Vous devriez aller vous changer, lui dit-il d'un ton sec.

Se détournant, il fit mine de rentrer dans la salle de bains. La jeune femme le retint par le bras.

— Taylor…

— Allez vous changer, s'exclama-t-il encore plus dure-ment.

Instinctivement, elle recula, choquée par la violence qu'elle percevait en lui. Tous deux restèrent figés durant quelques instants puis Taylor réintégra la salle de bains et claqua la porte derrière lui.

B.J. gagna sa chambre, cherchant à déterminer la nature des sentiments que lui inspirait cette nouvelle confrontation. Mais ils étaient bien trop contradictoires pour qu'elle sache ce qui l'emportait entre son amour-propre bafoué, sa colère et sa déception.

Le soleil se levait lentement, effaçant les étoiles qui se devinaient encore dans le ciel et illuminant de ses rayons les eaux bleues de l'Atlantique. B.J. quitta son lit, soulagée de voir le jour succéder enfin à cette nuit interminable.

La veille, ils avaient dîné avec Paul Bailey, discuté de la façon dont ce dernier gérait l'hôtel et comparé son expérience à celle de la jeune femme. Le repas avait été très agréable, Taylor et B.J. faisant des efforts pour dissimuler la tension qui subsistait entre eux.

Mais lorsque Bailey avait pris congé après le café, un silence pesant s'était installé. Lorsque Taylor avait enfin daigné s'adresser à elle, il s'était montré d'un formalisme glacé. D'une certaine façon, cela avait été presque pire que lorsqu'il s'était mis en colère.

Terriblement mal à l'aise, elle avait opté pour une politesse un peu forcée. Dix minutes plus tard, elle avait plaidé la fatigue et était remontée dans sa chambre. Taylor ne l'avait même pas raccompagnée, préférant rester au bar.

Une fois seule, elle avait été incapable de trouver le sommeil. Finalement, plusieurs heures plus tard, elle avait entendu Taylor rentrer. Il avait traversé la suite et s'était arrêté un instant devant sa porte. Elle avait alors retenu son souffle, se demandant s'il se déciderait à la rejoindre.

Mais, finalement, il s'était éloigné et avait gagné sa propre chambre.

A ce moment précis, la jeune femme avait réalisé que, malgré toutes leurs disputes et toutes les humiliations qu'il lui avait fait subir, elle l'aimait toujours. Et qu'elle ne pouvait continuer plus longtemps à se voiler la face à ce sujet.

Malheureusement, il était évident qu'il ne partageait pas ses sentiments. Cette idée avait profondément déprimé B.J. et elle avait dû faire appel à toute la force de sa volonté pour retenir ses larmes, de peur que Taylor ne l'entende sangloter à travers la paroi qui séparait leurs deux chambres.

Après s'être retournée longuement dans son lit, elle avait fini par s'endormir, brisée par cet excès d'émotions. Mais, en se réveillant, elle se sentait presque plus accablée encore.

Décidant de chasser ses idées noires, elle enfila son maillot de bain et passa une robe légère avant de quitter sa chambre. Dans le salon, elle s'arrêta quelques instants devant la baie vitrée et contempla la vue qui s'offrait à elle.

Le soleil naissant baignait de ses rayons mordorés les eaux de l'Atlantique, éveillant à leur surface des scintillements argentés et mouvants. Les nuages se teintaient de mauve et de rose, formant une véritable fantasmagorie.

— Quelle vue ! fit la voix de Taylor juste derrière elle.

B.J. sursauta et se tourna vers lui, réalisant que le bruit de ses pas avait été couvert par l'épaisse moquette qui recouvrait le sol de la pièce.

— Oui, murmura-t-elle comme ils tendaient tous deux la main pour écarter la mèche de cheveux qui lui tombait sur l'œil.

Leurs doigts s'effleurèrent brièvement et elle frémit.

— Il n'y a rien de plus beau qu'un lever de soleil, reprit-elle, embarrassée par l'apparition de cet homme qui occupait chacune de ses pensées depuis la veille.

Il ne portait qu'un short et elle avait du mal à ne pas laisser son regard glisser sur son torse dénudé.

— Vous avez bien dormi ? lui demanda-t-il alors.

Elle haussa les épaules d'un air évasif, se refusant à lui mentir.

— J'avais envie de descendre me baigner avant que la plage ne soit prise d'assaut, lui dit-elle.

Taylor la prit par les épaules et la força à lui faire face, étudiant son visage avec attention.

— Vous avez l'air épuisée, remarqua-t-il en effleurant les cernes qui soulignaient ses yeux.

Il fronça les sourcils et secoua doucement la tête.

— Je ne crois pas vous avoir déjà vue aussi fatiguée auparavant, murmura-t-il. Vous semblez toujours si forte et si pleine de vie, d'ordinaire...

B.J. recula pour échapper au contact de ses mains qui l'empêchaient de penser clairement.

— Je suppose qu'il me faut un peu de temps pour m'habituer à cet endroit, répondit-elle avec un pâle sourire.

— Vous êtes trop généreuse pour votre propre bien, B.J., lui dit-il gravement. Vous seriez en droit de me demander des excuses, vous savez.

— Taylor, la seule chose que j'aimerais, c'est que nous soyons amis.

Cédant à une brusque impulsion, elle posa doucement sa main sur son épaule.

— Amis ? répéta Taylor en souriant à son tour. B.J., vous êtes vraiment incroyable...

Prenant ses mains dans les siennes, il les porta à ses lèvres.

— Très bien, conclut-il. Soyons, amis, puisque c'est ce que vous désirez.

En dehors de quelques mouettes, la plage était complètement déserte. La bande de sable blond et fin s'étendait à perte de vue et B.J. laissa son regard errer sur ce paysage enchanteur. Elle appréciait le calme et la tranquillité des lieux.

— On a l'impression que tous les gens ont disparu et que nous sommes seuls au monde.

— Ce n'est pas une idée qui me semblerait déplaisante, remarqua Taylor.

— A moi non plus, avoua-t-elle en souriant.

— Vous aimez la solitude, n'est-ce pas ?

— Je ne sais pas. Je dirais plutôt qu'elle ne me fait pas peur. Par contre, je n'aime pas la foule. Lorsque je dois voir des gens, je préfère que ce soit en tête à tête. Cela me permet de savoir qui ils sont réellement et ce qu'ils attendent de moi. Parfois, j'ai l'impression de pouvoir leur apporter quelque chose. Surtout de petites choses, des réponses à de petits problèmes. Je ne suis pas très douée pour les questions profondes et les grandes discussions philosophiques.

— Vous savez ce que l'on dit : les plus longs pèlerinages commencent toujours par un petit pas.

B.J. lui jeta un regard étonné. Ce n'était pas le genre de choses qu'elle aurait imaginé entendre de sa bouche.

— Que diriez-vous de faire la course ? suggéra-t-il. Le premier dans l'eau a gagné.

La jeune femme le considéra d'un œil critique avant de secouer la tête.

172

— Pas question ! s'exclama-t-elle. Vous êtes beaucoup plus grand que moi, ce qui vous donne un très net avantage.

— Vous oubliez que je vous ai vue courir. Et je sais que malgré votre taille, vous avez de très longues jambes.

B.J. fit mine d'hésiter.

— Dans ce cas, c'est parti ! s'écria-t-elle en se précipitant soudain en direction de l'eau.

Elle courut aussi vite qu'elle le pouvait mais Taylor parvint à revenir à son niveau et tenta de l'attraper par la taille. B.J. réussit à se dégager une première fois mais, à sa deuxième tentative, Taylor parvint à la faire basculer dans l'eau la tête la première.

Tous deux coulèrent à pic dans un enchevêtrement de bras et de jambes avant d'émerger en toussant.

— Vous allez finir par me noyer ! s'exclama-t-elle en riant.

— Ce n'est pas du tout mon intention, répondit Taylor qui la tenait toujours étroitement enlacée. Tenez-vous tranquille ou je vous coule une fois de plus !

B.J. se détendit et tous deux restèrent en surface, dans les bras l'un de l'autre. La jeune femme se laissa aller quelques instants au bien-être que lui inspirait cette innocente étreinte. Pressée contre Taylor, elle se sentait protégée et avait l'impression que rien ne pourrait jamais l'atteindre.

Puis il posa doucement sa bouche sur ses cheveux mouillés et elle ferma les yeux, s'abandonnant à lui. Ses lèvres glissèrent jusqu'au lobe de son oreille qu'il mordilla doucement, la faisant frémir de plaisir.

Il embrassa ensuite son cou tout en la rapprochant encore un peu plus de lui. Finalement leurs bouches se trouvèrent et ils échangèrent un baiser au goût de sel. Taylor faisait preuve d'une infinie tendresse, maîtrisant la passion qui couvait en eux et menaçait de les emporter à chaque instant.

Ses doigts se glissèrent habilement sous son maillot de bain et il caressa sa poitrine, lui arrachant un gémissement langoureux.

Flottant entre deux eaux, offerte aux mains et aux lèvres de l'homme dont elle était éperdument amoureuse, B.J. avait l'impression de se trouver dans un état second, de dériver entre rêve et réalité. Frissonnante de désir, elle regretta de ne pouvoir demeurer ainsi pour toujours.

— Tu vas attraper froid, murmura Taylor, se méprenant sur les raisons de son léger tremblement. Viens.

S'écartant légèrement d'elle, il la prit par la main et tous deux remontèrent jusqu'à la plage. Là, ils s'assirent côte à côte et laissèrent les rayons du soleil les réchauffer et sécher les gouttes d'eau qui les recouvraient, ne laissant sur leur peau que de petites traînées de sel.

B.J. n'osait pas dire un mot, craignant que ses paroles ne dissipent brusquement le délicieux enchantement dont ils étaient les victimes consentantes. Elle repensa alors à ce que Taylor lui avait déclaré, peu de temps après leur première rencontre.

Il lui avait prédit qu'elle serait sienne un jour et elle devait bien reconnaître aujourd'hui qu'il ne s'était pas trompé. Elle avait lutté de toutes ses forces contre l'attirance qu'il lui inspirait et contre l'envie dévorante qu'elle avait de lui mais en vain.

Pourtant, elle n'était pas pour autant décidée à devenir l'une de ses maîtresses et à jouer dans sa vie le même rôle que Darla. Peut-être n'était-ce pas une fatalité, se prit-elle à espérer. Peut-être y avait-il dans leur relation quelque chose de différent.

Car elle ne ressemblait pas à Darla ni aux autres femmes qu'il devait être amené à fréquenter dans les milieux au sein desquels il évoluait. Elle n'était ni sophistiquée, ni expérimentée en amour, ni rompue aux jeux de la séduction.

Mais était-ce vraiment suffisant pour le retenir ? Ne finirait-il pas par se lasser de cette simplicité et de cette naïveté lorsqu'elles auraient perdu l'attrait de la nouveauté ?

De son côté, B.J. n'était pas certaine d'avoir les moyens de résister très longtemps à ses avances. Si son attirance pour lui n'avait été qu'un phénomène purement physique, elle aurait pu prendre ce qu'il avait à lui donner et tourner ensuite la page. Mais elle était incapable de dissocier l'emportement de ses sens des sentiments qu'il lui inspirait.

Pour le moment, Taylor avait décidé de faire montre de patience, de lui laisser le temps d'accepter l'inéluctabilité de leur liaison. Mais tôt ou tard, elle se retrouverait prise au piège. Et elle savait déjà ce qui se produirait alors : l'emportement de la passion, la joie de se donner à lui, le bonheur de partager avec lui des moments précieux puis, inévitablement, la souffrance de le perdre et de se retrouver seule.

— Tu parais être à des années-lumière de moi, remarqua Taylor en caressant doucement ses cheveux humides.

Se tournant vers lui, elle l'étudia attentivement, s'imprégnant de chaque ligne de son visage, comme si elle essayait de capturer son image, de la graver au plus profond d'ellemême pour le jour où il disparaîtrait de sa vie.

Elle n'aurait plus alors que le souvenir de ce jour où ils étaient restés assis sur une plage de Floride, riches des promesses muettes que trahissait chacun de leurs regards.

Il y avait tant de force en lui, songea-t-elle avec un mélange d'admiration et de crainte. Tant de pouvoir. Tant d'assurance. Peut-être bien plus qu'elle n'était capable d'en supporter.

A contrecœur, la jeune femme se redressa, sachant qu'elle ne faisait que repousser l'inévitable.

— Je meurs de faim, déclara-t-elle. Puisque c'est moi qui ai gagné la course, c'est à toi de m'inviter pour le petit déjeuner.

— Je ne suis pas certain que tu aies vraiment gagné, objecta Taylor en souriant.

— Bien sûr que si ! s'exclama-t-elle. Il n'y a aucun doute à ce sujet.

Taylor enfila son short et son T-shirt et ramassa leurs serviettes.

— Dans ce cas, déclara-t-il, c'est toi qui devrais m'offrir le petit déjeuner à titre de consolation.

— Très bien, répondit-elle. Cela ne te fera pas de mal de te faire entretenir, pour une fois. Que dirais-tu d'un bol de céréales ?

— Ce serait parfait.

— Je ne sais pas si j'aurai les moyens de te l'offrir, remarque. J'ai quasiment été enlevée et conduite ici de force et je n'ai pas beaucoup de liquide sur moi.

— Dans ce cas, je te ferai crédit, répondit Taylor en riant.

Il la prit alors par la main et tous deux remontèrent le sentier qui conduisait à l'hôtel.

Le reste de la journée se déroula comme un rêve. Taylor avait vraiment décidé de se conduire en ami et il se montra absolument charmant. Pour la première fois depuis qu'ils se connaissaient, B.J. en vint presque à oublier le fait qu'il était

176

son employeur et l'un des hommes les plus riches et les plus puissants qu'il lui ait jamais été donné de rencontrer.

Il ne chercha pas à la provoquer ni à la séduire ouvertement et elle ne tarda pas à oublier ses propres incertitudes pour se laisser aller au simple plaisir de se trouver en sa compagnie.

Il commença par lui faire visiter en détail l'hôtel. Puis ils se rendirent dans le magasin qui se trouvait au rez-de-chaussée et offrait aux clients tout un assortiment de vêtements.

Taylor encouragea la jeune femme à en essayer quelques-uns et elle se prêta au jeu, flattée par l'admiration qu'elle lisait dans ses yeux chaque fois qu'elle reparaissait avec une nouvelle tenue.

Lorsqu'il lui proposa de lui en offrir une, elle refusa, n'ayant aucune envie de jouer les femmes entretenues. Ils gagnèrent ensuite une salle remplie de jeux vidéo et passèrent près de deux heures à les tester l'un après l'autre.

— C'est étrange, remarqua Taylor en glissant une nouvelle pièce dans une borne de simulation de course automobile. Je ne comprends pas pourquoi tu me laisses dépenser des fortunes en jeux stupides alors que tu refuses de me laisser t'acheter une robe qui, au final, ne coûterait pas beaucoup plus cher.

— C'est complètement différent, répondit-elle en donnant un grand coup de volant pour éviter un piéton qui se trouvait sur le trottoir. Pousse-toi de là, imbécile ! lui cria-t-elle.

— En quoi ? demanda Taylor, amusé par l'enthousiasme avec lequel elle se prenait au jeu.

— Je ne sais pas, avoua-t-elle. Mais ça l'est… Au fait, tu ne m'as toujours pas dit si tu avais résolu ton problème.

— Quel problème ?

— Celui que tu es venu régler ici.

— Ah, oui… Cela ne devrait pas prendre très long-temps.

— Et zut ! s'exclama B.J. en voyant la voiture qu'elle pilotait effectuer un double tonneau avant d'aller s'encastrer dans un lampadaire.

Sur l'écran, une impressionnante explosion vint sanctionner sa conduite approximative.

— C'est un signe du destin, déclara Taylor en souriant. Allons-nous-en avant que tu ne me mettes définitivement sur la paille. C'est l'heure de déjeuner et j'ai une faim de loup !

B.J. le suivit jusqu'au restaurant situé sur une terrasse qui dominait la mer. Là, ils s'installèrent à l'une des tables libres et commandèrent deux quiches lorraines et une bouteille de chablis.

Tout en mangeant, ils devisèrent gaiement de choses et d'autres, prenant un plaisir évident à se retrouver en tête à tête loin de leurs responsabilités et de leurs préoccupations habituelles.

Comme ils finissaient leurs cafés, B.J. laissa errer son regard sur le panorama splendide qui s'étendait en contrebas. Lorsqu'elle se tourna de nouveau vers son compagnon, elle constata qu'il l'observait avec une étrange intensité.

— Quelque chose ne va pas ? demanda-t-elle, légèrement embarrassée.

— Au contraire. J'adore te regarder. Est-ce que tu savais que tes yeux n'arrêtent pas de changer de couleur en fonction de ton humeur ? Parfois, ils sont aussi foncés qu'un puits sans fond et parfois aussi clairs qu'un lac de montagne. Ils trahissent tout ce que tu penses.

178

B.J. rougit et détourna la tête, craignant qu'il ne lise en elle l'amour qu'elle éprouvait pour lui.

— Tu es si belle, ajouta-t-il d'un ton presque rêveur.

Il porta la main de la jeune femme à ses lèvres pour y déposer un petit baiser.

— Je ne devrais peut-être pas te le dire trop souvent, ajouta-t-il en riant. Tu finirais par me croire et perdre cette innocence qui te rend si désirable.

Sans lâcher sa main, Taylor se leva et l'aida à faire de même.

— Malheureusement, il va me falloir t'abandonner, lui dit-il. J'ai quelques affaires à régler. Si tu veux, je vais te conduire au sauna. Là, tu pourras te baigner et te faire masser, ce qui devrait t'aider à chasser les effets de cette nuit d'insomnie.

Pendant les trois heures qui suivirent, B.J. essaya presque toute la gamme de thalassothérapie qu'offrait l'hôtel. Elle passa successivement dans un bain de boue, sous une douche à jets, par le sauna et le hammam. Là, elle eut droit à un massage qui l'aida à se détendre et dénoua ses muscles endoloris.

Elle s'abandonna avec reconnaissance aux mains habiles de la masseuse et ferma les yeux, se laissant dériver à mi-chemin du sommeil et de l'éveil. C'est alors qu'elle entendit le nom de Taylor prononcé par une femme qui se trouvait sur une table située non loin d'elle.

— Non seulement il est très riche, disait-elle, mais, en plus, il est absolument superbe. Je suis vraiment étonnée que personne ne lui ait mis le grappin dessus !

— Ce ne sont pourtant pas les volontaires qui ont manqué,

répondit une autre voix féminine. Et je suis certaine que cela l'amuse beaucoup. Les hommes comme lui ne s'épanouissent que sous l'effet de l'admiration des femmes qui l'entourent.

— Eh bien, la mienne lui est tout acquise.

— Malheureusement pour toi, il est avec quelqu'un, en ce moment. Je les ai vus ensemble hier, près de la piscine, et tout à l'heure, au restaurant.

— Effectivement, il y avait une femme avec lui quand il est arrivé. Mais j'avoue que j'étais trop occupée à le regarder pour lui prêter vraiment attention. A quoi ressemble-t-elle ?

— C'est une petite blonde, plutôt jolie. Pas du tout le genre de fille que j'imaginais avec Taylor. Elle a l'air trop… Je ne sais pas. Trop normale, peut-être.

B.J. ne put s'empêcher de sourire. Puisqu'elle était considérée comme la maîtresse attitrée de Taylor, elle était curieuse d'apprendre ce que les gens pensaient d'elle.

— Tu sais qui c'est, exactement ?

— Oui. J'ai déboursé vingt dollars de pourboire pour l'apprendre de l'un des employés de l'hôtel. Apparemment, elle s'appelle B.J. Clark. Mais personne ne sait rien d'elle. Elle n'était encore jamais venue à l'hôtel, avec ou sans Reynolds.

— Penses-tu qu'elle ait une chance de le garder ?

— C'est difficile à dire. Peut-être… Tu aurais dû voir la façon dont il la dévorait des yeux pendant leur déjeuner. J'en étais malade de jalousie !

— Elle doit vraiment être superbe.

— Ce n'est pas un mannequin. Elle n'a pas ce genre de beauté insolente qui fait se retourner tous les hommes. Mais elle est très jolie. Elle a de très beaux yeux et des cheveux magnifiques.

— Je suis flattée, déclara malicieusement B.J. en se redressant sur sa table de massage. Ce n'est pas si souvent qu'une femme reconnaît les mérites d'une autre.

Réalisant à qui elles avaient affaire, les deux femmes mirent brusquement un terme à leur conversation et détournèrent les yeux, gênées.

Amusée, B.J. s'allongea langoureusement pour continuer à se faire masser.

11

Rafraîchie et plutôt satisfaite d'elle-même, B.J. retourna à la suite, portant sous son bras la boîte qui contenait la robe dont elle venait de faire l'acquisition. Après sa séance de massage, elle était retournée dans la boutique qu'elle avait visitée avec Taylor et avait voulu acheter une robe de soie grise qu'il avait beaucoup aimée.

La vendeuse lui avait répondu que Taylor avait exigé que tous les achats qu'elle pourrait faire dans le magasin lui soient directement facturés. A la fois touchée par sa générosité et agacée par la façon dont il cherchait une fois de plus à lui forcer la main, elle avait protesté.

Mais la vendeuse s'était montrée intraitable. B.J. avait donc fini par prendre la robe, bien décidée à rembourser Taylor par la suite.

De retour dans sa chambre, elle se fit couler un bain moussant qu'elle garnit généreusement de sels divers. Elle s'y allongea et ferma les yeux, laissant l'eau brûlante détendre ses muscles et faire naître en elle une délicieuse langueur.

Elle repensa alors à la conversation qu'elle avait surprise dans le salon de massage et sourit. Jamais elle n'aurait imaginé pouvoir être perçue comme une femme mystérieuse capable de séduire un homme si désiré et de susciter une telle jalousie.

La plupart des gens qui la connaissaient auraient probablement trouvé cette vision passablement ridicule, voire tout bonnement surréaliste. B.J. était généralement considérée comme une femme aux goûts simples et terre à terre, dénuée de tout artifice.

— Te voilà de retour, fit la voix de Taylor.

B.J. sursauta et rouvrit les yeux pour le découvrir négligemment appuyé contre le chambranle de la porte de la salle de bains.

— Est-ce que tu t'es bien amusée ? ajouta-t-il.

— Taylor ! s'exclama-t-elle, terriblement embarrassée. Je suis en train de prendre un bain !

Elle répartit la mousse à la surface de l'eau pour s'assurer qu'elle dissimulait son corps.

— Je m'en rends bien compte, répondit-il. Mais ne t'en fais pas, ta pudeur est sauve. Je ne vois malheureusement rien d'autre qu'un tas de bulles. Est-ce que tu veux boire quelque chose ?

Il s'était exprimé d'un ton amical et détaché, comme s'il était habitué à la voir se baigner devant lui. La jeune femme se rappela la conversation qu'elle avait surprise et décida de jouer le jeu. Après tout, ce n'était pas tous les jours qu'elle incarnait une femme fatale, l'amante d'un beau millionnaire que toutes lui enviaient.

— Avec plaisir, répondit-elle d'une voix plaisante. Je prendrais volontiers un verre de porto.

Il hocha la tête et disparut en direction du bar. B.J. pria pour que la mousse tienne jusqu'à ce qu'elle ait pu sortir de son bain et enfiler un peignoir. Quelques instants plus tard, Taylor reparut.

— Madame est servie, déclara-t-il en déposant un verre sur le rebord de la baignoire.

— Je vais bientôt sortir, lui annonça B.J. avec un sourire enjôleur. Est-ce que tu veux que je te laisse l'eau ?

— Prends ton temps. Je vais utiliser l'autre salle de bains.

— Comme tu voudras, répondit-elle en haussant les épaules d'un air faussement décontracté.

Taylor quitta de nouveau la pièce, refermant la porte derrière lui, et la jeune femme sourit, enchantée par la petite comédie qu'elle venait de lui jouer. Qui sait ? Elle parviendrait peut-être à le convaincre qu'elle était capable de la même sophistication que Darla Trainor, quand la fantaisie lui en prenait…

Pendant cinq bonnes minutes, B.J. contempla le reflet que lui renvoyait le miroir en pied qui trônait dans sa chambre. La robe grise formait un drapé élégant, soulignant la courbe de sa poitrine et la finesse de sa taille.

Son décolleté révélait la naissance de ses seins ainsi qu'une partie de son dos. La jupe était longue mais fendue jusqu'à mi-cuisse, ajoutant à la sensualité de l'ensemble. Elle avait attaché ses cheveux en chignon, laissant quelques mèches libres caresser ses joues, et s'était légèrement maquillée.

B.J. avait presque du mal à se reconnaître dans cette créature sensuelle et élégante qui lui renvoyait son regard. Sa nouvelle apparence avait même quelque chose d'intimidant, comme si elle révélait une facette d'elle-même dont elle n'avait jusqu'alors jamais pris conscience.

Elle se demanda si elle serait à la hauteur de cette image si sophistiquée. Après tout, elle n'était pas habituée à évoluer dans les milieux mondains. Et pour une femme de son âge, elle manquait cruellement d'expérience face à un homme comme Taylor.

— Tu es prête ? appela ce dernier à travers la porte de la chambre.

— Oui, j'arrive ! répondit-elle avant de jeter un dernier coup d'œil à la glace. Après tout, murmura-t-elle, ce n'est qu'une simple robe.

Se détournant du miroir, elle gagna le salon de la suite. Là, Taylor était en train de leur servir un apéritif. Lorsqu'il la vit entrer, il s'immobilisa brusquement et l'observa avec attention. Elle se sentit quelque peu réconfortée par la lueur appréciative qui brillait dans son regard.

— Je vois que tu t'es décidée à l'acheter, finalement, lui dit-il en souriant.

Reprenant un peu confiance en elle, B.J. traversa la pièce pour le rejoindre.

— Oui, répondit-elle. Je me suis dit qu'étant donné ma réputation, il fallait que j'investisse dans une nouvelle garde-robe.

— Ta réputation ? répéta Taylor, dérouté. Qu'est-ce que tu veux dire par là ?

Il lui tendit un verre de vin blanc qu'elle accepta avant de lui répondre.

— J'ai surpris une conversation pendant que je me faisais masser, expliqua-t-elle avec un sourire amusé. C'était vraiment très drôle. Je ne suis pas sûre que tu réalises à quel point tes liaisons sont suivies de près.

B.J. entreprit alors de lui décrire en détail ce qui s'était passé.

— Je t'avoue que cela a fait beaucoup de bien à mon ego, conclut-elle en riant. C'est bien la première fois que je passe

pour une femme fatale et que je provoque de telles jalousies !
J'espère que personne ne réalisera que je ne suis en réalité
que la gérante de l'un de tes hôtels. Cela ternirait un peu
mon aura de mystère !

— Ne t'en fais pas pour ça, répondit Taylor avec une pointe
de cynisme. De toute façon, personne n'y croirait.

Il ne paraissait pas particulièrement amusé par la situation,
réalisa B.J. Mais peut-être l'aurait-elle été beaucoup moins,
elle aussi, si ce genre de chose avait fait partie de son quotidien. Une fois de plus, elle réalisa que Taylor vivait dans un
tout autre monde que le sien. Mais, pour ce soir au moins,
elle était bien décidée à ne pas laisser de telles considérations
gâcher sa bonne humeur.

— Tu ne m'as pas dit ce que tu pensais de ma robe,
remarqua-t-elle.

— Je l'aime beaucoup, répondit-il. Elle te met admirablement en valeur. Et pour fêter cette élégante acquisition, que
dirais-tu d'un petit dîner au champagne ?

La table que Taylor avait réservée au restaurant de l'hôtel
était située un peu à l'écart, près d'une grande baie vitrée
qui surmontait le parc. Celui-ci était habilement illuminé et
offrait un cadre magnifique par-delà lequel on devinait les
eaux sombres de l'océan.

Taylor et B.J. commencèrent leur repas par des huîtres
chaudes avant de commander un saumon relevé d'une délicieuse sauce au fenouil.

— C'est un endroit magnifique, déclara la jeune femme
tandis que leur serveur apportait le plat principal. J'adore
la façon dont sont disposés les aquariums qui séparent les
tables. Malgré la taille de la pièce, ils offrent aux convives

186

une certaine intimité tout en rappelant le fait que l'on se trouve en bord de mer.

— J'avoue que je suis assez satisfait de la façon dont cet hôtel a été aménagé, acquiesça Taylor. D'ailleurs, je ne dois pas être le seul car il ne désemplit pas.

— Cela ne m'étonne pas. Cet endroit est si dépaysant ! Et j'ai remarqué que le personnel était d'une rare efficacité. Il est à la fois omniprésent et discret. Est-ce que tu es déjà venu ici pendant l'hiver ?

— Non, répondit Taylor. J'évite généralement de visiter mes hôtels lorsqu'ils sont en pleine saison touristique.

— La nôtre commence dans quelques semaines, remarqua B.J.

Taylor posa doucement la main sur le poignet de la jeune femme.

— Jusqu'ici, nous avons réussi à ne pas parler de l'auberge et j'aimerais vraiment que nous finissions cette soirée sans aborder le sujet. Nous aurons tout le temps d'en discuter à partir de demain, lorsque nous serons de retour en Nouvelle-Angleterre. Je n'ai pas l'habitude de parler affaires lorsque je dîne avec une jolie femme.

B.J. sourit, flattée par le compliment. Elle était tout à fait prête à se plier à ses désirs et à profiter au maximum de cette dernière soirée en tête à tête avec Taylor.

— De quoi parles-tu, dans ces cas-là ? demanda-t-elle avec curiosité.

— De choses plus personnelles, répondit-il en caressant doucement sa main. De l'effet que sa voix produit sur moi, de la façon dont je devine ses sourires dans ses yeux avant même qu'ils n'apparaissent sur ses lèvres, de la chaleur troublante de sa peau sous mes doigts…

— Je crois que tu te moques de moi, remarqua B.J. d'une voix chargée de reproches.

— Crois-moi, lui assura gravement Taylor, ce n'est pas du tout mon intention.

Satisfaite de cette réponse, B.J. lui sourit. Ils devisèrent de choses et d'autres et le dîner passa comme un rêve. La jeune femme savait que, quoi qu'il puisse se produire entre eux par la suite, elle n'oublierait jamais cette soirée.

Jamais elle ne s'était sentie aussi proche de Taylor. Ils paraissaient enfin avoir trouvé un terrain d'entente, une forme d'amitié amoureuse qui la troublait délicieusement sans réveiller ses angoisses.

Lorsqu'ils eurent terminé leurs cafés, Taylor lui suggéra une promenade en bord de mer. Main dans la main, ils descendirent donc jusqu'au rivage et marchèrent en silence, profitant de ce moment d'intimité et du paysage idyllique éclairé par la lune.

L'odeur de l'iode se mêlait à celle des orangers qui poussaient dans le parc et B.J. s'en imprégna. Elle voulait retenir chaque détail de cette nuit, les graver à jamais dans sa mémoire. Lorsque Taylor aurait disparu de sa vie, il lui resterait ces souvenirs qui la réconforteraient au milieu de la solitude.

Jamais plus elle ne regarderait le ciel étoilé sans penser à lui. Jamais plus elle ne s'assiérait au bord de la mer sans se rappeler ces instants magiques. Car, ce soir, elle était décidée à se donner à l'homme qu'elle aimait, à s'offrir à lui sans retenue.

Le lendemain, ils seraient de retour à Lakeside et retrouveraient leurs responsabilités et leurs différends professionnels. Dans quelques jours, il repartirait probablement pour New

York et ne serait plus qu'un nom sur l'en-tête des lettres que lui ferait parvenir sa société.

Mais ce soir, il serait entièrement à elle. Ils partageraient quelques heures de bonheur sans se soucier de l'avenir. Peut-être cela n'aurait-il pas beaucoup d'importance aux yeux de Taylor. Mais, à ceux de B.J., ce serait la matérialisation de cet amour qu'elle ne pouvait continuer à réprimer.

— Tu as froid ? lui demanda Taylor, la sentant frissonner contre lui. Tu trembles.

Il passa un bras autour de ses épaules et la serra contre lui pour lui communiquer un peu de chaleur.

— Nous ferions peut-être mieux de rentrer, ajouta-t-il.

B.J. acquiesça en silence et le suivit en direction de l'hôtel. A mesure qu'ils en approchaient, elle sentait croître sa nervosité à l'idée de ce qui se passerait ensuite.

— Regarde, Taylor, souffla-t-elle à son compagnon tandis qu'ils pénétraient dans le grand hall. C'est l'une des deux femmes qui discutaient dans le salon de massage.

D'un discret mouvement de la tête, elle lui désigna une jeune femme aux cheveux bruns qui les observait attentivement. Taylor ne lui prêta aucune attention et entraîna B.J. en direction des ascenseurs.

— Tu crois que je devrais lui faire signe ? demanda-t-elle en souriant.

— Non, j'ai une bien meilleure idée, répondit-il malicieusement. Ceci devrait lui donner un sujet de conversation…

Sur ce, il prit B.J. dans ses bras et l'embrassa avec passion sans se soucier des gens qui les regardaient avec un mélange de curiosité et d'amusement. B.J. ne chercha pas à lui résister et lui rendit son baiser avec enthousiasme.

Lorsqu'ils se séparèrent enfin, elle adressa un petit sourire à la brunette avant de suivre Taylor dans l'ascenseur.

Quelques instants plus tard, ils se retrouvèrent seuls dans la grande suite.

— C'est dommage, remarqua la jeune femme en souriant. Il n'y a aucun événement trouble ou fascinant dans mon passé qu'elle pourrait être amenée à découvrir.

— Ne t'en fais pas, la rassura-t-il. Si elle ne trouve rien, elle ne manquera pas d'en inventer. Est-ce que tu veux boire quelque chose ?

— Non, merci, répondit B.J. en riant. Je crois que j'ai un peu trop bu. Et je dois m'arrêter avant de dépasser les limites du raisonnable.

— Je vois, acquiesça Taylor avant de se diriger vers le bar.

Là, il se servit un verre de cognac qu'il respira d'un air appréciatif avant d'en boire une gorgée.

— Dommage, conclut-il en souriant. Moi qui pensais te faire boire pour te rendre plus conciliante ! On dirait bien qu'il ne faut pas y compter.

— J'en ai bien peur.

— Quelle est ta faiblesse, alors ? demanda-t-il en l'observant attentivement.

« Toi », fut-elle tentée de répondre. Evidemment, elle se garda bien de le faire. Elle ne tenait pas à ce que Taylor se doute des sentiments qu'elle entretenait à son égard.

S'il avait deviné qu'elle l'aimait, il aurait probablement pris la fuite, craignant de se retrouver impliqué dans une liaison dont il n'avait que faire.

— La musique douce et les lumières tamisées, je crois, répondit-elle pensivement.

Comme par magie, l'intensité des lampes diminua et les premières notes d'une ballade bien connue retentirent dans la pièce.

— Comment as-tu fait ça ? s'exclama B.J., passablement étonnée.

— Il y a un panneau de contrôle derrière le bar, répondit-il en contournant ce dernier pour la rejoindre.

— On ne célébrera jamais assez les mérites de la technologie, déclara B.J. en souriant.

Taylor la prit alors par la main et les battements de son cœur s'accélérèrent.

— Veux-tu m'accorder cette danse ? demanda-t-il galamment.

La jeune femme n'hésita pas un seul instant. Et, dès qu'elle fut dans les bras de Taylor, elle eut l'impression de se retrouver chez elle. Là, elle se sentait parfaitement bien comme si plus rien de mal ne pouvait l'atteindre.

Lentement, il commença à danser et elle se laissa guider, fermant les yeux pour mieux s'abandonner au rythme de la musique et aux effleurements de leurs corps enlacés. C'était comme un prélude à la nuit qu'ils passeraient ensemble, une chaste promesse d'étreintes plus passionnées.

Taylor détacha ses cheveux, les laissant couler librement sur ses épaules. B.J. posa la joue sur son épaule tandis qu'il les caressait doucement. Elle aurait voulu que ce moment se prolonge à l'infini.

— Me diras-tu un jour ce que « B.J. » signifie ? lui demanda-t-il soudain.

— Personne ne le sait, répondit-elle en souriant. Même le FBI n'a pas pu le découvrir.

— J'imagine que je vais en être réduit à poser la question à ta mère.

— Elle ne te le dira pas. Je lui ai fait jurer de garder le secret.

— Je pourrais subtiliser ta carte d'identité.

— Elle indique seulement « B.J. ». C'est le seul prénom que j'utilise.

— Sur ton passeport, peut-être ?

La jeune femme releva les yeux vers lui, effleurant au passage sa joue des lèvres.

— Je n'en ai pas, répondit-elle. Je ne suis jamais partie à l'étranger.

— Vraiment ? s'exclama Taylor, incrédule. Et cela ne t'a jamais tentée ?

— Si, bien sûr. Mais l'occasion ne s'est jamais présentée. Je suppose que je travaille trop…

— Si c'est une façon de me demander une augmentation, c'est raté, répliqua-t-il en riant.

Il déposa un petit baiser sur ses lèvres, éveillant instantanément en elle un irrépressible accès de désir.

— B.J., murmura-t-il alors. Je dois te dire quelque chose…

— Chut, fit-elle en tournant son visage vers lui. Embrasse-moi encore, Taylor. Pour de vrai.

Il parut hésiter et ce fut elle qui prit l'initiative. Lorsque leurs lèvres se rencontrèrent de nouveau, tous deux furent parcourus d'un frisson de bien-être. Taylor murmura son nom qui se perdit dans leur baiser.

Leurs langues se mêlèrent tandis qu'ils se serraient passionnément l'un contre l'autre. Les mains de Taylor couraient sur le corps de la jeune femme, éveillant en elle d'incoercibles tressaillements qui se propageaient jusqu'au plus profond d'elle-même.

Elle avait l'impression de se consumer de l'intérieur et elle s'abandonnait sans regrets à cet incendie qui la dévorait tout entière. Elle sentait le désir de Taylor darder fièrement contre ses hanches et s'émerveillait du pouvoir qu'ils détenaient l'un sur l'autre.

Il y avait de la magie dans leurs baisers et dans leurs caresses qui se faisaient sans cesse plus ardentes, plus conquérantes. L'intensité de l'envie qu'ils avaient l'un de l'autre avait quelque chose de terrifiant et de merveilleux à la fois.

Mais, ce soir-là, cet abandon se doublait pour B.J. d'une inébranlable certitude : elle aimait Taylor. Et cela conférait à chacun de ses gestes une dimension nouvelle. Il ne s'agissait plus seulement de satisfaire un besoin purement physique. Leur étreinte devenait communion.

Soudain, Taylor la souleva de terre avec une facilité déconcertante et la porta jusqu'au canapé sur lequel il l'allongea. Là, ils échangèrent un baiser brûlant et sauvage. Il était à présent allongé sur elle et elle sentait son torse se presser contre sa poitrine que son désir rendait presque douloureuse.

Elle voulait le sentir entrer en elle, posséder pleinement son corps comme il possédait déjà son esprit et son cœur. Taylor dut le deviner car, sans cesser de l'embrasser, il commença à déboutonner sa robe, révélant le soutien-gorge de dentelle grise qu'elle portait en dessous.

Avec habileté, il se débarrassa de ce morceau de tissu qui le gênait et révéla les seins de la jeune femme. Haletante, B.J. le vit s'immobiliser au-dessus d'elle et la contempler avec un mélange d'avidité et de dévotion.

Puis sa bouche se posa sur l'un de ses tétons, lui arrachant un halètement rauque. Renversant la tête en arrière, elle s'arqua pour mieux s'offrir à lui. Sa langue et ses doigts la rendaient folle, décuplant le besoin impérieux qu'elle avait de lui.

Au creux de ses cuisses, une chaleur moite pulsait doucement, irradiant des ondes de plaisir qui remontaient le long de ses membres et investissaient la moindre fibre de son être. Fermant les yeux, elle bascula dans un maelström de sensations enivrantes.

Jamais elle n'avait connu une joie si profonde, si parfaite. Et lorsque les mains de Taylor se posèrent sur ses cuisses nues, elle frissonna d'impatience.

Incapable de résister à ses caresses qui se faisaient sans cesse plus audacieuses, elle le débarrassa de sa chemise, révélant son torse musclé qu'elle couvrit d'une pluie de baisers et d'une myriade de petites morsures qui faisaient naître en lui des gémissements rauques.

S'accrochant à ses épaules, elle l'embrassa une fois encore, se sentant sombrer plus profondément encore dans un tourbillon de pure sensualité. Ce baiser parut décupler le besoin que Taylor avait d'elle et il recommença à explorer des lèvres et des doigts le corps de B.J. parcouru de spasmes. Sa délicatesse initiale avait disparu, remplacée par une faim sauvage et insatiable.

— Je te veux, murmura-t-elle d'une voix si basse qu'elle eut presque du mal à la reconnaître. Fais-moi l'amour, Taylor, je t'en supplie.

Mais, au lieu de l'encourager, cette supplique parut avoir l'effet inverse. S'écartant légèrement d'elle, Taylor resta quelques instants immobile, contemplant son corps à demi dévêtu.

Dans ses yeux, elle lut le combat qu'il menait contre son propre désir. Affolée, elle réalisa qu'il était lentement en train de reprendre le contrôle de lui-même. Elle essaya de l'embrasser une fois encore mais il captura ses poignets, l'immobilisant sur le canapé.

Sa respiration était hachée, pantelante. Il ferma les yeux et elle vit les muscles de sa mâchoire se contracter. Puis, brusquement, il s'arracha à elle. B.J. eut l'impression qu'elle allait en mourir.

Son être tout entier appelait Taylor. Le besoin qu'elle avait de lui était devenu si fondamental qu'elle avait l'impression qu'il venait de la priver d'air. Haletante, elle luttait désespérément contre la sensation déchirante de manque qui l'écartelait.

C'était une souffrance si profonde, si absolue qu'elle se situait au-delà des mots et des larmes, au-delà des supplications et des menaces. Incapable d'articuler le moindre mot, d'esquisser le moindre geste, elle vit Taylor se diriger vers le bar.

Là, il se servit un nouveau verre de cognac qu'il avala cul sec. Après ce qui lui parut une éternité, il trouva enfin le courage de poser les yeux sur la jeune femme.

— Je n'aurais pas dû faire cela, déclara-t-il d'une voix aussi dure et froide que l'acier. C'était une erreur. Tu ferais mieux d'aller te coucher.

En entendant ces mots, B.J. sentit lentement refluer la douleur et la frustration qui la tenaillaient. Elles laissaient place à un désespoir si profond qu'il lui semblait tituber au bord d'un gouffre vertigineux dans lequel elle risquait de basculer à chaque instant.

Vaincue, humiliée, elle se força enfin à s'asseoir et à remettre de l'ordre dans sa tenue. Mais ses mains tremblaient si violemment qu'elle fut incapable de reboutonner sa robe froissée.

— Va te coucher, répéta Taylor, impitoyable.

— Je ne comprends pas, balbutia-t-elle d'une voix tremblante. Je… Je croyais que tu avais envie de moi…

Elle était incapable de retenir ses larmes qui coulaient lentement le long de son visage et qu'elle n'avait même plus assez de fierté pour essuyer.

— C'est le cas, répondit Taylor.

Une infime lueur d'espoir s'éveilla dans le cœur déchiré de B.J.

— Va dormir, lui dit-il alors, ravivant sa détresse. Nous devons nous lever tôt, demain, pour rentrer à Lakeside.

— Je ne comprends pas, plaida-t-elle, désespérée.

— Va-t'en ! s'exclama-t-il rageusement. Va-t'en avant que je n'oublie ce qui me reste de principes !

Effondrée, B.J. se força à se lever. D'un pas mécanique, elle se dirigea vers le couloir qui menait à sa chambre. Mais, avant de l'emprunter, elle se tourna vers Taylor en un ultime sursaut de fierté.

— Je tiens à ce que tu saches que ce que je t'ai offert, je ne te l'offrirai plus jamais, lui dit-elle en le regardant droit dans les yeux malgré ses larmes qui continuaient à couler. Plus jamais je ne te laisserai me toucher. Plus jamais tu ne m'embrasseras. Désormais, la seule chose que nous aurons en commun, toi et moi, c'est l'auberge de Lakeside.

— Soit, acquiesça Taylor. Je saurai m'en contenter pour le moment.

Il se servit un nouveau verre qu'il vida presque aussi vite que le premier. Résignée, B.J. se détourna lentement et gagna sa chambre où, cette fois, elle s'enferma à double tour.

12.

B.J. retrouva avec soulagement la routine familière de son travail à l'auberge. Elle avait l'impression de s'éveiller d'un rêve à la fois terrible et magnifique qui, une fois dissipé, ne lui aurait laissé que d'amers regrets et cette sensation de perte déchirante qui s'emparait d'elle chaque fois qu'elle repensait à ce qui aurait pu se passer entre Taylor et elle.

Après leur dernière soirée en Floride, ils avaient repris l'avion pour la Nouvelle-Angleterre. Durant tout le voyage, tous deux s'étaient réfugiés dans un silence lourd de non-dits. Taylor avait passé son temps à travailler tandis que B.J. se plongeait dans la lecture d'un magazine pour tenter de faire abstraction de la souffrance qui la taraudait.

Durant les deux jours qui suivirent leur retour à Lakeside, la jeune femme s'efforça d'éviter Taylor autant qu'elle le pouvait. Ce ne fut d'ailleurs pas très difficile puisque ce dernier semblait ne faire aucun effort pour la voir.

B.J. s'efforça de se préparer psychologiquement à son départ, sachant qu'il laisserait en elle un vide vertigineux dans lequel il lui serait facile de se perdre. Malheureusement, le travail ne suffisait pas à lui faire oublier le bonheur qu'elle avait entrevu de façon fugitive au cours de leur séjour en Floride.

Les images de ces brefs moments de complicité la hantaient

et, chaque soir, lorsqu'elle se retrouvait seule dans sa chambre, elle s'endormait en pleurant.

La présence de Darla rendait la situation encore plus pénible. En effet, malgré le fait que Taylor ne passait que peu de temps en compagnie de sa décoratrice attitrée, la simple présence de celle-ci était pour B.J. un rappel constant et douloureux de ses propres insuffisances.

Car, si elle savait pertinemment que Taylor l'avait désirée, elle s'expliquait son brusque revirement d'attitude par le fait qu'elle avait été incapable de répondre à ses attentes. Elle n'avait ni la grâce, ni la sensualité, ni l'élégance de Darla. Et Taylor avait certainement fini par s'en rendre compte, ce qui avait sonné le glas de leur idylle.

Le surlendemain de leur retour, comme B.J. s'était réfugiée dans sa chambre pour mettre à jour sa comptabilité, elle fut brusquement tirée de son travail par des cris et des imprécations qui se faisaient entendre quelque part dans l'auberge.

Inquiète, elle se leva brusquement, renversant au passage son livre de compte et une épaisse pile de factures qu'elle venait de trier pendant près d'une heure. Etouffant un juron, elle sortit pour chercher l'origine de ces éclats de voix. Et elle ne tarda pas à réaliser qu'ils provenaient de la chambre 314, celle qui avait été attribuée à Darla.

Poussant la porte, B.J. pénétra dans la pièce et resta figée de saisissement devant le tableau qui s'offrait à ses yeux. Car Darla Trainor, qui se montrait d'ordinaire si raffinée, était en train de se battre avec l'une des femmes de chambre.

Eddie essayait vainement de s'interposer entre elles mais aucune des deux femmes ne paraissait décidée à lui prêter la moindre attention. B.J. s'avança pour voler à sa rescousse, bien décidée à mettre fin à cet absurde pugilat.

— Louise ! s'exclama-t-elle en repoussant la femme de

chambre. Calmez-vous immédiatement ! Je vous rappelle que Mlle Trainor est notre invitée et qu'elle doit être traitée avec autant de déférence que n'importe quel client. Quant à vous, ajouta-t-elle en se tournant vers Darla, cessez de hurler. Cela ne vous aidera pas à résoudre le problème, quel qu'il soit.

Mais Darla ne l'entendait pas de cette oreille et fit mine de se jeter de nouveau sur Louise. B.J. n'eut d'autre choix que de la repousser mais elle refusa de se laisser faire et décocha à la jeune femme un coup de poing qui la prit par surprise et la déséquilibra.

Projetée violemment en arrière, B.J. alla heurter de la tête l'armoire qui se trouvait juste derrière elle. Une lueur fulgurante éclata devant ses yeux avant qu'elle ne sombre dans les ténèbres.

Ce fut la voix inquiète de Taylor qui la ramena à elle. Lentement, elle reprit conscience et réalisa qu'elle était allongée sur le lit de Darla. Une douleur sourde pulsait dans son crâne et elle ne put réprimer un petit gémissement de souffrance.

— Reste allongée, lui conseilla Taylor en écartant doucement une mèche de ses cheveux.

L'inquiétude et la tendresse qu'elle lisait dans son regard éveillèrent en elle un mélange de reconnaissance et de tristesse.

— Que s'est-il passé ? articula-t-elle en essayant de se redresser.

Taylor la repoussa gentiment en arrière.

— C'est bien ce que j'essaie de savoir, répondit-il.

Jetant un coup d'œil autour d'elle, B.J. aperçut Eddie qui était assis sur le canapé et tentait maladroitement de réconforter

Louise qui sanglotait. Près de la fenêtre, se tenait Darla qui arborait une expression indignée.

B.J. se rappela alors ce qui s'était produit quelques minutes auparavant.

— Lorsque je suis arrivée, expliqua-t-elle à Taylor, Darla et Louise se battaient tandis qu'Eddie essayait de les séparer. J'ai voulu intervenir mais Mlle Trainor m'a asséné un coup de poing et je me suis cogné la tête contre un meuble.

En entendant le récit de la jeune femme, Taylor s'était figé. Dans son regard, elle perçut une lueur de colère glacée qui lui était familière.

— Elle t'a vraiment frappée ? demanda-t-il d'une voix menaçante.

— C'était un accident, Taylor, intervint Darla d'un air faussement navré. J'essayais simplement de décrocher ces affreux rideaux lorsque cette femme de chambre est entrée. Elle a commencé à crier et à me tirer par la manche et les choses ont dégénéré. Puis Eddie est arrivé à son tour et s'est mis à crier, lui aussi, bientôt suivi par Mlle Clark qui m'a sauté dessus. J'ai juste essayé de la repousser…

— C'est faux ! s'exclama Louise, outrée. Lorsque je suis entrée pour faire la chambre, j'ai trouvé Mlle Trainor debout dans le fauteuil Bentwood. Elle n'avait même pas pris la peine d'enlever ses chaussures ! Je lui ai demandé poliment ce qu'elle faisait et elle m'a répondu qu'elle comptait décrocher les rideaux qu'elle trouvait horribles et démodés comme le reste de l'auberge. Je lui ai dit qu'elle n'avait pas le droit de faire ça et je lui ai demandé de descendre.

— Demandé ? s'exclama Darla, méprisante. Vous m'avez attaquée, voulez-vous dire !

— Seulement parce que vous refusiez de descendre et que vous m'avez poussée, objecta Louise.

200

— Taylor, protesta Darla en s'avançant vers ce dernier, les yeux pleins de larmes, tu ne peux pas permettre à cette femme de me parler de cette façon. Je pense que tu devrais la renvoyer sur-le-champ. Elle est complètement folle et aurait pu me faire du mal.

Rendue furieuse par cette démonstration édifiante de mauvaise foi, B.J. se redressa et quitta péniblement le lit sur lequel elle se trouvait.

— Suis-je toujours gérante de cette auberge ? demanda-t-elle à Taylor.

— Bien sûr, répondit-il, étonné.

— Dans ce cas, mademoiselle Trainor, je suis la seule personne habilitée à engager ou à renvoyer le personnel de l'hôtel. Si vous souhaitez vous plaindre de Louise, écrivez-moi une lettre en bonne et due forme et je vous promets que je la prendrai en considération. Par contre, je me dois de vous avertir que vous serez tenue pour responsable de tout dommage causé dans votre chambre. Nous ne pouvons laisser nos clients dégrader impunément le mobilier.

— Taylor ! protesta Darla. Tu ne vas tout de même pas la laisser faire !

— Tu devrais peut-être conduire Mlle Trainor au bar et lui servir un verre, suggéra B.J. à Taylor. Nous discuterons de cette affaire à tête reposée.

Il l'observa attentivement, comme s'il voulait s'assurer qu'elle n'avait plus besoin de lui. Finalement, il hocha la tête.

— Très bien, déclara-t-il. C'est ce que je vais faire. En attendant, repose-toi jusqu'à ce soir. Je veillerai à ce que personne ne te dérange.

B.J. acquiesça, quitta la chambre de Darla et regagna la sienne. Les factures étaient toujours éparpillées en désordre sur le sol mais elle ne se sentit pas le courage de les trier de nouveau.

Son mal de tête s'était aggravé et la faisait cruellement souffrir. Aussi se contenta-t-elle d'avaler deux aspirines avant de s'allonger sur son lit. Alors qu'elle était sur le point de s'endormir, il lui sembla entendre s'ouvrir la porte de sa chambre. Quelqu'un s'approcha d'elle et lui caressa doucement les cheveux avant de déposer un léger baiser sur ses lèvres.

Elle se demanda s'il s'agissait d'un rêve mais elle était bien trop fatiguée pour se forcer à rouvrir les yeux. Quelques instants plus tard, elle dormait à poings fermés.

Lorsqu'elle se réveilla quelques heures plus tard, sa migraine s'était légèrement atténuée et elle se sentait nettement plus en forme.

Quittant son lit, elle réalisa avec étonnement que quelqu'un avait ramassé les factures qui parsemaient le sol de sa chambre et les avait posées sur son bureau. B.J. s'en approcha et constata qu'elles étaient rangées dans l'ordre.

Se préparant mentalement à une nouvelle confrontation avec Darla, elle quitta la pièce et descendit au rez-de-chaussée. Là, Eddie, Maggie et Louise se trouvaient en plein conciliabule et elle les rejoignit pour s'enquérir du sujet de leur débat.

— B.J. ! Tu es réveillée. M. Reynolds nous a demandé de veiller à ce que personne ne te dérange, lui indiqua Maggie. Comment te sens-tu ? Louise m'a dit que Mlle Trainor t'avait attaquée et que tu avais une belle bosse.

— Ce n'est rien, éluda la jeune femme en observant attentivement le visage embarrassé de ses trois employés. Que se passe-t-il ici, exactement ?

Tous trois se mirent à parler en même temps et elle leva la main pour les faire taire.

— Eddie, dis-moi de quoi il retourne.

— C'est à propos de cet architecte, lui répondit son assistant.

B.J. fronça les sourcils, étonnée. A sa connaissance, aucun de leurs clients n'exerçait cette profession.

— De qui parles-tu ? demanda-t-elle.

— De celui qui est venu ici pendant que tu étais en Floride. Bien sûr, nous ne savions pas alors qu'il s'agissait d'un architecte. Dot pensait que c'était un artiste parce qu'il se promenait toujours avec un carnet à croquis et qu'il passait son temps à dessiner.

B.J. sentit monter en elle une brusque inquiétude.

— Quel genre de choses dessinait-il ? s'enquit-elle d'une voix mal assurée.

— L'auberge, principalement. Mais ce n'était pas un simple artiste.

— C'était un architecte, intervint Maggie, incapable de garder le silence plus longtemps.

Eddie lui jeta un regard chargé de reproches.

— Et comment l'avez-vous découvert ?

— Lorsque Louise l'a entendu discuter au téléphone avec M. Reynolds.

L'angoisse de B.J. s'accentua à mesure que ses suspicions se confirmaient.

— Comment cela s'est-il passé, Louise ? demanda-t-elle en se tournant vers la femme de chambre.

— Je ne l'ai pas fait exprès, lui assura celle-ci. En tout cas, pas au début. En fait, j'étais venue faire le ménage dans le bureau mais comme M. Reynolds était au téléphone, j'ai décidé d'attendre dehors qu'il ait fini. C'est là que je l'ai entendu parler de l'auberge et d'un nouveau bâtiment. Il a prononcé le nom de Fletcher et je me suis rappelé que c'était celui du fameux dessinateur. Ils parlaient de dimensions et de matériaux. Puis M. Reynolds a demandé à M. Fletcher de ne révéler à personne qu'il était architecte tant que lui-même n'aurait pas réglé un certain nombre de problèmes.

— B.J., intervint Eddie d'une voix inquiète en posant la main sur le bras de la jeune femme, est-ce que tu crois qu'il a finalement décidé de transformer l'auberge ? Est-ce que cela signifie qu'il va nous licencier ?

— Bien sûr que non, répondit B.J. d'une voix bien plus assurée qu'elle ne l'était réellement. Il doit s'agir d'un malentendu. M. Reynolds m'a dit qu'il m'avertirait personnellement s'il décidait de modifier quoi que ce soit. Je vais aller en discuter avec lui. En attendant, ne parlez de cela à personne, d'accord ? Je ne tiens pas à ce que tout le monde commence à s'alarmer à cause d'une rumeur infondée.

— Ce n'est pas une simple rumeur, fit une voix derrière eux.

Stupéfaits, ils aperçurent Darla qui s'était rapprochée discrètement pour écouter leur conversation.

— Et elle n'a rien d'infondé, ajouta la décoratrice.

— Retournez travailler, ordonna B.J. à ses trois employés. Je m'occupe de cette affaire.

A contrecœur, ils s'exécutèrent, jetant au passage quelques regards accusateurs à Darla Trainor qui ne paraissait pas s'en soucier le moins du monde.

— Je crois que Taylor veut vous parler, indiqua-t-elle à B.J.

— Vraiment ?

— Oui. Je pense qu'il est prêt à vous faire part de ses projets pour l'auberge. Une chose, en tout cas, est certaine : nous allons avoir du travail.

— Que savez-vous exactement des intentions de M. Reynolds ? demanda B.J., terrifiée.

— Vous ne pensiez tout de même pas qu'il allait laisser cet endroit en l'état simplement parce que telle était votre volonté ? répondit Darla avec un petit sourire ironique. Taylor a l'esprit pratique et il n'a rien d'un philanthrope. Je suppose néanmoins qu'il vous offrira un poste lorsque le nouvel hôtel sera prêt. Mais cela ne changera rien au fait que vous avez perdu la partie. A votre place, je crois que je ferais mes bagages pour éviter une telle humiliation.

— Etes-vous en train de me dire que Taylor a décidé de transformer l'auberge en club de vacances ? demanda B.J. d'une voix mal assurée.

— Evidemment ! s'exclama Darla avec un sourire indulgent. Pourquoi aurait-il besoin d'une décoratrice et d'un architecte, dans le cas contraire ? Mais si c'est le sort de votre personnel qui vous inquiète, soyez rassurée. Je suis certaine qu'il gardera tous les employés, au moins temporairement.

Sur ce, Darla se détourna et se dirigea vers l'escalier, laissant B.J. anéantie. Mais, très vite, son désespoir laissa place à une colère bouillonnante. Montant l'escalier quatre à quatre, elle regagna sa chambre et claqua la porte derrière elle.

Quelques minutes plus tard, elle redescendit en courant et gagna le bureau dans lequel elle s'engouffra sans même prendre la peine de frapper. Taylor quitta aussitôt la chaise sur laquelle il était assis et étudia attentivement le visage de la jeune femme qui trahissait la rage qu'elle éprouvait.

— Pourquoi n'es-tu pas restée tranquillement dans ton lit ? lui demanda-t-il, étonné.

En guise de réponse, elle déposa devant lui la nouvelle lettre de démission qu'elle venait de rédiger. Il la parcourut des yeux avant de se tourner de nouveau vers elle.

— Je croyais que nous avions déjà discuté de cette question, remarqua-t-il calmement.

— Mais tu m'avais donné ta parole ! s'exclama-t-elle, furieuse. Alors tu peux déchirer ma lettre si cela te fait plaisir mais cela ne me fera pas changer d'avis, cette fois ! Trouve-toi une nouvelle potiche, Taylor. Moi, je démissionne !

Sur ce, elle quitta la pièce à grands pas et manqua percuter Eddie qui traversait le couloir. L'écartant sans ménagement de son chemin, elle réintégra sa chambre. Là, elle sortit ses valises et entreprit d'y jeter pêle-mêle ses affaires sans se soucier de les ranger correctement.

Lorsque la première fut remplie à ras bord de vêtements, de produits de toilette et de livres, elle passa à la seconde. C'est alors que la porte s'ouvrit sur Taylor qui entra et contempla en souriant le chaos qui régnait dans la pièce.

— Sors d'ici ! s'exclama-t-elle en regrettant de ne pas être assez grande et forte pour le jeter dehors. Jusqu'à ce que je parte définitivement, cette chambre est la mienne et tu n'as pas le droit d'y entrer sans mon autorisation !

— On ne peut pas dire que tu sois très douée pour faire tes bagages, commenta-t-il d'un ton léger. De toute façon, c'est parfaitement inutile. Tu ne partiras pas d'ici.

— C'est ce que nous verrons, répliqua-t-elle tout en continuant à bourrer sa valise. Dès que j'aurai rassemblé mes affaires, je quitterai l'hôtel. Je ne peux plus supporter de me trouver sous le même toit que toi ! Tu m'avais fait une promesse et je t'ai cru. Je t'ai fait confiance ! Comment ai-je pu être aussi stupide ? J'aurais dû comprendre que rien de ce que je pourrais dire ou faire ne te ferait changer d'avis, une fois que ta décision serait prise. Mais je n'aurais jamais imaginé que tu puisses me mentir de façon aussi éhontée !

De grosses larmes coulaient à présent le long de ses joues et elle les essuya du revers de la main, furieuse de faire preuve de faiblesse en cet instant.

— Si seulement j'étais un homme, je pourrais te donner la correction que tu mérites ! s'écria-t-elle, rageuse.

— Si tu étais un homme, nous n'aurions probablement pas de problèmes à l'heure qu'il est, répondit posément Taylor. Maintenant arrête de t'agiter de cette façon. Je te rappelle que tu viens de prendre un coup sur la tête !

L'expression mi-agacée, mi-amusée qui se lisait sur le visage de Taylor ne fit qu'accroître le désespoir de la jeune femme. Comment pouvait-il être aussi cruel ? Ne comprenait-il pas qu'il l'avait blessée au plus profond d'elle-même ? Mais peut-être s'en moquait-il, songea-t-elle tristement.

— Laisse-moi tranquille, soupira-t-elle, défaite.

— Allonge-toi, B.J. et tâche de dormir. Nous discuterons quand tu seras reposée.

Il fit mine de la prendre par le bras mais elle recula prestement, sachant que, si elle le laissait faire, elle serait incapable de lui résister.

— Ne me touche pas ! s'écria-t-elle. Je suis sérieuse, Taylor !

Percevant la détresse qui perçait dans sa voix, il baissa la main.

— Très bien, lui dit-il en la regardant droit dans les yeux. Mais pourrais-tu au moins me dire ce que j'ai fait de mal ?

— Tu le sais très bien.

— Je n'en suis pas sûr, justement. Et j'aimerais que tu me l'expliques avec tes mots à toi.

— Tu as fait venir un architecte pendant que nous étions en Floride !

— Tu parles de Fletcher ? demanda Taylor, étonné. Que sais-tu d'autre à son sujet ?

— Que tu l'as appelé sans m'en parler et qu'il a inspecté l'auberge et dessiné les plans des aménagements que tu comptes réaliser. Et je te soupçonne de m'avoir emmenée en Floride pour me le cacher.

— C'était en partie le cas, reconnut Taylor sans se démonter.

Cet aveu tranquille transperça le cœur de B.J. aussi sûrement qu'une lame de couteau et elle détourna les yeux, incapable de retenir ses larmes.

— B.J., je pense vraiment que tu devrais me dire ce que tu crois savoir exactement.

— Oh, Darla a été plus que ravie de m'expliquer ce que tu avais en tête ! Tu n'as qu'à aller lui demander ce qu'elle m'a raconté !

— Elle est certainement déjà partie, à l'heure qu'il est, répondit Taylor. Tu ne pensais tout de même pas que j'allais la laisser rester après ce qu'elle t'avait fait ?

B.J. ne s'était certainement pas attendue à cela et elle se demanda comment Taylor pouvait faire preuve, d'un instant à l'autre, d'une telle cruauté et de tant de sensibilité.

— Que t'a-t-elle raconté ? demanda-t-il gravement.

— Elle m'a tout dit, répondit la jeune femme. Que tu avais fait venir un architecte pour qu'il trace les plans de ton futur centre de vacances. Que tu allais probablement engager quelqu'un d'autre pour s'en occuper… Tu m'as menti, Taylor. Et tu as manqué à ta parole. Mais ce n'est là qu'un grief personnel. Le plus grave, c'est que tu vas transformer profondément la vie de Lakeside et la structure même de cette communauté. Tu vas bouleverser des dizaines de vies pour gagner quelques dollars de plus dont tu ne sauras que faire. Palm Beach est un hôtel magnifique, c'est incontestable. Mais il l'est avant tout parce qu'il est parfaitement adapté à son environnement et je ne pense toujours pas que ce genre de structure soit transposable n'importe où.

Taylor la regarda longuement puis secoua tristement la tête.

— Si j'avais su que Darla pouvait se montrer aussi perfide, je n'aurais jamais fait appel à elle, soupira-t-il. Mais elle me le paiera très cher. Désormais, je me passerai de ses services…

Il s'interrompit et jeta un coup d'œil par la fenêtre, contemplant pensivement le lac.

— Si j'ai demandé à Fletcher de venir à l'auberge, reprit-il enfin, c'est pour deux raisons. La première, c'est que je voulais qu'il dessine les plans d'une maison que je compte faire bâtir sur le terrain que j'ai acheté la semaine dernière. Il est situé à dix kilomètres de Lakeside, sur une petite colline qui domine le lac.

— Je ne comprends pas. Pourquoi avoir acheté une telle propriété ?

— La deuxième raison, poursuivit Taylor sans tenir compte de sa question, c'est que je voulais qu'il imagine une nouvelle aile pour l'auberge en respectant son architecture. Je compte transférer ici le siège de ma société dès que nous serons mariés et il me faudra plus d'espace.

B.J. le contempla avec stupeur, se demandant s'il n'avait pas brusquement perdu la raison. Une myriade d'émotions contradictoires se succéda en elle tandis qu'elle restait silencieuse, incapable de trouver les mots pour exprimer ce qu'elle ressentait.

Finalement, au prix d'un effort surhumain, elle parvint à recouvrer un semblant de maîtrise de soi.

— Je n'ai jamais accepté de t'épouser, déclara-t-elle enfin.

— Mais cela viendra, lui assura-t-il avec une parfaite décontraction. En attendant, tu peux rassurer les membres de ton personnel. L'auberge demeurera semblable à ce qu'elle a toujours été et tu resteras la gérante sous réserve de quelques ajustements.

— Quel genre d'ajustements ? demanda B.J., ne sachant toujours pas que penser de ce brusque revirement de situation.

— Je suis parfaitement d'accord pour gérer mon entreprise dans l'enceinte d'une auberge, répondit-il en souriant. Mais je n'ai aucune envie de vivre sur mon lieu de travail. Je suggère donc que nous nous installions dans notre nouvelle maison dès qu'elle sera construite. Tu pourras alors céder ta chambre à Eddie et lui déléguer une partie de tes responsabilités. Cela nous permettra de nous ménager un peu de temps pour voyager, tous les deux. J'ai d'ailleurs déjà organisé une petite escapade à Rome dans trois semaines.

— A Rome ? balbutia B.J. qui se demandait si elle n'était pas en train de rêver.

— Ta mère m'a envoyé un certificat de naissance pour que je puisse faire établir un passeport à ton nom.

La jeune femme se rappela alors les questions qu'il lui avait posées à ce sujet lorsqu'ils étaient en Floride. Incapable d'assimiler les multiples révélations dont elle venait d'être témoin, B.J. se mit à faire les cent pas dans la chambre.

— Tu sembles avoir tout prévu, remarqua-t-elle en luttant pour conserver le contrôle de ses émotions. Tout, sauf mes propres sentiments au sujet de ces projets.

— Je connais parfaitement tes sentiments, objecta Taylor. Je te l'ai déjà dit : ton regard les trahit toujours.

— Je suppose que cela t'arrange, répliqua-t-elle d'un ton chargé de reproches. Tu as dû comprendre ce qui m'arrivait à l'instant même où je me suis rendu compte que j'étais tombée amoureuse de toi.

Elle s'immobilisa devant la fenêtre, regardant sans le voir le paysage qui s'offrait à sa vue. Taylor s'approcha alors et massa doucement ses épaules pour dissiper la tension qui s'était accumulée en elle.

— C'est vrai, reconnut-il. Et cela a beaucoup simplifié les choses.

— Je ne comprends pas, lui dit-elle. Pourquoi voudrais-tu m'épouser ?

Il posa ses lèvres sur les cheveux de la jeune femme et elle ferma les yeux, incapable de résister à cette marque de tendresse.

— A ton avis ? murmura-t-il d'une voix emplie de désir.

— Nous n'avons pas besoin d'être mariés pour cela, protesta-t-elle. La nuit où tu es venu dans ma chambre, j'étais déjà en ton pouvoir.

— Je sais, acquiesça-t-il en passant ses bras autour de la taille de B.J. Mais il était déjà trop tard pour que je puisse me contenter d'une simple nuit avec toi. Je savais déjà que tu étais celle que j'avais toujours cherchée, celle que j'avais toujours attendue. Toi, par contre, tu n'en étais pas encore convaincue, loin de là. Tu me désirais mais tu ne m'aimais pas. Et cela ne me suffisait pas.

— D'autant que tu avais Darla pour réchauffer ton lit en attendant, répliqua-t-elle avec une pointe de rancœur.

— Je ne mentirai pas, répondit gravement Taylor. Darla et moi avons été amants, autrefois. Mais je te promets que je ne l'ai pas touchée depuis le jour où je t'ai rencontrée. Ça l'a rendue furieuse, d'ailleurs, et elle a essayé de me détourner de toi. J'imagine qu'elle ne pouvait pas comprendre ce que je ressentais. Elle est incapable d'aimer qui que ce soit à part elle-même...

Se tournant vers lui, B.J. sentit une boule se former dans

sa gorge tandis que des larmes de joie coulaient le long de ses joues.

— Mais pourquoi as-tu attendu si longtemps avant de me le dire ? s'exclama-t-elle. Cela fait deux semaines que tu me rends complètement folle !

— Parce que je voulais que tu sois aussi sûre de tes sentiments que je l'étais des miens, répondit-il. Et ne t'imagine pas que cela a été plus facile pour moi ! J'ai dû me battre sans cesse contre moi-même, contre mon propre désir. J'ai vécu un véritable enfer, crois-moi ! Mais la seule chose qui m'aidait à le supporter, c'était l'amour que j'éprouvais pour toi et que je sentais grandir chaque jour.

B.J. le contempla d'un air incertain mais la tendresse infinie qu'elle lut dans son regard suffit à la convaincre que Taylor lui disait la vérité. Jamais elle ne s'était sentie aussi heureuse qu'en cet instant. Toutes les souffrances qu'elle avait traversées au cours de ces derniers jours étaient balayées par une joie si immense qu'elle en était presque terrifiante.

— Je t'aime, murmura Taylor d'une voix vibrante d'émotion. Je crois que je suis tombé amoureux de toi à l'instant même où je t'ai vue te jeter sur la dernière base de ce terrain de base-ball.

— Dans ce cas, tu aurais au moins pu dire que je n'étais pas out, répondit-elle en souriant à travers ses larmes.

Il éclata de rire et la prit dans ses bras pour la serrer contre lui de toutes ses forces. Et elle eut l'impression qu'après des années d'errance, elle se retrouvait enfin là où elle avait toujours voulu être.

— Je continue à penser que tu aurais pu me dire tout cela avant, reprit-elle enfin.

— Telle était bien mon intention lorsque je suis venu te parler, le jour où tu t'es disputée avec Darla. Lorsque je suis entré dans le bar, c'était pour t'avouer mes sentiments et tenter de prendre un nouveau départ. Mais, avant même que j'aie pu le faire, tu t'es montrée cassante et glacée. Le lendemain, dans ta chambre, tu t'es mise en colère. C'est là que j'ai compris que, tant que nous resterions dans un cadre professionnel, nous n'aurions jamais la possibilité de faire abstraction de nos différends. C'est pour cela que je t'ai emmenée avec moi en Floride.

— Je croyais que c'était parce que Bailey avait un problème, objecta-t-elle.

— Disons que j'ai fait d'une pierre deux coups. Mais, de toute façon, j'étais bien décidé à t'arracher quelques jours à l'auberge. Je voulais que nous nous retrouvions seuls, toi et moi. Que tu puisses te détendre et être plus à l'écoute de ton propre cœur.

Il sourit et déposa un petit baiser sur ses lèvres.

— Bien sûr, reprit-il, je ne pensais pas que tu en profiterais pour séduire Hardy !

— Je ne l'ai pas séduit, protesta-t-elle vivement. C'est lui qui a essayé.

— Tu ne l'as pas vraiment découragé.

— Ne me dis pas que tu étais jaloux !

— Voilà ce que j'appelle un euphémisme, répondit Taylor en riant. En tout cas, c'est à ce moment que j'ai décidé pour la deuxième fois de t'avouer mes sentiments. J'étais bien décidé à le faire dans les règles de l'art. J'avais commandé un bon dîner, du vin et mis de la musique. Et je voulais te demander de m'épouser.

— Pourquoi ne l'as-tu pas fait, alors ? demanda B.J., étonnée.

— Parce que je me suis laissé distraire, avoua-t-il. Je n'avais pas du tout l'intention que les choses aillent aussi loin. Et je comptais bien sur la force de ma volonté pour éviter que cela ne se produise. Mais j'avais mésestimé le désir que j'avais de toi. Et lorsque j'ai réalisé que j'étais en train de perdre tout contrôle, je m'en suis voulu.

— Je pensais que c'était contre moi que tu étais furieux, remarqua B.J.

— Je sais. Et cela valait peut-être mieux. Si tu avais deviné ce que je ressentais, je n'aurais probablement pas pu résister à la tentation. Or je ne voulais pas que notre relation se limite à cela.

— Moi qui croyais que tu ne me désirais pas vraiment, murmura-t-elle, stupéfaite par l'idéalisme que trahissaient ses paroles.

Ce fut au tour de Taylor de paraître surpris.

— Comment as-tu pu imaginer une chose pareille ? s'exclama-t-il. Je te veux, B.J. J'ai besoin de toi comme je n'ai eu besoin de personne auparavant. Chaque fois que je te regarde dans les yeux, j'ai l'impression de m'y perdre pour mieux me retrouver.

Terrassée par l'émotion qu'éveillait en elle cette déclaration passionnée, B.J. ne put trouver les mots pour y répondre. Jugeant que les gestes valaient parfois mieux que les paroles, elle se dressa sur la pointe des pieds pour embrasser Taylor.

Il y avait dans ce baiser une tendresse si profonde qu'il prenait la valeur d'une promesse éternelle, de cet engagement total qu'elle se sentait prête à lui offrir. Il était son présent et son avenir, le seul homme qu'elle ait aimé et qu'elle aimerait à jamais.

— Je ne sais pas comment j'ai pu rester loin de toi au cours de ces derniers jours, murmura Taylor quand ils se séparèrent enfin. J'avais l'impression de me retrouver seul dans le désert.

214

La jeune femme enfouit son visage au creux de son épaule, se gorgeant de son odeur qui éveillait en elle un désir enivrant.

— Je voulais juste que tout soit prêt lorsque je reviendrais vers toi, reprit Taylor. Malheureusement, ta perspicacité m'en a empêché. Notre contrat de mariage ne sera prêt que demain.

— Je peux peut-être accélérer la procédure, répondit B.J. en souriant. Le juge Walker est l'oncle d'Eddie.

— Je vois aujourd'hui combien tu avais raison, lui dit Taylor en riant. Rien ne vaut les petites villes !

Comme il se penchait sur elle pour l'embrasser de nouveau, quelqu'un frappa frénétiquement à la porte.

— B.J., c'est moi, fit la voix d'Eddie. Je n'arrive pas à retrouver le dîner de Julius, le chien de Mme Frank. Il faudrait aussi des graines pour Horatio.

— Qui diable est Horatio ? souffla Taylor.

— Le perroquet des sœurs Bodwin, répondit B.J.

— Dans ce cas, tu n'as qu'à dire à Eddie de donner Horatio à manger à Julius. Cela devrait régler le problème !

— C'est une idée, répondit B.J. en riant. Mais je crois que nous perdrions de très bonnes clientes. Le repas de Julius est sur la troisième étagère du réfrigérateur de la réserve, ajouta-t-elle à l'intention d'Eddie. Quant aux graines, tu n'as qu'à envoyer quelqu'un à l'épicerie de Lakeside. Je sais qu'ils en vendent. Maintenant, fiche le camp, Eddie. Je suis en pleine discussion avec M. Reynolds !

— Très bien, je vous laisse, répondit son assistant.

Ils l'entendirent s'éloigner dans le couloir. La jeune femme se tourna alors vers Taylor en souriant.

— Maintenant, monsieur Reynolds, je pense que nous devrions étudier les plans qu'a dessinés M. Fletcher. En tant que gérante, je pense avoir mon mot à dire sur les aménagements qu'il a prévu de réaliser.

— B.J., je me demande vraiment si tu apprendras un jour à te taire, s'exclama Taylor en souriant.

— Ne compte pas trop là-dessus, répliqua-t-elle. Mais je te promets de te laisser de longues années pour m'enseigner les vertus du silence.

— Dans ce cas, déclara Taylor, je ferais mieux de commencer dès maintenant.

Se penchant sur elle, il posa ses lèvres sur les siennes.

— Au fait, ajouta-t-il malicieusement lorsqu'ils se séparèrent. Maintenant que j'ai vu ton acte de naissance, je sais enfin ce que représentent les initiales de ton prénom…

NORA ROBERTS

Passion

éditionsHarlequin

*Cet ouvrage a été publié en langue anglaise
sous le titre :*
BLITHE IMAGES

Traduction française de
ANDRÉE JARDAT

Originally published by S<small>ILHOUETTE</small> B<small>OOKS</small>,
division of Harlequin Enterprises Ltd.
Toronto, Canada

1.

La jeune femme virevoltait inlassablement sous les projecteurs, sa luxuriante crinière d'un noir de jais cascadant sur ses épaules. Elle offrait à l'objectif braqué sur elle son visage aux traits réguliers sur lequel se succédaient les expressions les plus variées.

— C'est ça, Hillary, continue, l'encourageait Peter Newman en mitraillant de son appareil photo chacun de ses mouvements. Ta bouche, je veux voir ta bouche ! N'oublie pas que c'est un rouge à lèvres que nous vendons. Là, fantastique ! conclut-il en se relevant de la position accroupie qu'il avait adoptée. C'est bon, ça suffit pour aujourd'hui.

Hillary étira sa longue silhouette élancée.

— Je suis exténuée ! Il me tarde d'être à la maison et de me couler dans un bon bain chaud.

— Songe un peu aux millions de dollars que cette marque de cosmétiques va gagner grâce à toi, ma chérie, commenta Peter en balayant consciencieusement le studio du regard avant d'éteindre les lumières du plateau.

— Quand j'y pense, c'est ahurissant tout de même !

— Mmm, tu as raison, renchérit Peter d'un air distrait. N'oublie pas que demain nous travaillons pour une marque de shampooing, alors veille à prendre soin de cette crinière de rêve. Ah, zut ! J'oubliais, j'ai un rendez-vous d'affaires, l'informa-t-il en se retournant vers elle. Je t'enverrai quelqu'un pour me remplacer.

Hilary lui adressa un sourire plein d'indulgence. Depuis trois ans maintenant qu'elle travaillait comme mannequin, elle avait eu tout loisir d'apprécier Peter et d'en faire son photographe préféré. Elle lui trouvait des qualités rares que peu de professionnels possédaient, tel ce don qu'il avait de trouver du premier coup le bon angle et de capturer de façon presque instinctive l'expression juste qu'il traquait sur le visage de ses modèles.

Et le fait qu'il soit désespérément et irrémédiablement tête en l'air et désorganisé n'enlevait rien à l'admiration et au respect qu'Hillary lui portait.

— De quoi s'agit-il ? s'enquit cette dernière qui connaissait trop bien la capacité de Peter à perdre le sens des réalités et à tout mélanger dès que celles-ci ne concernaient pas son précieux matériel photographique.

— Ah ! C'est vrai, je ne t'en ai pas parlé.

Hillary confirma d'un signe de tête qui incita Peter à poursuivre.

— J'ai rendez-vous avec Bret Bardoff à 10 heures.

— Bret Bardoff, le patron du magazine *Mode* ? répéta Hillary, au comble de la perplexité. J'ignorais qu'il s'abaissait à accepter des rendez-vous avec le commun des mortels, poursuivit-elle d'un ton sarcastique.

— Eh bien, il faut croire qu'il a changé son fusil d'épaule puisque son assistante m'a contacté pour me dire qu'il voulait me rencontrer. Il paraît qu'il veut discuter avec moi d'un projet, ou je ne sais quoi.

— Je te souhaite bonne chance, alors. D'après ce que j'ai entendu dire de lui, c'est une forte personnalité qui n'a pas l'habitude qu'on discute ses ordres. Dur en affaires et prêt à écraser ceux qui se trouvent en travers de sa route.

— Il n'en serait pas où il en est aujourd'hui s'il n'avait pas eu ces qualités, plaida Peter dans un haussement d'épaules désabusé. Car même si c'est son père qui est le fondateur de *Mode*, il faut bien reconnaître que c'est grâce à son génie des affaires que les ventes ont doublé et qu'il a pu absorber d'autres magazines de presse. En outre, c'est non seulement un formidable homme d'affaires, mais également un photographe très talentueux, un de ceux qui n'hésiteraient pas à mettre leur réputation en jeu pour obtenir la photo du siècle !

— Toi, de toute façon, pourvu que quelqu'un sache faire la différence entre un Nikon et un Canon…, se moqua gentiment Hillary en ébouriffant tendrement les cheveux déjà hirsutes de son ami. En tout cas, ce n'est pas le genre d'homme qui m'attire. Il me terroriserait plutôt, même.

— Toi, terrorisée ? Il n'est pas encore né celui qui te fera peur ! assura Peter en regardant avec affection la jeune femme rassembler ses affaires et se diriger d'un pas décidé vers la porte. Bon, je t'envoie quelqu'un à 9 h 30, demain matin.

Hillary lui fit un petit geste de la main et sortit dans la rue où elle héla un taxi. Tout comme des centaines de ses concitoyens, la parfaite New-Yorkaise quelle était devenue avait très vite adopté ce moyen de locomotion.

Elle avait à peine vingt et un ans lorsqu'elle avait tout laissé tomber pour venir tenter une carrière de mannequin à New York. La transition entre la jeune campagnarde qu'elle était alors et le mannequin reconnu qu'elle était aujourd'hui n'avait pas été facile, mais elle n'avait jamais voulu renoncer, s'accrochant de toutes ses forces pour s'adapter à la vie trépidante de cette mégapole tentaculaire.

La première année avait été difficile, la voyant accepter

de petits boulots sans intérêt, mais elle avait refusé de renoncer et avait définitivement chassé tout désir de retourner vivre dans le cocon familial. Puis, peu à peu, sa ténacité avait commencé à payer et elle était devenue l'emblème de nombreuses marques publicitaires. Elle avait fini par être incontournable et sa rencontre avec Peter l'avait hissée aux sommets. Depuis, son visage inondait les pages publicitaires des magazines quand il n'en faisait pas la couverture.

Elle avait gravi les échelons par paliers, et elle devait aux sommes exorbitantes qu'elle gagnait aujourd'hui d'être passée du petit studio minable de ses débuts au magnifique appartement surplombant Central Park dont elle était propriétaire.

Pourtant la profession de mannequin n'avait jamais été une passion. Elle la considérait tout simplement comme un métier. Et si elle était venue se frotter à une ville comme New York, ce n'était pas pour courir après des chimères, mais juste avec la ferme intention de réussir ce qu'elle avait décidé d'entreprendre et de se prouver qu'elle pouvait se débrouiller seule.

Sa silhouette déliée, sa grâce naturelle et son port de reine l'avaient définitivement confortée dans le choix de cette profession. Le petit air exotique que lui donnaient sa lourde chevelure d'un noir de jais, ses pommettes saillantes et ses yeux d'un bleu profond bordés de cils incroyablement longs avaient fait le reste. Quant à son teint de porcelaine, il contrastait merveilleusement avec sa bouche pleine et sensuelle naturellement carminée. Son allure étonnante lui donnait une aisance naturelle qui faisait d'elle l'un des mannequins les plus photogéniques de sa génération. Désormais, les photographes s'arrachaient cette jeune femme qui pouvait exprimer avec une facilité déconcertante la palette d'émotions qu'ils exigeaient d'elle et possédait la rare faculté d'évoluer avec une aisance stupéfiante devant les objectifs.

Une fois chez elle, Hillary se laissa tomber sur le canapé et envoya ses chaussures valser à l'autre bout de la pièce. Elle enfonça avec délectation ses pieds nus dans la moquette profonde et se réjouit à la perspective de passer une soirée tranquille, seule dans son grand appartement.

Une demi-heure plus tard, enveloppée dans une robe d'intérieur bleue qui présentait l'avantage d'être aussi confortable qu'élégante, elle s'affairait à la préparation de ce qui pour elle représentait un festin : une soupe légère accompagnée de biscuits diététiques.

Les trois petits coups frappés à la porte d'entrée lui annoncèrent l'arrivée inopinée de sa voisine.

— Salut, Lisa, lui dit-elle avec un grand sourire. Tu dînes avec moi ?

Lisa MacDonald plissa son petit nez retroussé et esquissa une moue dédaigneuse.

— Non, merci. Je préfère encore prendre quelques kilos plutôt que mourir de faim en ta compagnie.

— Si je ne faisais pas attention, se défendit Hillary en passant une main sur son ventre plat, eh bien… tu n'aurais plus qu'à me trouver un travail dans ton cabinet d'avocats. Au fait, comment va ton fringant collègue ?

— Je crains bien qu'il ne se soit pas encore rendu compte de ma présence, se plaignit la jeune femme en s'affalant sur le canapé. Je commence sérieusement à désespérer et s'il ne se passe rien d'ici quelques jours, je vais être obligée de prendre les choses en main. Et là, tu me connais : je suis capable du pire !

— Dans ce cas, pourquoi n'essaierais-tu pas de lui faire

un croche-pied quand il passera devant ton bureau ? Il sera bien obligé de te remarquer.

— Mmm, pourquoi pas, en effet ?

Hillary adressa un petit sourire amusé à son amie et s'installa à côté d'elle. Elle allongea ses jambes sur la table basse et demanda d'un ton dégagé :

— Tu as déjà entendu parler de Bret Bardoff ?

Lisa écarquilla les yeux.

— Qui n'a pas entendu parler de lui ? Milliardaire, incroyablement beau, brillant homme d'affaires et toujours célibataire.

Lisa énumérait toutes ces qualités sur le bout de ses doigts.

— Pourquoi cette question ?

Hillary haussa légèrement les épaules.

— Peter a rendez-vous avec lui demain matin, mais à vrai dire, il ne sait pas trop pour quelle raison.

— Ils doivent se voir en tête à tête ?

— Oui.

La jeune femme posa un regard perplexe sur Lisa avant de reprendre :

— Bien sûr, nous avons déjà travaillé pour ses magazines mais je n'arrive pas à comprendre pourquoi l'insaisissable patron de « Mode » veut, en personne, rencontrer Peter. Aussi bon photographe soit-il. Tout le monde dans le milieu parle de lui en termes élogieux et si on en croit la presse à scandales, il est l'incarnation même du prétendant idéal dont rêve toute jeune fille bonne à marier.

Hillary s'interrompit un instant, l'air songeur.

— C'est bizarre, je ne connais personne qui ait eu affaire à lui directement, je me demande qui il est réellement. En fait, moi je l'imagine plutôt comme une espèce de dieu intouchable qui régnerait sur ses sujets depuis l'Olympe.

224

— Tu en sauras plus demain, quand Peter l'aura rencontré, suggéra Lisa.

— J'en doute. Tout ce qui ne concerne pas la photographie ne présente, à ses yeux, strictement aucun intérêt.

Il n'était pas tout à fait 9 h 30 lorsque Hillary pénétra dans le studio le lendemain matin.

Sa chevelure, soigneusement préparée pour la publicité dont elle allait faire l'objet, cascadait joliment sur ses épaules en une foison de boucles épaisses et soyeuses.

Hillary s'installa dans la petite salle qui faisait office de loge et se maquilla d'une main experte. A 9 h 45, elle était prête et allumait avec impatience tous les projecteurs nécessaires à une séance de photos d'intérieur.

L'heure du rendez-vous était largement dépassée lorsque la porte du studio s'ouvrit. La jeune femme fonça sur le nouveau venu, maîtrisant difficilement la colère qu'elle sentait monter en elle.

— Vous êtes en retard, lâcha-t-elle sèchement en guise de bienvenue.

— Vraiment ? riposta l'inconnu, l'air sincèrement étonné.

Hillary marqua un temps d'arrêt pour détailler l'homme incroyablement séduisant qui se tenait devant elle. Son teint légèrement hâlé faisait ressortir le blond cendré de ses cheveux qu'il portait mi-longs, et le gris de ses yeux en amande. Sa bouche charnue esquissait un petit sourire en coin qui lui donnait un vague air familier mais qu'Hillary ne parvint pas à identifier.

— Nous n'avons jamais travaillé ensemble, je me trompe ?

demanda la jeune femme que la grande taille de l'inconnu forçait à lever la tête vers lui.

— Pourquoi cette question ? lui demanda-t-il en la regardant fixement.

Hillary baissa les yeux, embarrassée par le regard pénétrant du photographe, et crut bon de rajuster les poignets parfaitement en place de son chemisier pour se donner une contenance.

— Mais… heu… il n'y a aucune raison particulière, balbutia-t-elle. Bien, et si nous nous mettions au travail à présent, nous avons perdu assez de temps comme cela, reprit-elle en retrouvant toute son assurance. Où est votre matériel ? Vous comptez prendre celui de Peter ?

— Je suppose, oui, répondit-il, laconique, sans esquisser le moindre geste mais en dardant toujours sur Hillary son regard magnétique.

La nonchalance affichée de cet homme commençait à heurter sérieusement le professionnalisme de la jeune femme qui riposta sèchement :

— Eh bien, allons-y, je n'ai pas l'intention d'y passer la journée. En outre, je suis prête depuis une demi-heure.

— Je suis désolé.

Il accompagna ses paroles d'excuse d'un sourire irrésistiblement charmeur. L'idée traversa l'esprit d'Hillary qu'il pouvait s'en servir comme d'une arme redoutablement efficace. Elle pivota et s'éloigna de lui, soucieuse d'échapper à l'incroyable pouvoir de séduction de cet inconnu. Elle n'était pas là pour batifoler mais pour travailler.

Le photographe s'approcha des appareils de Peter et les passa soigneusement en revue.

— A qui sont destinées les photos ?

— Peter ne vous a rien dit ? s'enquit Hillary, sceptique.

Mais l'exaspération qu'elle sentait monter en elle s'évanouit aussitôt et, pour la première fois depuis l'arrivée de l'inconnu, un sourire attendri flotta sur ses lèvres.

— Peter est le plus talentueux des photographes mais il est aussi le plus distrait qui soit. A tel point que je me demande comment il fait pour ne pas oublier de se lever tous les matins.

Hillary enroula autour de ses doigts une boucle de cheveux qu'elle relâcha avant de déclamer sur un ton publicitaire :

— Pour des cheveux superbes, brillants et en bonne santé ! Une marque de shampooing, précisa-t-elle. Voilà ce que nous allons représenter aujourd'hui.

— Parfait, commenta laconiquement le photographe tout en réglant l'appareil choisi avec des gestes qui trahissaient un grand professionnalisme.

Au moins, il avait l'air de connaître son métier, songea Hillary, rassurée.

— Au fait, où est Peter ? demanda l'homme.

— Il ne vous a donc vraiment rien dit ? Remarquez, cela lui ressemble assez, ajouta la jeune femme qui commença à bouger gracieusement la tête devant l'objectif inquisiteur du photographe.

Celui-ci suivait le moindre des mouvements d'Hillary, capturant nombre de clichés sous des angles différents.

— Il avait rendez-vous avec Bret Bardoff, précisa-t-elle tout en soulevant sa lourde chevelure entre ses mains et en souriant à l'objectif. J'espère qu'il n'a pas oublié. En tout cas, s'il tient à rester en vie.

— Bret Bardoff a si mauvaise réputation ? demanda la voix derrière l'appareil.

D'un mouvement de tête, Hillary rejeta en arrière ses

boucles brunes tout en poursuivant la conversation, oublieuse de l'appareil qui la mitraillait sans pitié.

— En tout cas, c'est comme cela que je l'imagine. Je suppose qu'un homme d'affaires aussi intransigeant que lui ne doit tolérer aucune imperfection chez les autres. Alors, l'absence ou le retard d'un simple photographe…

— Vous le connaissez ?

Hillary laissa échapper un petit rire cristallin, comme si une telle éventualité était inconcevable.

— Non, et je ne le rencontrerai probablement jamais, nous n'avons vraiment rien en commun. Et vous ?

— Pas vraiment, non.

— Et pourtant, nous avons tous travaillé pour lui à un moment ou à un autre. Quand je pense que mon visage a paru des centaines de fois dans un de ses magazines et que je n'ai encore jamais rencontré Sa Majesté ! railla Hillary.

— Sa Majesté ? répéta le photographe, perplexe.

— Comment qualifier autrement un individu aussi imbu de lui-même ? D'après ce que j'ai entendu dire, il dirige ses affaires en véritable chef d'Etat.

— Vous ne semblez pas lui porter une grande estime.

Hillary haussa légèrement les épaules, signifiant ainsi le peu de cas qu'elle faisait de Bret Bardoff.

— En fait, je me sens peu d'affinités avec ce genre de personnes. Vous savez, moi je ne suis qu'une fille toute simple, originaire de l'Amérique profonde.

— Eh bien, ce n'est pas l'idée que l'on se fait de vous lorsqu'on vous voit ! commenta-t-il en abaissant son appareil. C'est bon, Hillary, je crois qu'avec ce que j'ai là, vous allez faire vendre des millions de litres de shampooing.

Hillary abandonna ses poses langoureuses et le regarda avec curiosité.

— Vous me connaissez ? Excusez-moi, je n'arrive pas à vous situer. Nous avons déjà travaillé ensemble ?

— Difficile de ne pas tomber sur votre visage quelque part. Et puis la beauté des femmes fait un peu partie de mon métier.

Il s'exprimait avec une simplicité naturelle, un sourire amusé au coin des lèvres.

— Il semblerait que vous ayez l'avantage sur moi, monsieur… ?

— Bardoff. Bret Bardoff, répondit l'inconnu en braquant l'objectif de l'appareil sur l'expression abasourdie d'Hillary. Vous pouvez refermer la bouche à présent, la séance est terminée.

Son sourire s'élargit tandis qu'il poursuivait avec une ironie manifeste :

— Vous êtes devenue muette tout à coup ?

Hillary se détesta pour son manque d'à-propos. Comment avait-elle pu être aussi stupide pour ne pas le reconnaître ? Elle avait pourtant vu sa photo des dizaines de fois dans les journaux, dans les magazines.

La vague de colère qui la submergeait la porta pour affronter l'homme qui se tenait face à elle et semblait la narguer. Elle s'éclaircit la voix et lâcha, ses yeux lançant des éclairs, les joues empourprées de colère :

— Vous vous êtes moqué de moi ! Vous m'avez laissée me couvrir de ridicule tout en prenant des photos alors que vous n'aviez aucun droit de le faire.

— Je n'ai fait qu'obéir à vos ordres, riposta placidement Bardoff.

— Vous n'étiez pas obligé mais surtout, dit-elle au comble de la colère, vous auriez dû me dire qui vous étiez !

— Vous ne me l'avez pas demandé.

Avant qu'elle ait eu le temps de répliquer la porte s'ouvrit à la volée sur un Peter confus et agité.

— Monsieur Bardoff, commença-t-il en s'avançant vers le couple qui se tenait toujours sous les projecteurs. Je vous prie d'accepter mes excuses, je croyais que notre rendez-vous avait lieu dans votre bureau. Et lorsque je suis arrivé, votre assistante m'a dit que vous vous étiez rendu au studio. Je… je ne sais pas comment j'ai pu me tromper ainsi, je suis vraiment désolé de vous avoir fait attendre.

— Ne vous en faites pas pour ça, répliqua Bret, un sourire goguenard aux lèvres. L'heure qui vient de s'écouler a été très enrichissante.

Peter parut soudain prendre conscience de la présence d'Hillary, ce qui ajouta à sa confusion.

— Je savais que j'oubliais quelque chose ! se lamenta-t-il. Ne t'en fais pas, mon chou, nous allons faire ces photos immédiatement.

— Ce n'est pas la peine, objecta Bret en tendant son appareil à Peter. Hillary et moi nous en sommes occupés.

Peter considéra Bret d'un air sceptique.

— Vous avez fait les photos ?

— Oui. En fait, Hillary avait à cœur de ne pas perdre de temps. Mais vous verrez, je pense qu'elles vous plairont.

— Je n'en doute pas une seconde, apprécia Peter avec dévotion, je sais ce que vous êtes capable de faire avec un appareil photo entre les mains.

Silencieuse, Hillary écoutait les deux hommes discuter. Elle aurait voulu que le sol s'ouvre sous ses pieds et l'engloutisse à jamais. Et même si elle reconnaissait que la faute en incombait à Bret Bardoff, cela lui était une maigre consolation car elle ne s'était jamais sentie aussi ridicule ! Avec quel toupet il lui avait laissé croire qu'il était le photographe qu'elle attendait !

Elle se remémora, les joues en feu, la façon autoritaire avec laquelle elle lui avait ordonné de commencer la séance, puis toutes les horreurs qu'elle lui avait confiées.

Elle ferma les yeux, souhaitant désespérément se trouver à dix mille lieues de là et ne plus jamais rencontrer Bret Bardoff.

Elle rassembla fébrilement ses affaires éparses.

— Eh bien, je vais vous laisser bavarder, annonça-t-elle d'une voix qu'elle voulait désinvolte. J'ai une séance à l'autre bout de la ville.

Elle prit une profonde inspiration et enchaîna rapidement :

— Au revoir, Peter. Ravie de vous avoir rencontré, monsieur Bardoff.

Mais lorsqu'elle passa devant eux, Bret lui saisit le bras d'une main ferme, l'empêchant de se précipiter vers la sortie. La jeune femme leva les yeux sur lui et soutint son regard, électrisée par le contact de cette main puissante sur sa peau.

— Au revoir, Hillary. Cette matinée a été des plus enrichissante, aussi, j'espère que nous aurons l'occasion de nous revoir très bientôt.

Hillary marmonna de vagues paroles inaudibles puis, se libérant de l'étreinte de Bret, se hâta vers la porte.

Ce soir-là, elle se préparait pour se rendre à un dîner, tentant vainement de chasser de son esprit les événements de la journée. En tout cas, songeait-elle pour se rassurer, elle était sûre d'une chose : elle n'allait pas retomber de sitôt sur

Bret Bardoff. Car après tout, ils n'avaient dû cette rencontre fortuite qu'à la négligence de Peter.

Hillary souhaita néanmoins que le vieil adage qui voulait que la foudre ne frappe jamais deux fois se révèle exact. Le souvenir de la situation humiliante qu'elle avait vécue ce matin même lui fit de nouveau monter le rouge aux joues.

La sonnerie du téléphone vint à point nommé la tirer de ses sinistres réflexions.

Hillary alla décrocher et la voix surexcitée de Peter se fit entendre à l'autre bout du fil.

— Hillary, ma chérie, je suis si content de pouvoir te parler !

— A vrai dire, je n'ai pas beaucoup de temps, je m'apprêtais à sortir. Qu'y a-t-il de si urgent ?

— Je ne peux pas rentrer dans les détails maintenant. Bret t'en parlera demain matin.

Hillary ne manqua pas de noter la familiarité qui s'était instaurée entre les deux hommes au point que Peter appelait maintenant le magnat de la presse par son prénom.

— Peter, de quoi parles-tu ?

— Bret t'expliquera tout cela lui-même demain matin. Tu as rendez-vous avec lui à 9 heures.

— Pardon ? s'écria Hillary, manquant de s'étrangler sous le coup de la surprise. Mais enfin, Peter...

— Hil, l'interrompit ce dernier, tu verras, c'est une formidable opportunité pour nous deux ! Mais tu en sauras plus demain. Tu sais où se trouvent les bureaux de Bret, j'imagine ?

C'était là une affirmation plus qu'une question tant nul n'était censé ignorer où se trouvait le siège du célèbre magazine *Mode*.

— Je ne veux pas revoir cet homme, Peter, protesta Hillary, paniquée à l'idée de croiser de nouveaux les yeux gris métalliques de Bret Bardoff. Je ne sais pas ce qu'il t'a raconté après mon départ, mais en tout cas ce que je peux te dire, moi, c'est que je me suis couverte de ridicule ! Tu comprends, je l'ai vraiment pris pour le photographe que tu devais m'envoyer, d'ailleurs tu es partiellement responsable et...

— Ne t'inquiète donc plus pour ça, s'écria Peter, ça n'a aucune importance. Sois bien à l'heure, n'est-ce pas ? A demain, ma chérie.

— Mais, Peter...

Hillary s'interrompit net, consciente de parler dans le vide. Peter avait raccroché.

C'en est trop, se dit-elle en se laissant lourdement tomber sur son lit. Comment Peter pouvait-il lui faire un coup pareil ? Comment pourrait-elle de nouveau affronter le regard narquois de cet homme après tout ce qu'elle avait dit sur lui ?

Elle releva soudain la tête, redressa les épaules et décida fièrement de ne plus se laisser aller à ce sentiment d'humiliation qui la submergeait depuis le matin. Bret Bardoff cherchait une nouvelle occasion de rire à ses dépens ? Eh bien, elle allait montrer à Sa Majesté l'Empereur de quel bois se chauffait une Hillary Baxter, fille de la campagne !

Hillary hésita un long moment avant de porter son choix sur une simple robe en maille blanche à col montant qui mettait parfaitement en valeur sa silhouette sans défaut. Elle enfila ensuite une paire d'escarpins à hauts talons qui lui permettraient d'être à la même hauteur que son interlocuteur, puis opta pour un chignon soigneusement tiré sur la nuque qui donnait un côté plus formel à sa tenue.

Elle jeta un bref coup d'œil à son reflet dans la psyché. Un sourire satisfait flotta sur ses lèvres. Bret Bardoff n'avait qu'à bien se tenir : aujourd'hui il n'aurait pas affaire à l'oie blanche rougissante et bégayante de la veille, mais à une jeune femme décontractée et sûre d'elle.

Hillary n'avait rien perdu de sa confiance lorsqu'elle parvint au dernier étage de la tour où se trouvaient les bureaux de *Mode*.

Elle consulta sa montre et constata avec satisfaction qu'elle était parfaitement à l'heure. Elle se dirigea d'un pas assuré vers le bureau de la réception derrière lequel trônait une jolie jeune femme brune qu'elle informa de son nom. Cette dernière passa un bref coup de fil interne puis conduisit Hillary jusqu'à une lourde porte en chêne qui ouvrait sur une vaste pièce où l'accueillit en souriant l'assistante personnelle de Bret Bardoff.

— Entrez, mademoiselle Baxter. M. Bardoff vous attend.

Hillary franchit une double porte et se retrouva dans l'imposant bureau de Bret. Tout dans cette pièce respirait l'opulence et le bon goût. Jusqu'au bureau de chêne massif, judicieusement placé devant une baie vitrée qui offrait une vue panoramique de la ville à couper le souffle.

Bret se leva et vint à sa rencontre.

— Bonjour, Hillary. Mais entrez donc, vous n'avez tout de même pas l'intention de rester debout, dos à la porte, durant tout notre entretien.

Le corps d'Hillary se raidit légèrement mais elle parvint néanmoins à afficher un sourire de circonstance.

— Bonjour, monsieur Bardoff. Je suis ravie de vous revoir si vite, mentit-elle avec aplomb.

Bret passa sa main sous le coude de la jeune femme et la guida jusqu'à un siège qui faisait face à son bureau.

— Allons, pas d'hypocrisie entre nous, Hillary. Je

n'ignore pas que vous auriez préféré ne plus avoir à croiser ma route.

D'un sourire entendu, Hillary confirma les dires de Bret.

— Cependant, poursuivit ce dernier de la même voix égale, je vous suis reconnaissant d'être venue et de servir ainsi mes intérêts.

— Et quels sont-ils ces intérêts ? s'enquit sèchement Hillary que l'arrogance de son interlocuteur commençait à exaspérer.

Bret se cala un peu plus dans son fauteuil et détailla ostensiblement Hillary de la tête aux pieds. Celle-ci resta de marbre face à cette provocation affichée, destinée sans doute à la déstabiliser. Car elle était plus que jamais déterminée à ne pas laisser voir à ce mufle trop sûr de lui que ses œillades la troublaient plus qu'elle ne l'aurait voulu.

— Eh bien, mes intérêts sont, pour le moment, strictement professionnels.

Bret épingla la jeune femme de son regard d'acier et reprit :

— Mais je ne vous cache pas que cela peut changer à tout moment.

Hillary sentit se craqueler la carapace dont elle s'était protégée et ses joues s'empourprèrent violemment, néanmoins elle mit toute sa volonté à soutenir le regard de Bret sans ciller.

Ce dernier, amusé par sa réaction, poursuivit sans pitié :

— Vous rougissez ! J'ignorais que cela existait encore de nos jours et vous êtes probablement la dernière d'une race en voie de disparition.

— Pourrions-nous en venir à la raison de ce rendez-vous, monsieur Bardoff ? demanda Hillary d'une voix policée.

Vous devez avoir un emploi du temps extrêmement serré et, que vous le croyiez ou non, je suis moi-même submergée de travail.

— Bien sûr, bien sûr. « Ne perdons pas de temps », dit-il en la citant. Eh bien voilà, j'ai eu une idée de sujet que j'aimerais voir se concrétiser.

Il s'interrompit, le temps d'allumer une cigarette et d'en offrir une à Hillary que celle-ci refusa d'un signe de tête.

— A vrai dire, j'y pense depuis pas mal de temps déjà mais il me manquait le photographe et le mannequin qui me donneraient l'envie de le faire.

Il fit une nouvelle pause, regarda Hillary fixement, donnant à la jeune femme la désagréable impression d'être examinée au microscope, puis poursuivit :

— Mais je pense avoir trouvé.

— Si vous me donniez quelques détails, peut-être pourrions-nous avancer.

— En fait, j'ai imaginé une série d'articles spéciaux, ou plus exactement, toute une histoire en images sur les différentes facettes de la femme.

Enflammé par le sujet qu'il venait d'aborder, Bret quitta son fauteuil et vint s'asseoir sur un coin de son bureau, se rapprochant ainsi dangereusement d'Hillary qui ne resta pas insensible à la force et à la puissance de ce corps qu'elle devinait sous le costume strict.

— Ce que je veux, reprit-il, au comble de l'enthousiasme, c'est une illustration de tous les rôles que peuvent tenir les femmes dans notre société. Je veux la carriériste, la mère, l'athlète, l'épouse, la vamp, enfin, bref, un portrait complet de l'Eternel Féminin.

— Cela me paraît effectivement un sujet intéressant, admit Hillary, gagnée à son tour par la ferveur de son interlocuteur.

236

Et vous avez pensé à moi pour illustrer certains aspects de ce sujet ?

— Pas « certains ». Tous. C'est vous que je veux, pour toutes les photos.

Hillary accusa le choc, tentant de rassembler ses esprits.

— Monsieur Bardoff, je vais être franche avec vous. Il faudrait être complètement stupide pour refuser une offre pareille, mais j'aimerais connaître la raison qui vous a poussé à me choisir, moi.

— Allons, Hillary, répliqua Bret avec une pointe d'impatience, ce n'est pas moi qui vais vous apprendre à quel point vous êtes belle et photogénique.

Il parlait d'elle avec une voix dénuée de toute émotion, comme s'il ne voyait en elle que le support idéal d'un produit publicitaire.

— Peut-être, persista la jeune femme, mais il y a à New York des centaines de filles tout aussi belles et photogéniques que moi. Alors, je vous pose de nouveau la question, pourquoi moi ?

Bret se leva brutalement et enfouit les mains dans ses poches, signe chez lui d'une profonde irritation.

— Parce que je ne vois que vous pour illustrer toutes ces femmes à la fois. Je sais pour vous avoir vue à l'œuvre que vous possédez une faculté d'adaptation qui, bien qu'étant l'essence même de votre métier, est une qualité extrêmement rare. La seule beauté ne suffit pas, vous le savez bien. Et parce que votre honnêteté et votre sincérité transparaissent à travers les clichés que l'on prend de vous.

— Vous me croyez vraiment capable d'incarner toutes ces femmes à la fois ? insista encore Hillary qui se sentait sur le point de rendre les armes.

— Vous ne seriez pas là si je n'en étais pas certain. Et je

237

n'ai pas pour habitude de prendre mes décisions à la légère, sachez-le.

« Non, songeait Hillary en plongeant les yeux dans ceux de Bret. Je sais que tu ne laisses rien au hasard. »

— Je suppose que vous avez pensé à Peter pour les photos ?

Bret opina.

— Oui. Il y a entre vous une formidable complicité qui ressort de façon flagrante dans les photos qu'il fait de vous. Alors, pourquoi vouloir changer une équipe qui gagne ?

Hillary rougit légèrement sous le compliment et adressa à Bret un petit sourire embarrassé.

— Merci.

— Ne me remerciez pas, il ne s'agit pas là de flatterie mais d'une simple constatation. J'ai donné tous les détails à Peter, il ne vous reste plus qu'à signer les contrats, conclut Bret.

— Les contrats ? répéta Hillary, devenue soudain méfiante.

— Oui. Ce projet va nous prendre un certain temps et j'exige un droit d'exclusivité sur votre beau visage jusqu'à l'échéance du contrat.

— Je vois, commenta Hillary tout en se mordant machinalement la lèvre inférieure et en fronçant les sourcils.

— Ne me regardez pas comme si je venais de vous faire une proposition indécente, Hillary. Ce contrat est un contrat d'affaires et il n'y a rien de plus normal que d'en établir un.

La jeune femme releva fièrement le menton.

— Je sais. Ce qui me gêne c'est que, jusqu'à présent, je n'ai jamais signé de contrat à long terme.

— Oui mais, dans ce cas précis, il est obligatoire. Je n'ai nullement l'intention de vous voir accepter d'autres propositions durant tout le temps de ce projet. Si le côté financier vous inquiète, sachez que vous serez largement rétribuée, et si, malgré cela, vous avez des revendications à me présenter je suis prêt à négocier mais en tout cas durant les six mois à venir, votre image m'appartient, conclut-il d'un ton qui n'admettait aucune réplique.

Il se drapa dans un silence éloquent, traquant le moindre indice de réponse sur le visage d'Hillary.

La jeune femme luttait pour ne pas se laisser intimider par la toute-puissance qui se dégageait de l'homme qui lui faisait face. Certes, le projet la séduisait, mais pas l'instigateur de ce projet. En outre, être liée de la sorte à quelqu'un pour six mois lui faisait peur. Elle avait l'impression qu'en apposant son nom au bas d'un formulaire, elle sonnerait le glas de sa liberté.

Pourtant, elle décida de prendre le risque et c'est avec le sourire qui avait fait d'elle l'enfant chérie de toute l'Amérique qu'elle lui annonça triomphalement :

— Vous pouvez considérer que vous avez trouvé votre visage, monsieur Bardoff.

2

Bret Bardoff fit preuve d'une redoutable efficacité. En moins de deux semaines les contrats furent signés et le planning établi pour que les prises démarrent au début du mois d'octobre. Le thème fut choisi : le premier tableau illustrerait la pureté et l'insouciance de la jeunesse.

Hillary retrouva Peter dans un parc désert soigneusement sélectionné par Bret. C'était une de ces belles matinées d'automne où les rayons d'un soleil déjà timide filtraient à travers les branches encore feuillues des arbres.

La jeune femme portait un jean retroussé jusqu'aux chevilles sur lequel tranchait un long pull rouge vif à col roulé. Elle avait tressé sa lourde chevelure en deux nattes sages terminées par un ruban assorti à son chandail. Le maquillage léger qui illuminait un peu plus son visage complétait à merveille sa tenue.

Elle était l'incarnation même de la jeunesse vibrante de vie et de joie.

— Tu es parfaite, commenta Peter tandis qu'elle venait à sa rencontre. Belle et pure. Comment t'es-tu débrouillée pour arriver à un résultat aussi parfait ?

Hillary fronça le nez en une mimique moqueuse.

— Mais c'est tout simplement parce que je suis belle et pure, vieux schnock.

Peter ne daigna pas relever l'ironie et pointa du doigt une balançoire flanquée de part et d'autre d'un toboggan et d'un portique.

— Tu vois ces jeux, belle enfant ? Eh bien, va jouer et laisse le vieux schnock prendre quelques photos, répliqua-t-il avec humour.

Hillary courut s'installer sur la balançoire et c'est avec une joie toute puérile qu'elle laissa parler son corps. Elle prit son élan et lorsque le balancement fut assez fort pour la propulser au sommet, elle laissa aller sa tête en arrière pour se perdre dans l'azur du ciel. Elle escalada ensuite le toboggan et se laissa glisser, bras écartés, en poussant des petits cris de joie. Peter la mitraillait sans répit, ne négligeant aucun angle de vue.

— Tu as l'air d'avoir douze ans, dit-il en riant, l'œil rivé à l'objectif.

— Mais j'ai douze ans ! clama Hillary en se ruant sur le portique. Elle se suspendit par les jambes, ses nattes balayant la poussière du sol. Et je parie que tu ne sais pas faire le cochon pendu ! le défia-t-elle.

— Tout simplement renversant, commenta soudain une voix qui n'était pas celle de Peter.

Hillary tourna la tête et son regard s'arrêta sur un costume gris impeccablement coupé avant de remonter et de rencontrer une paire d'yeux d'un gris incroyablement métallique.

Bret Bardoff l'observait, un sourire ironique au coin des lèvres.

— Bonjour, charmante enfant, railla-t-il, ta maman sait où tu te trouves ?

— Qu'est-ce que vous êtes venu faire ici ? parvint à

articuler Hillary qui se trouva soudain dans une position parfaitement ridicule.

— Je suis venu superviser votre travail, répondit-il complaisamment sans la lâcher du regard. Combien de temps comptez-vous rester suspendue ainsi ?

En guise de réponse, Hillary saisit la barre, passa ses jambes par-dessus et dans un saut périlleux parfaitement exécuté, vint se réceptionner sans flancher devant Bret. Celui-ci lui tapota affectueusement la tête, comme il l'aurait fait avec une enfant obéissante, puis il reporta toute son attention sur Peter.

— Alors, j'ai l'impression que ça se passe plutôt bien, je me trompe ?

Les deux hommes engagèrent une discussion technique qui chassa Hillary vers la balançoire. Elle se laissa doucement bercer d'avant en arrière, songeant à ses précédentes rencontres avec Bret. Elle ne pouvait s'expliquer les sentiments mitigés dont elle était victime dès qu'elle se trouvait en sa présence. Bien que très séduisant, c'était un homme plein de morgue et de suffisance, qui savait trop bien jouer de la puissance que lui conférait sa position. Elle n'était pas sûre de vouloir fréquenter de trop près ce genre d'individu, dont elle pressentait qu'il pouvait être source de complications. Elle n'aspirait qu'à poursuivre le cours d'une vie linéaire, volontairement bien rangée.

La voix grave de Bret qui prenait congé de Peter interrompit le cours de ses pensées.

— Je vous retrouve à mon club à 13 heures. Tout est arrangé.

Hillary s'approchait de Peter lorsque Bret lui dit sur un ton paternaliste :

— Tu peux rester encore un peu, jeune fille, il te reste encore une heure à tuer.

— Je n'ai plus envie de jouer, « papa » ! fulmina Hillary, au comble de la colère.

Elle s'apprêtait à le planter là lorsqu'il la saisit par le poignet, la stoppant dans son élan. Elle leva vers lui des yeux furibonds qui lançaient des éclairs.

— Enfant gâtée, n'est-ce pas ? murmura-t-il d'un ton mielleux. Qui mériterait une bonne fessée.

— Cela pourrait s'avérer plus difficile que vous ne semblez le supposer, monsieur Bardoff. Car en réalité, j'ai vingt-quatre ans.

— Vraiment ?

Il balaya de son regard implacable la silhouette élancée de la jeune femme, s'attardant sur la rondeur de ses seins et de ses hanches.

— C'est possible, en effet.

La main qui enserrait le poignet glissa pour entrelacer les doigts qui tentèrent vainement de se libérer.

— Allons, venez ! proposa-t-il d'une voix si impérieuse qu'elle laissait supposer qu'il s'agissait d'un ordre. Pour me faire pardonner je vous offre un café.

Un sourire flotta sur les lèvres de Peter qui ne résista pas à la tentation d'immortaliser le couple singulier que formait ce géant blond qui traînait derrière lui une femme-enfant récalcitrante.

Quelques instants plus tard, assise face à lui dans un petit bar de quartier, Hillary était tiraillée entre indignation et résignation. Après tout, bien qu'extrêmement maladroite, cette tentative de conciliation était touchante. Et en tout cas, ne l'avait pas laissée indifférente.

— Peut-être devriez-vous commander une crème glacée, suggéra-t-il en désignant les joues rosies de la jeune femme.

Hillary était sur le point de répliquer vertement lorsque la serveuse arriva.

— Deux cafés, commanda Bret avec autorité.

— Non, pour moi ce sera un thé, riposta posément Hillary, pas mécontente de pouvoir enfin contredire cet homme trop sûr de lui.

— Pardon ?

— Je prendrai du thé. Si vous n'y voyez pas d'inconvénient, bien sûr. Je ne bois jamais de café, ça me rend nerveuse.

— Alors, un café et un thé, corrigea Bret. Mais comment faites-vous pour vous réveiller le matin sans une bonne tasse de café ?

Hillary rejeta ses nattes derrière ses épaules puis croisa les bras sur sa poitrine.

— Il suffit de mener une vie saine.

— Il est vrai que vous êtes le reflet même de quelqu'un qui a une bonne hygiène de vie, admit Bret en allumant une cigarette.

Il prit le temps d'exhaler une bouffée de fumée puis riva un long moment son regard à celui d'Hillary avant de déclarer :

— J'ai rarement vu des yeux aussi beaux que les vôtres. D'un bleu profond, parfois si sombre qu'il en devient presque violet. Et ces pommettes saillantes qui vous donnent cet air exotique… Dites-moi, Hillary, de qui tenez-vous ce merveilleux visage ?

Bien que rompue aux compliments en tout genre, la jeune femme fut troublée par une déclaration aussi spontanée.

— Il paraît que je ressemble beaucoup à ma grand-mère qui avait du sang indien dans les veines, expliqua-t-elle d'un air détaché tout en sirotant son thé.

Bret hocha la tête mais n'en continua pas moins de la dévisager.

— J'aurais dû m'en douter. Mais… vous n'avez tout de même pas hérité de votre grand-mère la couleur de vos yeux ?

— Non, cette couleur n'appartient qu'à moi, riposta Hillary en soutenant vaillamment le regard inquisiteur de Bret.

— A vous, mais aussi, pendant les six mois qui viennent, à moi.

Bret poursuivit son examen attentif et s'attarda longuement sur la bouche sensuelle de la jeune femme.

— D'où venez-vous, Hillary Baxter ? Vous n'êtes pas d'ici, n'est-ce pas ?

— Mes origines se voient tant que ça ? Je pensais pourtant avoir acquis un certain vernis qui faisait de moi une parfaite New-Yorkaise.

Puis retrouvant tout son sérieux, elle ajouta :

— Je suis originaire du Kansas. D'une petite bourgade du Nord qui s'appelle Abilene.

Bret inclina légèrement la tête et porta la tasse à ses lèvres.

— Manifestement, la transition s'est faite sans problème. Y aurait-il des blessures cachées ?

— Disons qu'il y en a eu mais qu'elles sont guéries, affirmat-elle un peu trop vivement. Et ce n'est pas moi qui vais vous apprendre que dans notre métier, tout se passe ici.

— Je vous imagine assez bien en grande fille toute simple de la campagne même si le rôle de citadine sophistiquée vous sied à merveille. Vous avez vraiment une capacité remarquable à vous adapter à l'environnement dans lequel vous vous trouvez !

Hillary esquissa une petite moue sceptique.

— Une espèce de caméléon passe-partout, en quelque sorte ?

— Un caméléon, vous ? !

Cette comparaison lui parut si saugrenue qu'il éclata d'un rire sonore.

— Non, je pense au contraire que vous êtes une femme très complexe mais qui possédez la faculté rare de pouvoir vous adapter en toutes circonstances.

Ce dernier compliment perturba Hillary au point qu'elle focalisa toute son attention sur sa tasse. Elle ne comprenait pas ce qui lui arrivait, elle d'habitude si sûre d'elle, si lucide ! Comment cet homme parvenait-il à lui faire perdre ainsi tous ses moyens ?

— Vous jouez au tennis, je suppose ?

L'incompréhension se peignit sur le visage d'Hillary. Comment pouvait-on passer du coq à l'âne avec autant d'aisance ? Puis elle se souvint que la séance de l'après-midi devait se dérouler sur les courts d'un club huppé de la ville.

— C'est beaucoup dire, répondit-elle, agacée par le ton condescendant de Bret. Disons que je me débrouille pour renvoyer la balle par-dessus le filet une fois de temps en temps.

— Ça devrait aller. Le principal étant que vous mimiez la bonne position et les bons gestes.

Il jeta un rapide coup d'œil à la montre-bracelet en or qu'il portait au poignet et s'empara du cartable qui ne le quittait jamais.

— Il faut que je repasse au bureau. Je vais vous appeler un taxi car j'imagine qu'il vous faudra un bout de temps pour vous métamorphoser en athlète accomplie. Je vous ai fait livrer une tenue de tennis au club, vous n'aurez qu'à vous maquiller là-bas, conclut-il en désignant d'un mouvement du menton le lourd sac qu'Hillary portait sur son épaule.

— Ne vous inquiétez pas, monsieur Bardoff.

— Je vous en prie, appelez-moi Bret car j'ai bien l'intention quant à moi de continuer à vous appeler par votre prénom.

— Ne vous inquiétez pas, répéta-t-elle en esquivant sa proposition. J'ai l'habitude des métamorphoses, c'est mon métier.

— Ce doit être sacrément intéressant, murmura-t-il d'un air pensif. Bien, le court est réservé pour 13 heures. Je vous retrouve là-bas.

— Vous allez assister à la séance ? s'enquit Hillary que cette perspective n'enchantait pas.

Bret lui ouvrit la portière du taxi, indifférent à la pointe de contrariété qu'il avait discernée dans sa voix.

— Je vous rappelle qu'il s'agit de *mon* projet, et j'ai bien l'intention de surveiller son élaboration de très près.

Confortablement installée sur la banquette arrière, Hillary tenta d'analyser objectivement ce qu'elle ressentait à l'égard du trop séduisant Bret Bardoff.

« Il ne me plaît pas, décida-t-elle fermement. Il est trop sûr de lui, trop arrogant, trop… »

Elle hésita un instant, cherchant le mot juste : « attirant ». Voilà, c'était exactement le terme approprié ! Bret Bardoff était beaucoup trop attirant et elle n'avait aucune intention de se laisser emporter par le désir qu'il lui inspirait. Car elle devait bien s'avouer qu'elle n'était pas insensible à la façon dont il la regardait, ou plutôt dont il la déshabillait du regard.

Elle appuya sa tête contre la vitre et suivit le flot incessant des voitures, laissant son esprit se perdre dans le vide.

Elle allait s'efforcer de le chasser de ses pensées. Ou plutôt, de ne voir en lui qu'un employeur comme les autres.

Elle baissa les yeux sur sa main, qu'il avait tenue dans la sienne, et ressentit une douce chaleur l'envahir. Elle repoussa ce souvenir, prit une profonde inspiration et décréta fermement que leur relation resterait strictement professionnelle.

En moins de temps qu'il n'en faut pour le dire, le jeune garçon manqué s'était miraculeusement transformé en une joueuse de tennis confirmée. Hillary avait troqué son jean contre une jupe plissée blanche qui dévoilait ses longues jambes fuselées, et portait un gilet assorti qui la préservait de la fraîcheur de cet après-midi d'octobre. Ses cheveux qu'elle avait soigneusement tirés en arrière accentuaient la pureté de ses traits et mettaient en valeur ses yeux légèrement maquillés et sa bouche charnue teintée d'un rose pâle.

Elle alliait ainsi à merveille charme et compétence.

Elle commença à s'échauffer, alternant dans le vide coups droits et revers et courant sur des balles, tandis que Peter cherchait les meilleurs angles de vue.

— Je pense que les prises seraient plus réalistes si vous aviez un vrai partenaire, lança la voix de Bret.

Hillary tourna la tête et contempla avec admiration le bel athlète qui venait d'arriver. Dans sa tenue d'un blanc immaculé, sa raquette à la main, lui aussi avait fière allure. La jeune femme, qui jusqu'ici ne l'avait vu que dans des costumes stricts, ne put s'empêcher de détailler le corps puissant, tout en muscles, qui s'offrait à sa vue.

— L'examen est positif ? demanda-t-il d'un ton goguenard.

Hillary devint cramoisie et trouva nécessaire de justifier son regard indiscret.

— Je trouvais juste surprenant de vous voir habillé de cette façon.

— Pour jouer au tennis, c'est encore ce qu'on a trouvé de mieux, non ?

— Parce que vous avez l'intention de jouer ?

— Oui. Je pense que les photos gagneront en crédibilité. Mais ne vous inquiétez pas, je saurai me mettre à votre niveau.

Hillary réprima à grand-peine l'exaspération que le ton suffisant de Bret avait déclenchée en elle, puis elle songea avec une pointe de satisfaction mesquine que son jeu risquait de le surprendre.

— Je vais faire de mon mieux pour vous renvoyer quelques balles, promit-elle d'un ton faussement candide.

— Parfait, commenta-t-il en gagnant le fond du court à grandes enjambées. Vous prenez le service ?

— D'accord, acquiesça-t-elle en se plaçant derrière la ligne de service.

Elle lança la balle en l'air et l'envoya habilement dans le carré de service d'où Bret la renvoya mollement. Hillary courut au filet et, d'un magnifique coup droit, frappa la balle qui échappa à la vigilance de Bret.

— Si je me souviens bien de la façon dont on compte les points, cela devrait faire 15-0, je me trompe ?

— Beau retour, la complimenta sobrement Bret. Vous jouez souvent ?

— De temps en temps, répondit évasivement Hillary en nettoyant sa jupe d'une poussière invisible. Vous êtes prêt ?

Bret hocha la tête et l'échange suivant les fit s'affronter courtoisement jusqu'à ce qu'Hillary, soudain montée au filet, prenne son adversaire par surprise, et marque le deuxième point en lobant adroitement sa balle qui retomba à quelques millimètres de la ligne de court, hors de portée de Bret.

— Je crains bien que cela fasse 30-0, non ? demanda-t-elle en battant innocemment des cils.

Les yeux de Bret se plissèrent en une interrogation muette tandis qu'il s'approchait du filet.

— Je ne sais pas pourquoi, mais j'ai la désagréable impression de me faire avoir.

— Vraiment ? s'exclama Hillary qui, devant la mine déconfite de Bret, ne put garder son sérieux bien longtemps. Je suis désolée, monsieur Bardoff, ajouta-t-elle en riant. Je n'ai pas pu résister, vous vous êtes montré si… paternaliste !

Au grand soulagement de la jeune femme, Bret ne lui tint pas rigueur de sa plaisanterie et rétorqua, sourire aux lèvres :

— Paternaliste dites-vous ? Alors accrochez-vous à présent car je n'ai plus l'intention de vous faire de cadeaux !

— Je vous propose de recommencer à zéro. Je ne voudrais pas que vous me reprochiez d'avoir profité de votre crédulité !

Bret reprit son jeu habituel, lui retournant son service avec force, mais cela n'empêchait pas la jeune femme de suivre son rythme et, à son tour, de lui imposer le sien. Les deux adversaires se battaient à présent sur chaque point, indifférents au bruit incessant du déclencheur qui ponctuait chacun de leurs échanges.

Se maudissant d'avoir bêtement laissé passer une balle qui lui valut de perdre l'avantage, Hillary s'apprêtait à servir de nouveau lorsque la voix de Peter la stoppa dans son élan.

— C'est bon, vous pouvez arrêter, je crois que j'ai ce qu'il me faut. Hil, tu avais l'air d'une vraie pro !

— Arrêter ? ! s'écria la jeune femme. Tu n'y penses pas, nous sommes à égalité !

Puis, indifférente à sa présence et à ses protestations, elle se concentra profondément et servit avec force.

Durant les minutes qui suivirent, ils se battirent sans pitié, jusqu'à ce que Bret, dans une ultime balle rasante que le revers d'Hillary renvoya dans le filet, remporte la victoire.

Mains sur les hanches, Hillary rumina un court instant sa défaite avant de s'approcher du filet pour féliciter son adversaire.

— Bravo ! dit-elle en lui adressant un sourire charmeur. Vous avez un beau jeu !

Bret prit la main qu'elle lui tendait et la tint serrée dans la sienne.

— Merci, mais ça n'a pas été facile, on peut dire que vous m'avez donné du fil à retordre. J'avoue qu'il me plairait assez de vous avoir pour partenaire dans un double mixte.

— Vous pourriez tomber sur pire, en effet.

Il soutint un instant le regard qu'elle avait posé sur lui puis porta à ses lèvres la paume de sa main qu'il tenait toujours captive.

— Une si jolie main, murmura-t-il en l'examinant attentivement. Je me demande comment elle a pu manier aussi fermement cette raquette de tennis.

Le doux contact de sa bouche sur sa peau la fit frissonner. Elle regarda fixement ses doigts, comme hypnotisée, incapable d'émettre le moindre son.

Bret la regardait, un sourire amusé au coin des lèvres.

— Pour me faire pardonner, je vous invite à déjeuner. Et vous aussi, Peter, dit-il à l'intention du photographe.

— Je vous remercie, répondit celui-ci en rassemblant son

matériel, mais je vais vite avaler un sandwich et je pars au labo développer ce film.

— Eh bien, alors, nous allons déjeuner en tête à tête, déclara-t-il avec une pointe de provocation.

— Vraiment, monsieur Bardoff…, commença Hillary, paniquée à l'idée de se retrouver seule avec lui et tentant vainement de libérer sa main. Ce n'est pas nécessaire, je vous assure.

Bret secoua la tête de droite à gauche, dans un mouvement qui voulait exprimer toute la déception que le refus de la jeune femme avait provoquée.

— Dites-moi, Hillary, est-ce dans vos habitudes de décliner systématiquement toutes les invitations ou dois-je comprendre que ces refus me sont exclusivement destinés ?

Hillary tenta de rester indifférente à la chaleur qui se dégageait de sa main sur la sienne et c'est d'un air qu'elle s'appliqua à vouloir détaché qu'elle répliqua :

— Ne soyez pas ridicule, voyons ! Et pourriez-vous, s'il vous plaît, lâcher ma main, monsieur Bardoff ?

Ce dernier ignora sa requête et resserra, au contraire, un peu plus la pression qu'il exerçait sur ses doigts.

— Essayez de m'appeler Bret, voulez-vous ? Une syllabe, c'est pourtant facile, vous devriez y parvenir sans difficultés.

Hillary sentit une telle détermination dans la voix de Bret, une telle condescendance doublée d'arrogance, qu'elle jugea préférable de céder à ce qu'elle considérait comme un caprice. Plus tôt elle accéderait à sa demande, plus tôt elle serait débarrassée de lui.

— Bret, pourriez-vous lâcher ma main ? répéta-t-elle en s'exhortant au calme.

— Eh bien, voilà ! Il semble que nous ayons surmonté le

premier obstacle, commenta-t-il en se pliant à la volonté de la jeune femme, un sourire narquois aux lèvres.

Libérée de ce contact qui lui faisait perdre tous ses moyens, Hillary reprit instantanément l'assurance qui la caractérisait.

— Vous n'y êtes pas allé de main morte, c'est le cas de le dire, railla-t-elle en secouant ses doigts endoloris.

Bret parut ne pas entendre et poursuivit avec tout autant d'aplomb :

— A propos de ce déjeuner, maintenant…

D'un geste de la main, il balaya les objections qu'Hillary s'apprêtait à faire.

— Vous avez pour habitude de vous nourrir, n'est-ce pas ?

— Oui, bien sûr, mais…

— Alors, allons déjeuner, trancha-t-il.

Moins de cinq minutes plus tard, Hillary se retrouvait attablée au restaurant du club, face à un Bret au comble de la satisfaction.

Décidément, songeait Hillary, contrariée, les choses ne se passaient pas du tout comme elle l'avait prévu. Elle qui s'était promis de n'entretenir avec lui que des relations strictement professionnelles, elle devait bien reconnaître qu'elle n'était pas sur la bonne voie ! Mais comment ne pas succomber à son charme ravageur, à son dynamisme stimulant, à sa redoutable intelligence ?

Hillary avait beau essayer de se persuader que les exigences de sa vie professionnelle ne lui laissaient guère de temps pour une relation amoureuse, et tous les signaux avaient beau clignoter en même temps pour la prévenir que cet homme risquait de chambouler l'ordre bien établi de sa vie, ses pensées la ramenaient sans cesse vers lui.

La voix moqueuse de Bret s'éleva, la tirant brutalement du profond silence dans lequel elle s'était retranchée.

— Quelqu'un vous a déjà félicitée pour vos fabuleuses qualités d'oratrice ?

— Excusez-moi. J'étais ailleurs.

— J'avais remarqué. Que voulez-vous boire ?

— Un thé.

— Tout de suite ?

— Oui, confirma-t-elle en passant elle-même la commande. Vous savez, je bois très peu d'alcool, les effets sont dévastateurs sur moi. Question de métabolisme, je suppose.

Bret rejeta la tête en arrière et éclata de rire. Imaginer Hillary en état d'ivresse l'amusait beaucoup, cette image d'elle collant si peu à la réalité !

— Je paierais cher pour vous prendre en défaut.

A la grande surprise d'Hillary, le déjeuner fut très agréable, bien que Bret manifestât bruyamment sa désapprobation quant au choix qu'elle avait fait. Mais comment convaincre un homme affamé du bien-fondé de choisir une salade plutôt qu'un navarin d'agneau lorsqu'on est mannequin ?

Ce ne fut pas le bref exposé qu'elle lui fit sur les risques liés à la surcharge pondérale qui le convainquit.

Parfaitement détendue, Hillary jouissait de l'instant présent, bien loin des bonnes résolutions prises le matin même. Elle l'écoutait avec dévotion l'entretenir des prises de vue du lendemain qui auraient lieu, décida-t-il, dans Central Park afin de leur donner un caractère sportif.

— Je ne pourrai pas venir demain, j'ai des réunions toute la journée. Vous pensez que vous pourrez vous en sortir sans moi ? demanda-t-il avec humour.

Il reporta soudain tout son intérêt sur la salade diététique qu'avait choisie Hillary et esquissa une moue dédaigneuse.

— Vous êtes sûre que vous ne voulez pas quelque chose de plus consistant ? Vous ne tiendrez jamais le coup avec un régime pareil !

Hillary secoua la tête en signe de refus et continua à siroter son thé, sans prêter attention aux commentaires que Bret marmonna sur la façon insensée qu'avaient les mannequins de se nourrir avant de reprendre le cours de sa conversation.

— Si nous restons dans les temps, nous pourrons enchaîner avec ce qui est prévu lundi. Au fait, Peter veut commencer très tôt demain matin.

— Comme d'habitude, commenta Hillary à qui Bret n'apprenait rien. Enfin, si le temps le permet.

— Il fera beau, décréta Bret avec une confiance inouïe. Puisque je l'ai décidé.

Hillary se cala dans son siège et le regarda fixement sans chercher à dissimuler la curiosité qu'il lui inspirait.

— Je n'en doute pas un instant, se moqua-t-elle. La pluie ne va pas oser vous défier.

Ils se sourirent et l'espace d'un instant, se sentirent liés par une profonde complicité.

— Vous prendrez un dessert ?

— Décidément, vous vous êtes mis en tête de me faire grossir ! rétorqua Hillary, soulagée de voir disparaître le trouble qui venait de la submerger. Malheureusement pour vous, j'ai une volonté de fer.

— Même si je vous dis : tarte Tatin, cheese cake, mousse au chocolat…, énuméra lentement Bret.

— Vous pouvez continuer, je ne céderai pas.

— Vous devez bien avoir un faible pour quelque chose. Laissez-moi encore quelques minutes et je vais finir par trouver.

— Bret chéri ! Quelle surprise de te trouver ici ! s'exclama près d'eux une voix féminine au ton passablement affecté.

Hillary leva vers l'inconnue qui venait de les rejoindre un regard sceptique. C'était une grande rousse élégante et qui, manifestement, connaissait très bien Bret Bardoff !

— Bonjour, Charlène, répondit Bret en lui adressant un sourire charmeur. Charlène Mason, Hillary Baxter.

— Enchantée, répondit du bout des lèvres la nouvelle venue. Nous sommes-nous déjà rencontrées ?

— Je ne crois pas, non, rétorqua Hillary, satisfaite qu'il en soit ainsi.

— Tu as dû voir le visage d'Hillary quelque part, précisa Bret. Lorsqu'il n'est pas placardé partout dans New York, il fait la couverture des magazines. Hillary est le mannequin vedette du moment.

Les yeux félins de Charlène s'étrécirent pour détailler ostensiblement Hillary de la tête aux pieds, puis elle se détourna d'un air méprisant de ce qu'elle jugeait désormais comme indigne d'intérêt.

— Bret, chéri, tu aurais dû me dire que tu venais ici, nous aurions pu passer un moment ensemble.

Ce dernier haussa les épaules de manière désinvolte.

— Désolé, mais je ne peux pas m'éterniser, et puis il s'agissait d'un repas d'affaires.

Le corps d'Hillary se raidit sous ce qu'elle considérait, à tort, comme une offense. Car après tout, Bret avait raison, c'était bien un déjeuner d'affaires et elle s'en voulut d'y avoir vu autre chose.

Elle rassembla fébrilement ses affaires et se leva pour prendre congé.

— Je vous en prie, mademoiselle Mason, prenez mon siège. J'allais partir.

Elle vit avec une pointe de satisfaction la contrariété se peindre sur le visage de Bret.

— Merci pour ce délicieux déjeuner, monsieur Bardoff, ajouta-t-elle dans un excès de politesse.

Puis elle se tourna vers Charlène et lui adressa un de ces sourires professionnels dont elle avait le secret.

— Ravie de vous avoir rencontrée, mentit-elle avant de s'éloigner d'une démarche royale.

— J'ignorais qu'inviter tes employées à déjeuner faisait partie de tes attributions, commenta Charlène avec aigreur et suffisamment fort pour que sa remarque désobligeante parvienne jusqu'à Hillary.

Celle-ci résista à la tentation de riposter et quitta la pièce dignement sans attendre la réponse de Bret.

La séance du lendemain fut plus ardue que les précédentes car Peter s'était mis en tête de faire des photos desquelles ressortiraient volonté et effort physique.

Comme l'avait prévu Bret, le temps était magnifique. Pas un nuage n'entachait le ciel d'un bleu lumineux et le regard exercé de Peter sut mettre à profit la riche palette de couleurs qu'offrait le parc en cette saison. Il utilisa également avec bonheur le merveilleux mélange d'ors et de pourpres qui avait déserté les arbres pour tapisser le sol.

Se prêtant docilement aux exigences de Peter, Hillary prit des poses, sourit à l'objectif, marcha, courut, grimpa aux arbres et donna à manger aux pigeons affamés.

A plusieurs reprises, elle s'était surprise à guetter la venue de Bret, souhaitant ardemment qu'il puisse se libérer de ses obligations pour les rejoindre.

Mais le miracle ne se produisit pas et la journée s'acheva dans un troublant mélange de déception et de soulagement.

Ce soir-là, elle se coula avec délice dans un bain chaud, soupirant d'aise à mesure qu'elle ressentait les bienfaits des sels parfumés sur ses muscles endoloris.

Quelle journée harassante elle venait de passer, n'échappant à aucun moment à l'objectif impitoyable de Peter, lui offrant à chaque seconde le meilleur d'elle-même.

Elle réalisa à quel point ce contrat était important pour elle, et ce qu'il impliquait comme renoncements car ce qu'elle venait de vivre était l'exemple type des journées qui l'attendaient durant les six mois à venir. Mais elle savait aussi que ce projet était le tremplin d'un avenir qui pourrait s'annoncer exceptionnel. Grâce à lui, et à l'appui de Bret, elle pourrait prétendre à devenir l'un des mannequins les plus célèbres du pays.

Une ride de contrariété barra soudain son front.

Pourquoi cette perspective lui déplaisait-elle soudain ? Elle avait toujours eu suffisamment d'ambition pour vouloir réussir dans sa profession. Alors ?

« Non, Majesté, dit-elle fermement au visage de Bret qui hantait son esprit depuis des heures, je ne te laisserai pas contrarier mes plans ni chambouler ma vie. Je me limiterai à rester un de tes sujets. »

Hillary était assise au côté de Chuck Carlyle dans une des discothèques les plus courues de New York. Elle écoutait passivement la musique assourdissante, peu attentive aux jeux de lumière agressifs et à l'ambiance survoltée de l'endroit.

En fait elle réfléchissait au bien-fondé de poursuivre avec Chuck la relation platonique qui les liait l'un à l'autre. Elle ne savait trop à quoi attribuer son goût prononcé pour le célibat car elle avait aimé les baisers des rares hommes qui avaient jalonné sa vie et elle avait apprécié de sortir en leur compagnie.

Une paire d'yeux gris moqueurs s'imposa soudain à elle, interrompant le fil de ses pensées. Elle fronça les sourcils et focalisa son attention sur le contenu de son verre.

Elle décida que si elle se tenait aussi radicalement à l'écart de toute relation amoureuse sérieuse, c'était tout simplement parce que les hommes qu'elle avait rencontrés jusqu'à présent ne lui avaient pas donné l'envie de vouloir s'investir avec eux dans une relation à long terme. Heureusement, elle ne regrettait pas de ne pas avoir encore connu le grand amour, car il lui aurait alors fallu se plier à des concessions qui auraient été autant d'obstacles à sa carrière. Non, elle ne se sentait pas prête à se lier à un homme qui, à coup sûr, compliquerait le cours paisible de son existence.

Elle réalisa soudain que Chuck était en train de lui parler.

— C'est toujours un plaisir de sortir avec toi, chère Hillary, l'entendit-elle plaisanter, on ne peut pas dire que tu me coûtes très cher.

Hillary jeta un regard distrait sur le verre auquel elle avait à peine touché depuis le début de la soirée.

— Tu as beaucoup de chance, en effet, riposta-t-elle sur le même ton moqueur. Je te mets au défi de trouver une femme qui, comme moi, veillera à ne pas te ruiner.

Chuck poussa un profond soupir et feignit d'être au désespoir.

— Tu as raison, elles courent toutes après mon corps de rêve ou mon compte en banque. Malheureusement, je laisse indifférente la seule femme qui m'intéresse.

Il prit les mains d'Hillary entre les siennes et les porta à ses lèvres.

— Si seulement tu acceptais de m'épouser, amour de ma vie, tu verrais comme je prendrais bien soin de toi ! Nous délaisserions cette foule décadente pour aller vivre dans une jolie maison recouverte de vigne vierge, je te ferais deux ou trois enfants et nous vivrions très heureux jusqu'à la fin de nos jours.

— Et moi, je crois que si je te prenais au mot, tu serais bien embarrassé, rétorqua Hillary, un brin de défi dans la voix.

— Tu as peut-être raison, admit volontiers Chuck. Et puisque tous mes rêves d'une vie bucolique avec toi s'effondrent, profitons des plaisirs de cette civilisation corrompue, ajouta-t-il en l'entraînant sur la piste de danse.

Des regards admiratifs se fixèrent sur la silhouette racée de cette jeune femme qui portait une robe dont le bleu profond était parfaitement assorti à la couleur de ses yeux. Elle formait avec l'homme qui l'accompagnait un couple magnifique que renforçait la grâce naturelle dont ils faisaient preuve en dansant. Tous deux s'accordaient à merveille et suscitaient admiration et envie. Ils achevèrent la danse dans un savant enchaînement qui laissait voir, à chacun des pas d'Hillary, le galbe parfait de ses jambes fuselées.

La jeune femme se redressa en riant, les joues roses d'excitation et de joie. Chuck, tout aussi heureux, passa un bras protecteur autour des épaules de sa cavalière pour leur permettre de se frayer un passage à travers la foule dense qui s'agitait autour d'eux.

C'est alors que le regard de la jeune femme croisa celui de l'homme qui occupait ses pensées quelques minutes plus tôt.

— Bonsoir, Hillary, dit Bret avec désinvolture.

Hillary remercia le ciel de se trouver dans un endroit pareil où la soudaine pâleur de son teint pouvait passer inaperçue.

— Bonsoir, monsieur Bardoff, parvint-elle à articuler en s'interrogeant sur la brusque douleur qui lui nouait l'estomac.

— Vous connaissez Charlène, je crois, précisa Bret en désignant sa compagne.

Hillary opina d'un signe de tête.

— Oui. Ravie de vous revoir.

Puis elle se tourna vers Chuck et fit les présentations qui s'imposaient. Celui-ci serra la main de Bret sans pouvoir cacher l'admiration et le respect que ce nom provoquait chez lui.

— Bret Bardoff ? ! *Le* Bret Bardoff ?

— Le seul que je connaisse en tout cas, répliqua Bret avec un petit sourire indulgent.

— Voulez-vous vous joindre à nous pour boire un verre ? proposa Chuck en désignant leur table.

Le sourire de Bret s'élargit tandis qu'il inclinait la tête vers Hillary, dans l'attente d'une réponse de sa part. Il semblait beaucoup s'amuser de l'embarras dans lequel l'avait plongée la proposition de Chuck.

— Très bonne idée, renchérit-elle d'une voix neutre qui ne laissait rien transparaître de ses émotions.

Car elle était bien déterminée à gagner la bataille sur ce tumulte intérieur qui bouillonnait en elle chaque fois qu'elle se trouvait en présence de Bret. Son regard glissa sur Charlène qui paraissait aussi peu enchantée qu'elle de passer ce moment en leur compagnie. Ou peut-être, imagina-t-elle, de partager Bret. Cette pensée la réjouit, et c'est le cœur plus léger qu'elle se glissa sur son siège.

— Très impressionnante, votre petite démonstration, commenta Bret à l'adresse de Chuck, en pointant la piste du menton. Vous devez bien vous connaître pour danser aussi merveilleusement ensemble.

— Hillary est la partenaire idéale, approuva Chuck en caressant affectueusement la main de son amie. Elle peut danser avec n'importe qui.

— Vraiment ? Alors, si vous le permettez, j'aimerais en juger par moi-même.

Un sentiment de panique s'empara de la jeune femme, réduisant à néant toutes ses bonnes résolutions

Elle se leva docilement, ne laissant rien paraître de l'indignation déclenchée par l'attitude cavalière de Bret qui n'avait pas attendu son assentiment pour la prendre par la main et l'entraîner à sa suite.

— Cessez de vous comporter en martyre, lui dit-il à l'oreille tandis qu'ils rejoignaient les autres danseurs.

L'espace d'un instant, elle le détesta de lire en elle si facilement et c'est avec la plus grande appréhension qu'elle le laissa la prendre dans ses bras et plaquer contre elle son corps trop attirant. Elle lutta contre l'envie aussi irrépressible que puérile de résister à ce contact et de prendre la fuite avant que le trouble qui l'envahissait ne devienne palpable et tenta d'oublier la main chaude et puissante qui enserrait sa taille. Leurs corps, leurs pas s'accordaient à merveille, tandis qu'ils tournoyaient en cadence. Inconsciemment, Hillary s'était dressée sur la pointe des pieds et se grisait de l'odeur de sa peau contre la sienne, tandis que les battements désordonnés de son cœur témoignaient du trouble intense qui l'envahissait.

— J'aurais dû me douter que vous étiez une excellente danseuse, lui murmura-t-il.

Le pouls d'Hillary s'accéléra dangereusement au contact des lèvres chaudes de Bret sur son oreille.

— Vraiment ? dit-elle en veillant à garder un ton neutre et lointain. Qu'est-ce qui vous fait penser cela ?

— Cette grâce innée avec laquelle vous marchez, vous bougez. A vous voir évoluer, on devine tout de suite que vous avez le sens du rythme.

Elle aurait tant aimé lui rire au nez, lui signifiant ainsi qu'elle n'était pas dupe de ses compliments ! Mais au lieu de cela, elle se perdit dans la profondeur de ses yeux gris. Leurs bouches se frôlaient ; ils retinrent leur souffle.

— J'ai toujours cru que les yeux gris étaient froids, dit-elle, à peine consciente de s'exprimer à voix haute. Mais les vôtres sont comme les nuages.

— Sombres et menaçants ? suggéra-t-il en soutenant son regard.

— Quelquefois. Mais à d'autres moments, ils sont doux et légers comme une brume matinale. La foudre d'un terrible orage ou la légèreté d'une averse printanière : en fait, je ne sais jamais à quoi m'attendre.

— Pourtant vous devriez savoir interpréter mon regard maintenant, dit-il en s'attardant sur la bouche terriblement tentatrice de la jeune femme.

Hillary se raccrocha à ce qui lui restait d'assurance pour tenter de rassembler ses esprits.

— Monsieur Bardoff, ne seriez-vous pas en train d'essayer de me séduire, là, au beau milieu de cette discothèque grouillante de monde ?

— Disons plutôt que je sais profiter des opportunités qui me sont offertes.

— Désolée, dit-elle en s'écartant légèrement de lui, mais

il semble que nous ne soyons pas libres, et en outre, la danse est terminée.

Mais Bret resserra son étreinte, l'empêchant de lui échapper.

— Vous n'irez nulle part tant que vous vous obstinerez à me donner du « monsieur Bardoff ».

Sentant le corps d'Hillary se raidir contre le sien et la jeune femme se murer dans un silence obstiné, il reprit :

— J'ai tout mon temps, vous savez, et votre corps est fait pour les bras d'un homme. D'ailleurs, il convient parfaitement aux miens.

— Très bien, siffla Hillary entre ses dents. Bret, s'il vous plaît, voulez-vous me lâcher ? Avant de me briser les os.

Bret afficha un sourire triomphant qui eut le don d'exaspérer un peu plus Hillary.

— Certainement, dit-il en relâchant son étreinte. Mais je ne vous crois pas fragile à ce point.

Puis ils regagnèrent leur table, son bras enserrant toujours la taille de la jeune femme.

La conversation battait son plein lorsque Hillary sentit peser sur elle le regard hostile de Charlène. Elle aurait voulu se trouver à des kilomètres de ces yeux verts qui la fusillaient et de cet homme qui l'avait si intimement serrée contre lui ! Aussi fut-ce avec un réel soulagement qu'elle vit le couple refuser la proposition de Chuck de boire un autre verre en leur compagnie et se lever pour prendre congé.

— Merci, mais je crains que Charlène n'apprécie pas vraiment l'ambiance de ces discothèques, dit-il en passant un bras protecteur autour des épaules de sa compagne.

Ce geste eut sur Hillary l'effet d'un coup de poignard, pourtant, elle se défendit d'éprouver le moindre sentiment de jalousie.

— En fait, elle m'a accompagné pour me faire plaisir.

Bret marqua un temps d'arrêt et poursuivit, un sourire énigmatique aux lèvres :

— J'ai pensé qu'un des portraits pourrait avoir pour décor ce genre d'endroit. Alors, vous comprenez, c'est une chance inouïe de vous avoir rencontrée ici ! Cela m'a donné quelques idées sur la façon d'organiser les choses.

Hillary capta la lueur amusée qui passa dans les yeux de Bret tandis qu'il parlait. La chance ! A d'autres, oui, mais pas à elle qui n'ignorait plus que les décisions de Bret ne devaient rien à la chance. Elle ne savait trop comment mais elle devinait qu'il s'était débrouillé pour savoir qu'elle serait là ce soir, et que cette rencontre fortuite n'en était pas une. Comme ce contrat devait être important pour lui ! songea-t-elle, soudain mortifiée. Pour quelle autre raison serait-il venu ici ce soir alors qu'il était manifestement amoureux de Charlène ?

— A lundi, Hillary, dit Bret en s'éloignant au bras de sa compagne.

— Lundi ? répéta Chuck tandis qu'un sourire narquois flottait sur ses lèvres. Eh bien, dis-moi, il semblerait que tu te sois mis M. Bardoff dans la poche.

— Qu'est-ce que tu vas imaginer ? riposta Hillary avec irritation. Notre relation est strictement professionnelle. Je travaille pour lui, il est mon employeur, rien de plus !

— Très bien, très bien, ne te mets pas en colère, j'ai dû me tromper. Mais je ne suis pas le seul.

— Que veux-tu dire ?

— Ma chère Hillary, expliqua-t-il patiemment comme s'il s'adressait à une enfant de dix ans, tu n'as pas senti une paire d'yeux verts te foudroyer pendant que Bret et toi dansiez ?

Hillary le regardant d'un air perplexe, il poursuivit :

— Cela fait trois ans que tu vis à New York, mais tu es toujours aussi incroyablement naïve ! Alors laisse-moi te dire que la jolie rousse qui accompagnait ton cavalier t'a fusillée du regard durant tout le temps de votre danse et que si ses yeux avaient été des poignards tu ne ferais plus partie de ce monde à l'heure qu'il est !

— Tu délires complètement ! protesta Hillary en faisant tournoyer les glaçons dans son verre. Mlle Mason savait pertinemment que Bret venait ici pour des raisons professionnelles. Tu l'as entendu toi-même l'affirmer, non ?

Chuck regarda attentivement son amie, puis secoua la tête en signe de renoncement.

— Et moi je te répète que tu es incroyablement naïve.

3.

Le froid de ce lundi, gris et humide, annonçait les prémices de l'hiver. Hillary songea avec une pointe d'amusement que Sa Majesté Bret avait autorisé la météo à ne pas être clémente puisque les prises de vue étaient prévues en intérieur.

Une coiffeuse particulière fut envoyée pour assister Hillary et l'aider à se transformer en femme d'affaires avisée.

Sa lourde chevelure fut soigneusement tirée en un chignon strict qui faisait ressortir ses pommettes saillantes, et le tailleur gris ajusté qu'elle avait choisi ajoutait à l'ensemble la touche de féminité indispensable.

Peter disparaissait presque derrière son matériel, affairé à tester les différents angles de vue, lorsque Hillary pénétra dans le bureau de Bret. Elle admit que la pièce, tout en sobre raffinement, se prêtait parfaitement au sujet du jour. En silence, elle observa un moment Peter, et le tableau qu'offrait son ami, mesurant, ajustant, testant sans répit, amena un sourire amusé sur ses lèvres.

— Le génie à l'œuvre, murmura la voix de Bret à son oreille.

Hillary pivota et son regard rencontra les yeux gris qui la hantaient depuis des jours maintenant.

— C'est précisément ce qu'il est ! rétorqua-t-elle, furieuse de ne pas maîtriser le tremblement que provoquait immanquablement la proximité de Bret.

— Charmante humeur ! se moqua Bret. Auriez-vous ce que l'on appelle communément « la gueule de bois ? »

— Certainement pas ! s'offusqua Hillary. Je ne bois jamais assez pour être sujette à ce genre de chose, il me semble vous l'avoir déjà dit, d'ailleurs.

— Effectivement, j'avais oublié.

Hillary s'apprêtait à riposter lorsque Peter, réalisant enfin sa présence, l'interpella :

— Hillary ! Enfin tu es là !

— Excuse-moi, Peter, il a fallu plus de temps que prévu à la coiffeuse pour s'occuper de moi.

Elle détourna le regard de celui, magnétique, de Bret, terrorisée par la capacité qu'il avait à lui faire perdre tous ses moyens.

— Vous effrayez-vous toujours aussi facilement ? s'enquit Bret à qui l'embarras de la jeune femme n'avait pas échappé.

Hillary releva fièrement le menton, stupéfaite qu'il lise en elle comme dans un livre ouvert, et le défia ouvertement du regard.

— Voilà qui est mieux ! approuva Bret. Sachez, ma chère, que la colère vous sied à ravir : elle assombrit dangereusement vos yeux et rehausse merveilleusement votre teint de porcelaine. En outre, cette fougue dont vous faites preuve est une qualité que je juge essentielle chez les femmes comme… chez les chevaux, conclut-il, conscient d'attiser le feu qu'il avait allumé.

Hillary manqua de s'étrangler d'indignation mais parvint, au prix d'un pénible effort, à afficher un calme apparent.

— Vous avez raison, dit-elle en articulant posément

chacune de ses paroles. D'ailleurs, d'après mes propres observations, il ressortirait que la race masculine en manque singulièrement.

Peu concerné par la joute verbale à laquelle se livraient les deux jeunes gens, Peter étudiait d'un œil critique la coiffure d'Hillary.

— Ce chignon me paraît de circonstance, approuva-t-il.

— Oui, renchérit Bret, nous avons sous les yeux l'incarnation même de la femme d'affaires. Compétente, brillante…

— Sûre d'elle, agressive, implacable, compléta la jeune femme en lui lançant un regard lourd de sous-entendus. Mais dans ce domaine, je n'ai rien à vous apprendre, n'est-ce pas, monsieur Bardoff ?

— J'avoue qu'un duel avec vous me paraîtrait extrêmement fascinant. Mais pour l'heure, je vous laisse à votre travail et vais retrouver le mien, dit-il en s'éclipsant.

La pièce parut soudain étrangement vide, étrangement calme. Hillary inspira profondément et tenta de chasser Bret Bardoff de ses pensées pour se concentrer uniquement sur son travail.

L'heure qui suivit se passa sans incident notable, Hillary anticipant les exigences de Peter et se pliant de bonne grâce à ses directives.

— C'est bon, c'est dans la boîte ! annonça celui-ci. Tu peux te détendre un moment.

Hillary ne se fit pas prier et se laissa tomber dans un fauteuil en cuir moelleux.

— Sadique ! dit-elle à Peter tandis qu'il l'immortalisait, affalée dans son siège, les jambes étendues sur la table basse qui lui faisait face.

— « Femme éreintée après une journée de dur labeur », déclama-t-il en souriant.

— Je salue ton sens de l'humour, Peter, rétorqua la jeune femme en conservant la position décontractée qu'elle avait adoptée. Ça doit certainement venir du fait que tu vis avec ton viseur vissé sur l'œil en permanence. Cela te donne une perception déformée des choses.

— Allons, allons, n'entrons pas dans ce genre de considérations personnelles ! Et à présent, si Madame la Directrice veut bien daigner se lever de son siège, il est temps pour elle de regagner la salle de conférences.

— Madame la Présidente ! fit mine de s'indigner Hillary.

Mais Peter était déjà ailleurs, l'esprit concentré sur son matériel. Hillary quitta la pièce en grommelant à son intention quelque chose qu'il n'entendit pas.

Le reste de la journée fut long et pénible. Peter, mécontent des éclairages, avait passé une bonne heure à essayer d'en améliorer les effets et lorsqu'il fut enfin satisfait, Hillary se sentait décomposée, les traits tirés par la fatigue.

Ce fut avec un immense soulagement qu'elle accueillit la fin de la séance et la perspective de regagner le doux cocon de son appartement.

Elle se surprit à guetter la silhouette longiligne de Bret dans le dédale des couloirs qui menaient à la sortie et fut déçue de passer la porte sans l'avoir rencontré. Cette réaction inattendue l'exaspéra au point qu'elle en conclut qu'il ne pouvait s'agir que d'une simple attirance physique. Et qu'en tant que telle, celle-ci lui passerait aussi vite qu'elle lui était venue.

Un sujet de diversion, décida-t-elle résolument en inspirant goulûment une bouffée d'air frais. Voilà ce qu'il lui fallait. Quelque chose qui lui permettrait de chasser définitivement Bret Bardoff de son esprit et de se remettre les idées en place. En débutant dans ce métier, elle avait fait de la réussite professionnelle et de ses corollaires, l'indépendance et la sécurité financières, ses priorités. Eh bien, il ne tenait qu'à elle de se focaliser de nouveau sur ces priorités qu'elle s'était choisies. Cela devrait largement suffire à combler ses journées et à ne laisser aucune place à une quelconque histoire sentimentale qui ne ferait que lui compliquer l'existence. Et lorsque le moment serait venu de poser ses valises, ce ne serait certainement pas avec un homme comme celui-là, mais avec quelqu'un de stable et de sécurisant sur qui elle pourrait compter.

De toute façon, songeait-elle en refoulant la mélancolie qui la gagnait, elle ne semblait pas correspondre au genre de femmes qu'il appréciait.

La séance reprit le lendemain dans les locaux de *Mode* mais cette fois, Hillary devait incarner une employée de bureau. Elle avait revêtu pour la circonstance une jupe bleu pâle assortie d'un pull d'un ton légèrement plus foncé.

A la grande joie de l'assistante de Bret, June, la séance devait se dérouler dans son propre bureau.

— Vous ne pouvez pas imaginer à quel point je suis excitée ! s'exclama-t-elle en voyant arriver le mannequin et son photographe. J'ai l'impression d'avoir dix ans et d'aller au cirque pour la première fois !

Hillary adressa à la jeune femme, dont les yeux pétillaient d'une joie puérile, un sourire indulgent.

— Vous ne croyez pas si bien dire. Je vous assure que quelquefois, j'ai vraiment l'impression d'être une bête de cirque !

— Pour vous c'est la routine, je suppose, mais pour moi

qui suis étrangère à cette profession, c'est un monde tellement fascinant à mes yeux !

Son regard s'arrêta soudain sur Peter qui, comme à son habitude, s'affairait scrupuleusement à mettre ses appareils en place.

— M. Newman semble vraiment dans son élément parmi tous ces objectifs, ces écrans, ces projecteurs, je me trompe ? Il est très séduisant. Il est marié ?

Cette supposition parut si incongrue à Hillary qu'elle éclata de rire.

— Seulement à ses appareils photo, répondit-elle avec humour.

June esquissa un petit sourire de satisfaction mais se rembrunit aussitôt.

— Etes-vous, heu… comment dire… M. Newman et vous, êtes-vous fiancés ?

— Rassurez-vous, non. Je ne suis que son esclave, répondit-elle.

Elle observa attentivement Peter et, pour la première fois depuis qu'elle le connaissait, le vit tel qu'il était : un homme charmant qui, s'il voulait bien s'en donner la peine, était tout à fait capable de séduction.

— Vous connaissez le vieil adage qui veut que le chemin qui mène au cœur des hommes passe obligatoirement par son estomac ? Eh bien, oubliez-le ! Celui qui mène au cœur de Peter doit obligatoirement passer par l'objectif de ses appareils photo.

L'arrivée soudaine de Bret dans le bureau l'interrompit. Il lui adressa un large sourire.

— La meilleure alliée d'un homme ! clama-t-il. Sa secrétaire.

Hillary tenta d'ignorer les battements désordonnés de son cœur et riposta d'un ton qui se voulait désinvolte :

— En effet. Comme vous pouvez le constater j'ai été rétrogradée dans mes fonctions.

— Ce sont les risques du métier. Un jour au sommet, un autre au plus bas de l'échelle. Le monde des affaires est un monde impitoyable, vous savez !

La voix de Peter s'éleva soudain, empêchant Hillary de rétorquer.

— C'est bon, tout est en place, annonça-t-il.

Ce n'est qu'en relevant la tête qu'il prit conscience de la présence de Bret dans la pièce.

— Salut, Bret, dit-il distraitement. Hillary, tu es prête ?

— Oui, ô Grand Maître, railla la jeune femme en le rejoignant.

— Sauriez-vous taper du courrier ? s'enquit soudain Bret le plus sérieusement du monde. Nous pourrions ainsi faire d'une pierre deux coups.

— Désolée, monsieur Bardoff, mais je crains bien que ces machines ne m'aient pas encore livré tous leurs secrets.

— Monsieur Newman, demanda timidement June, est-ce que cela vous dérange si j'assiste quelques minutes à la séance ? Je vous promets de me faire toute petite.

Peter grommela quelque chose qui ressemblait à un assentiment.

— J'aurai besoin de vous dans une demi-heure, June, ordonna Bret en quittant la pièce. Venez avec le contrat Brookline.

June assista, fascinée, au jeu complice qui liait le photographe et son modèle. Puis, une fois le temps imparti écoulé, elle s'éclipsa si discrètement que ni Peter ni Hillary ne se rendirent compte de son départ.

Un moment plus tard, Peter baissa son objectif, l'air absent. Hillary le connaissait trop bien pour savoir qu'il ne s'agissait pas là de la fin de la séance, mais du signal d'une idée nouvelle germant dans la tête de l'artiste.

— J'ai envie de terminer par quelque chose de plus tangible, qui donnerait plus de réalisme aux photos, annonça-t-il, paraissant chercher un moyen d'y parvenir.

Son visage s'illumina soudain sous le coup de l'idée de génie qu'il venait d'avoir.

— J'ai trouvé ! Il y a une vieille machine à écrire sur le bureau, là-bas. Tu vas changer le ruban, ça sera à la fois réaliste et un peu rétro.

Hillary le regarda, interdite.

— Tu plaisantes ?

— Pas le moins du monde ! C'est exactement ce qu'il me faut ! Allez ! Vas-y !

— Mais enfin, Peter, tu sais parfaitement que je n'ai pas la moindre notion de la façon dont fonctionnent ces fichues machines ! protesta-t-elle, un brin agacée.

— Tu n'as qu'à faire semblant, s'entêta-t-il.

A contrecœur, Hillary s'installa derrière le bureau et contempla en silence la machine à écrire.

— Je ne sais même pas comment l'ouvrir, grommela-t-elle en pressant des touches au hasard.

— Il doit bien y avoir une touche spéciale quelque part, lui indiqua patiemment Peter. Vous n'avez jamais eu de machines à écrire dans le Kansas ?

— Bien sûr que si, mais c'était il y a longtemps… Oh ! cria-t-elle soudain, aussi enthousiaste qu'un enfant qui aurait réussi à placer la dernière pièce d'un puzzle. Ça y est, j'ai trouvé !

— C'est parfait, Hil, continue. Fais comme si tu savais ce que tu fais.

Hillary se prêta si bien au jeu qu'elle en oublia l'objectif pointé sur elle. Elle s'appliqua consciencieusement à tirer sur le ruban qui se déroulait sans fin entre ses doigts maculés d'encre. Elle finit par renoncer, consciente qu'elle livrait là une bataille perdue d'avance. Adressant à Peter un sourire penaud, elle désigna le petit tas que formait le ruban à côté de la machine.

— Magnifique ! approuva Peter en appuyant sur le déclencheur. Tu es ce que l'on peut faire de mieux en matière d'incompétence.

— Et tu te prétends mon ami ! Utilise un seul de ces clichés et je te traîne en justice, compris ? En outre je te laisse la responsabilité d'expliquer à June comment une telle catastrophe a pu se produire. Moi, je suis claquée, je renonce !

— Absolument, approuva la voix de Bret dans le dos d'Hillary.

Celle-ci fit pivoter son siège et se retrouva face à Bret et à son assistante qui venaient de faire leur entrée dans la pièce et contemplaient, médusés, le désordre qui régnait sur le bureau.

— Si un jour vous décidez d'abandonner votre profession et de vous reconvertir, je vous conseille de ne pas choisir ce genre de métier. Même si le matériel a évolué, j'ai l'impression que vous êtes une véritable calamité !

— Eh bien, Peter, à toi de nous sortir de ce mauvais pas ! Il semble que nous soyons pris en flagrant délit sur le lieu du crime, rétorqua Hillary en réprimant le fou rire qu'elle sentait monter en elle.

Bret s'approcha d'elle et inspecta de près ses doigts tachés d'encre.

— Preuve irréfutable. De même que sur ce beau visage, ajouta-t-il en essuyant d'un geste plein de douceur les traces noires qu'elle avait involontairement imprimées sur ses joues.

— Mais comment me suis-je débrouillée ? dit-elle en tentant d'oublier le contact des mains de Bret sur sa peau. Vous croyez que ça va partir ?

La question s'adressait à June qui lui assura qu'un peu d'eau et de savon suffirait à réparer les dégâts.

— Eh bien, je vais de ce pas m'employer à faire disparaître les preuves. Quant à toi, Peter, je te conseille vivement de faire amende honorable pour les dommages dont tu es la cause.

Puis arrivée à sa hauteur, elle se pencha légèrement vers lui et murmura :

— Le plus vite possible.

Bret la précéda, lui ouvrit la porte et fit quelques pas avec elle dans le couloir.

— Y aurait-il de la romance dans l'air entre mon assistante et Peter ? s'enquit-il avec curiosité.

— Possible, rétorqua évasivement Hillary. Il est temps que Peter se rende compte que la vie ne se résume pas à ses appareils photo et à sa chambre noire.

Bret la prit par le bras, la forçant à lui faire face, et lui demanda avec douceur :

— Et la vôtre, Hillary ? Votre vie ? De quoi est-elle remplie ?

— Mais... Je ne comprends pas de quoi vous voulez parler, balbutia-t-elle, prise de court. J'ai... j'ai tout ce que je souhaite.

— Vraiment ? insista Bret en l'épinglant de son regard métallique. Dommage que j'aie un rendez-vous, j'aurais volontiers continué cette petite conversation.

276

Il l'attira vers lui et effleura ses lèvres d'un baiser.

— Allez nettoyer votre visage, vous ne pouvez pas rester comme ça.

Puis il la relâcha et s'éloigna d'un pas nonchalant, la laissant seule, en proie à un mélange de frustration et de désir.

Elle passa l'après-midi à faire les boutiques, activité qui n'avait pour but que de calmer ses nerfs mis à mal par le baiser dont Bret l'avait gratifiée. Mais ce fut peine perdue : ses pensées la ramenaient sans cesse vers une paire d'yeux gris et un sourire irrésistible.

Se détestant d'être aussi vulnérable, elle héla un taxi. Il lui restait peu de temps avant son rendez-vous avec Lisa.

Il était presque 17 heures lorsqu'elle arriva chez elle, ce qui ne lui laissait guère plus de vingt minutes pour se préparer. Elle prit soin de ne pas verrouiller la porte derrière elle pour permettre à son amie d'entrer, comme à son habitude, déposa ses achats sur un fauteuil et alla se faire couler un bain brûlant qu'elle parfuma d'huiles essentielles. A peine venait-elle de sortir de la baignoire que la sonnette de la porte retentit.

— Entre, Lisa, cria-t-elle, c'est ouvert !

Elle s'enveloppa d'un drap de bain et se dirigea vers le salon dans des effluves de parfum.

— C'est toi qui es en avance ou moi qui suis en retard ? Laisse-moi une minute, je…

La surprise la cloua sur place. En place et lieu de la frêle Lisa se trouvait le magnifique… Bret Bardoff.

— Mais enfin, d'où sortez-vous ? lui demanda-t-elle lorsqu'elle put enfin parler. J'ai cru que c'était mon amie Lisa.

— J'imagine. Sans quoi vous ne m'auriez pas accueilli dans cette tenue, je me trompe ?

— Que faites-vous ici ? dit-elle en feignant d'ignorer le ton ironique de Bret.

Ce dernier lui tendit un stylo en or.

— Je suis venu vous rapporter ceci. Je suppose qu'il vous appartient, il y a les initiales « H.B » gravées dessus.

— En effet, c'est le mien. J'ai dû le faire tomber de mon sac par mégarde. Mais c'était inutile de vous déranger, je l'aurais récupéré demain.

— J'ai pensé que vous pourriez en avoir besoin.

Son regard balaya ostensiblement les longues jambes nues puis s'attarda à la naissance des seins.

— Et pour être franc, je ne regrette pas le déplacement.

Les joues d'Hillary s'empourprèrent violemment sous le sourire narquois de Bret.

— Je reviens dans une minute, dit-elle en quittant précipitamment la pièce.

Elle enfila à la hâte un pantalon en velours marron qu'elle assortit d'un pull en mohair beige, donna un rapide coup de brosse à ses cheveux emmêlés et d'une main experte se maquilla très légèrement.

Elle prit une profonde inspiration et retourna dans le salon tentant d'afficher une sérénité qu'elle était loin de ressentir.

Bret l'attendait patiemment, confortablement installé sur le canapé, arborant l'air d'un vieil habitué des lieux.

— Désolée de vous avoir fait attendre, s'excusa Hillary d'une voix qu'elle voulait neutre. C'est très aimable à vous d'être venu jusqu'ici pour me rapporter ce stylo. Puis-je… Voulez-vous…

Hillary se mordit la lèvre, se détestant de perdre ainsi son apparente assurance.

— Puis-je vous offrir quelque chose à boire ? A moins que vous ne soyez pressé…

— J'ai tout mon temps, répondit posément Bret. Et je prendrai volontiers un whisky si vous en avez. Sec.

— A vrai dire, je ne sais pas. Je vais voir, dit-elle en gagnant la cuisine où elle fouilla dans les placards, à la recherche d'hypothétiques bouteilles d'alcool.

Bret lui avait emboîté le pas et la proximité de ce corps trop attirant dans un espace aussi exigu accéléra les battements de son cœur. Elle se replongea avec une frénésie accrue dans sa recherche, tentant vainement de dissiper ce mélange de frustration et d'excitation qui la submergeait.

Etranger à ce genre d'émotions, Bret se tenait nonchalamment appuyé contre le réfrigérateur, mains dans les poches, son éternel sourire aux lèvres.

— Ah ! Voilà ! s'exclama Hillary d'une voix triomphale en brandissant une bouteille de scotch.

— Parfait.

— Je vous donne un verre tout de suite.

Elle marqua un temps d'arrêt et reprit, hésitante :

— Sec. Vous voulez dire sans eau ?

— Bravo ! Vous feriez une excellente serveuse, railla Bret en lui prenant la bouteille des mains pour se servir lui-même.

— Vous savez bien que je bois peu, grommela-t-elle.

— Oui, je me souviens. Maximum deux verres, sans quoi...

Il laissa sa phrase en suspens pour lui prendre la main et la guider vers le salon.

— Allons nous asseoir, voulez-vous ?

Hillary en oublia de protester et prit docilement place au côté de Bret.

— Très bel endroit, commenta-t-il en jetant un coup d'œil circulaire à la pièce. Coloré, chaleureux, vivant. Un peu à votre image, je me trompe ?

— Il paraît. Enfin... d'après mes amis.

— A propos d'amis, vous devriez vous montrer plus prudente et fermer votre porte à clé. Vous êtes à New York ici, pas dans une ferme isolée du Kansas.

— J'attendais quelqu'un.

— A votre avis, que se serait-il passé si quelqu'un d'autre que moi était tombé sur ce magnifique corps à moitié dénudé ?

Il ponctua son propos d'un regard si lourd de sous-entendus que, instantanément, Hillary rougit violemment.

— Non, je vous le répète, ce n'est pas sérieux de laisser votre porte ouverte.

— Oui, Majesté, ironisa Hillary en esquissant une courbette.

D'un mouvement aussi leste qu'inattendu, Bret la plaqua contre lui et Hillary ne dut son salut qu'à la sonnerie stridente du téléphone qui se mit à retentir.

— Lisa ! dit-elle en décrochant le combiné. Mais où es-tu ?

La voix surexcitée de Lisa lui répondit :

— Je suis désolée, Hil ! J'espère que tu ne m'en voudras pas mais je ne viendrai pas ce soir. Figure-toi qu'il m'est arrivé une chose extraordinaire !

— Bien sûr que non, je ne t'en veux pas. Mais, vas-y, raconte.

— Mark m'a invitée à dîner.

— Tu as suivi mon conseil, alors ?

— Plus ou moins.

— Lisa ! Ne me dis pas que tu lui as réellement fait un croche-pied !

— En fait, non. Nous nous sommes bousculés alors que nous portions chacun une énorme pile de livres.

— Je vois d'ici le tableau ! dit Hillary en riant.

— Alors, c'est bien vrai ? Tu ne m'en veux pas ?

— Je suis ton amie. Je ne vais pas laisser un vulgaire dîner-pizza te priver de la possibilité de connaître peut-être le grand amour ! Amuse-toi bien !

— Je dois admettre que c'est la conversation la plus fascinante que j'aie entendue depuis longtemps, commenta Bret, perplexe, une fois qu'Hillary eut raccroché le combiné.

Celle-ci lui décocha un sourire radieux et lui expliqua brièvement de quoi il retournait.

— Et si j'ai bien compris, la meilleure solution était de faire tomber ce pauvre bougre face contre terre, aux pieds de Lisa ?

— C'était une façon comme une autre d'attirer enfin son attention sur elle, plaida Hillary.

— En tout cas, le résultat est que vous vous retrouvez seule à présent. Un dîner-pizza, disiez-vous ?

— Zut ! Je me suis trahie, plaisanta Hillary en prenant soin cette fois de s'asseoir dans un fauteuil, à distance raisonnable de Bret. J'espère que vous saurez garder le secret, mais en fait, je raffole des pizzas et je suis obligée d'en consommer régulièrement sans quoi je suis en manque. Et croyez-moi, le spectacle n'est pas beau à voir !

— Dans ce cas, ne prolongeons pas la torture, intima Bret en reposant son verre vide sur la table. Allez chercher un manteau, je vous invite.

Un sentiment de panique irraisonnée s'empara d'Hillary.

— Allons, ne discutez pas, commanda-t-il en la forçant à se lever de son siège. Allez chercher un manteau et suivez-moi. Moi aussi je meurs de faim !

Hillary s'exécuta docilement tandis que Bret, après avoir enfilé sa veste en cuir, introduisait la clé dans la serrure et poussait la jeune femme à l'extérieur.

Quelques instants après, ils étaient attablés dans un restaurant italien qu'Hillary lui avait indiqué. La petite table qu'ils occupaient était recouverte de l'incontournable nappe à carreaux rouges et blancs et la flamme d'une bougie vacillait dans une bouteille faisant office de chandelier.

— Qu'est-ce qui vous ferait plaisir, Hillary ?

— Une pizza.

— Je sais, mais quel genre de pizza ?

— Une pizza avec tout ce qui est mauvais pour ma ligne.

Un sourire compréhensif flotta sur les lèvres de Bret.

— Un verre de vin ?

Hillary hésita quelques secondes, puis répondit dans un haussement d'épaules :

— Pourquoi pas ? Après tout, on ne vit qu'une fois.

— Vous avez parfaitement raison, approuva Bret en faisant signe au serveur de venir prendre la commande.

Puis lorsque celui-ci s'éloigna, il enchaîna :

— Cependant, vous donnez l'impression d'avoir déjà vécu dans une vie antérieure. Je vous imaginerais bien réincarnée en princesse indienne. Je suis certain que lorsque vous étiez petite on vous appelait Pocahontas, je me trompe ?

— Vous ne croyez pas si bien dire ! J'ai même failli scalper un garçon à cause de ça !

— Vraiment ?

Bret se pencha en avant, coudes sur la table, tête entre les mains, et demanda, sincèrement intéressé :

— Racontez-moi ça, voulez-vous ?

— Vous êtes bien sûr de vouloir entendre cette sanglante histoire avant de dîner ?

Puis sans attendre de réponse, elle rejeta sa lourde chevelure en arrière et commença son récit.

— Il s'appelait Martin. Martin Collins et j'étais dingue de lui. Malheureusement, lui préférait Jessie Windfield, une jolie blonde aux immenses yeux noirs. A l'époque, j'avais onze ans, j'étais trop grande, trop maigre, un véritable squelette ambulant ! Un jour, je suis passée devant eux, verte de jalousie parce qu'il portait les livres de Jessie, et il s'est mis à crier : « Planquons-nous ! Voilà Pocahontas ! » J'étais morte de honte et d'humiliation. Et vous savez ce que c'est, lorsqu'une femme est bafouée. J'ai donc décidé de me venger. Je suis rentrée à la maison, j'ai pris les ciseaux de couture de maman et avec son rouge à lèvres j'ai tracé sur mon visage des peintures de guerre. Puis je suis retournée à l'école où j'ai guetté ma proie, attendant patiemment le moment propice. Lorsque, enfin, je l'ai aperçu, je l'ai suivi à pas de loup, puis d'un bond, je l'ai plaqué au sol, me suis assise à califourchon sur lui et lui ai coupé autant de mèches de cheveux que possible ! Il hurlait mais je me suis montrée sans pitié. Il n'a dû son salut qu'à mes frères qui m'ont fermement maintenue, permettant au lâche qu'il était de partir en courant pleurer dans les jupes de sa mère.

Bret rejeta la tête en arrière et se mit à rire de bon cœur.

— Quel petit monstre vous étiez !

Hillary sirota une gorgée du vin que lui avait servi Bret et enchaîna :

— Croyez-moi, je l'ai payé cher ! J'ai reçu une fessée mémorable, mais je dois reconnaître que je ne l'avais pas volée ! Ce pauvre Martin a été obligé de porter un chapeau pendant des semaines !

Lorsque leur commande arriva, un climat de détente et d'amitié s'était instauré entre eux et ils se mirent à discuter à bâtons rompus, comme de vieux amis. Bret, sceptique, la regarda avaler de bon cœur sa dernière bouchée de pizza.

— Je ne vous aurais jamais crue capable d'ingurgiter une telle quantité de nourriture.

Hillary, sous l'effet conjugué du vin et de la satisfaction d'avoir assouvi une envie irrésistible, lui décocha un sourire rayonnant.

— Cela ne m'arrive pas souvent, heureusement !

— Vous êtes vraiment étonnante ; un véritable tissu de contradictions ! Je ne sais jamais à quoi m'attendre avec vous.

— N'est-ce pas justement la raison pour laquelle vous m'avez choisie, Bret ?

Pour la première fois, et sans vraiment en être consciente, Hillary l'avait appelé par son prénom.

Bret afficha un petit sourire victorieux. Il leva son verre en l'honneur d'Hillary et laissa sa question sans réponse.

Lorsqu'ils quittèrent le restaurant, un sentiment d'intense nervosité, qui ne fit que s'accroître à mesure qu'ils approchaient de son appartement, gagna la jeune femme. Elle fouilla fébrilement dans son sac à la recherche de ses clés, mettant ce court instant à profit pour tenter de retrouver un semblant de calme.

— Puis-je vous offrir un café ? lui proposa-t-elle néanmoins en feignant la plus grande désinvolture.

Bret lui prit le trousseau des mains et introduisit la clé dans la serrure.

— Je croyais que vous n'en buviez jamais.

— En effet, mais je dois être la seule sur cette planète, aussi en ai-je toujours en réserve pour mes invités.

Elle le précéda dans le salon et se débarrassa de son manteau.

— Asseyez-vous. J'en ai pour un instant, dit-elle sur le ton de la parfaite maîtresse de maison.

284

Elle le regarda ôter sa veste et se laissa troubler une fois de plus par le corps musculeux qu'elle devinait sous le chandail et le pantalon ajustés qu'il portait. Le cœur battant, elle détourna les yeux et se rendit dans la cuisine.

Tel un automate, elle mit une bouilloire remplie d'eau à chauffer et lorsque thé et café furent prêts, elle disposa les tasses et les soucoupes, ainsi qu'un sucrier, sur un plateau de verre. De retour dans le salon, elle sourit à la vue de ce quasi-inconnu occupé à étudier nonchalamment la collection d'albums musicaux qu'elle avait soigneusement répertoriés sur une étagère.

— Vous avez des goûts très éclectiques à ce que je vois. Mais qui correspondent assez bien à votre personnalité changeante, finalement, enchaîna-t-il sans lui laisser le temps de s'exprimer sur le sujet. Chopin, pour le romantisme, B.B. King lorsque vous êtes d'humeur mélancolique et Paul McCartney lorsque au contraire vous vous sentez d'humeur joyeuse.

Hillary fut à la fois agacée et troublée par la justesse de ses conclusions. Comment pouvait-il lire en elle de façon aussi évidente ?

— Décidément, rien ne vous échappe. Vous semblez me connaître parfaitement.

— Pas encore, déclara-t-il en reposant l'album qu'il avait entre les mains pour s'approcher d'elle. Mais je m'y emploie.

Elle le jugea soudain trop près d'elle et ressentit le besoin de se recentrer sur un terrain plus neutre.

— Votre café va refroidir, dit-elle en lui tendant sa tasse.

Mais dans sa précipitation à le servir elle fit tomber sa cuillère à café. Tous deux se penchèrent au même moment pour la ramasser, les doigts carrés et puissants de Bret frôlant ceux, longs et fins, d'Hillary. Une onde électrique parcourut le corps de la jeune femme. Elle leva vers Bret des yeux brûlant d'un désir contenu.

Elle sut à cet instant précis que les paroles étaient devenues inutiles car depuis le premier jour, leur rencontre n'avait été que le prélude à ce vers quoi tous deux tendaient, sans se l'être ouvertement avoué. Il existait entre eux une attirance irrésistible, un besoin de l'autre indéfinissable mais qu'elle ne chercha pas à s'expliquer. Elle se laissa guider par la main qu'il lui tendait et se blottit dans ses bras.

Les lèvres de Bret, d'abord douces et chaudes sur les siennes, se firent plus fermes tandis qu'il resserrait son étreinte jusqu'à sentir les seins tendus de sa compagne sur son torse puissant. Hillary répondit à son baiser comme elle ne l'avait jamais fait auparavant et songea, avant de se laisser emporter par la vague de passion qui la submergeait, qu'aucun homme ne lui avait donné de baiser aussi passionné.

Elle ne résista pas quand il la coucha sur le canapé et qu'il s'allongea sur elle, sa bouche scellant toujours la sienne, ses cuisses musclées enserrant celles de la jeune femme, lui témoignant ainsi le désir qu'il avait d'elle.

Ses lèvres impatientes partirent à la découverte de ce corps qu'il sentait consentant sous le sien, glissant lentement du creux de l'oreille à la naissance de la gorge pour revenir prendre sa bouche avec une avidité accrue. Les battements de cœur d'Hillary redoublèrent, son souffle s'accéléra tandis que les mains de Bret s'aventuraient sur ses mamelons durcis. Elle laissa échapper de petits gémissements étouffés et ondula au rythme de son corps enflammé. Jamais encore elle n'avait succombé avec une telle passion au désir d'un homme !

Elle s'abandonnait avec une rare volupté aux caresses que lui prodiguaient les mains expertes de Bret. Mais lorsque les doigts de celui-ci, rendus plus audacieux par les petits cris qu'elle laissait échapper, entreprirent de baisser la fermeture à glissière de son pantalon, Hillary se ferma, renonçant à plus de plaisir.

— Non, Bret, s'il te plaît, protesta-t-elle faiblement.

Bret, le souffle court, leva vers elle un visage empreint d'incompréhension et plongea dans ses yeux où se mêlaient la crainte et le désir.

— Hillary…, implora-t-il, réclamant de nouveau sa bouche.

Mais la jeune femme détourna la tête et le repoussa légèrement.

— Non, je ne veux pas, répéta-t-elle cette fois plus fermement.

Bret laissa échapper un long soupir et se détacha à regret du corps brûlant d'Hillary. Il prit, dans l'étui en or qu'il avait posé sur la table, une cigarette qu'il alluma, et dont il expira nerveusement une bouffée de fumée.

Hillary se rassit dans une posture d'enfant prise en faute, mains jointes sur les cuisses, et garda la tête obstinément baissée afin d'éviter le regard lourd de reproches de Bret.

La voix de celui-ci s'éleva, froide, implacable :

— Je vous savais versatile, mais pas allumeuse.

— Je ne suis pas une allumeuse ! s'écria Hillary, blessée par le ton mordant de Bret. C'est injuste ! Et ce n'est pas parce que j'ai reculé, parce que je ne vous ai pas laissé faire…

Sa voix se brisa dans un mélange de sentiments contradictoires. Comme elle aurait aimé pouvoir se blottir de nouveau dans ses bras ! Savoir qu'il comprenait ses doutes, ses hésitations !

— Vous n'êtes plus une enfant, que je sache ! trancha-t-il d'une voix frémissante de colère contenue. Que croyez-vous qu'il se passe lorsque deux personnes s'embrassent comme nous l'avons fait ? Lorsqu'une femme laisse un homme la caresser de cette façon ? Vous aviez envie de moi autant que j'avais envie de vous, alors pouvez-vous me dire à quoi rime ce petit jeu ? Vous saviez aussi bien que moi que nous en arriverions là ! Vous êtes adulte, Hillary, alors, cessez de vous comporter comme une vierge effarouchée !

Bret s'interrompit net, semblant soudain envisager une éventualité qui lui avait échappé. Il remarqua les joues cramoisies de la jeune femme. L'incrédulité se peignit sur son visage.

— Ne me dites pas que vous n'avez encore jamais eu d'amant !

En guise de réponse, Hillary ferma les yeux et garda obstinément le silence, pétrifiée d'humiliation.

— Comment une telle chose est-elle possible ? Comment une femme aussi séduisante que vous peut-elle être encore vierge à vingt-quatre ans ?

— Ça n'est pas très difficile, murmura Hillary, les yeux dans le vague. Il suffit de garder la tête froide et de ne pas laisser déraper la situation.

— Eh bien, moi, j'aurais préféré que vous me mettiez au courant avant que nous n'en arrivions là !

— Oui, je pourrais aussi me peindre le mot « vierge » en écarlate sur le front ! explosa Hillary en le défiant du regard. Comme ça je suis sûre que tout le monde sera au courant !

— Vous savez que vous êtes adorable quand vous vous mettez en colère comme ça, commenta placidement Bret qui avait recouvré le détachement qui lui était coutumier. Prenez garde, Hillary, il se pourrait que je veuille un jour vous faire basculer dans le monde des adultes.

— Et moi je ne vous crois pas capable d'une chose pareille. Pas par la force en tout cas.

Bret reposa la veste qu'il était en train d'enfiler et s'approcha de nouveau d'elle jusqu'à la frôler. Puis il se pencha à son oreille et murmura d'une voix menaçante :

— Sache que j'obtiens toujours ce que je veux.

Puis d'une main ferme il la repoussa, fixant d'un regard pénétrant et provocateur sa bouche sensuelle.

— Et que j'aurais pu t'avoir là, maintenant, sans même te forcer. Mais…, ajouta-t-il en se dirigeant vers la porte, je peux me payer le luxe d'attendre encore un peu.

4.

Les semaines qui avaient suivi avaient filé à toute allure, et si Peter avait dû, à plusieurs reprises, reprocher à Hillary son manque d'enthousiasme, il avait semblé n'avoir rien remarqué d'anormal.

Peter débordait d'enthousiasme, satisfait de la progression de leur travail, et il apporta à Hillary les planches de leurs clichés afin qu'elle puisse se rendre compte des premiers résultats de leur collaboration.

L'étude objective des photos lui révéla que Peter et elle avaient réalisé là un travail fantastique, le meilleur sans doute qu'ils aient jamais produit, ensemble ou séparément. Il y avait indéniablement une touche de génie quant au choix des angles de vue et des lumières, mais Peter avait su également tirer parti, en grand professionnel qu'il était, des différents filtres qu'il tenait à sa disposition. La capacité d'Hillary à endosser avec le plus grand naturel les rôles divers qu'on lui avait imposés avait fait le reste. Les clichés rangés par ordre chronologique, on obtenait une ébauche fascinante de l'étude de la Femme, telle que la voulait Bret.

Hillary songea qu'ils avaient déjà accompli la moitié de leur travail et estima que s'ils parvenaient à maintenir une cadence aussi soutenue, ils auraient même de l'avance sur la date prévue pour boucler le contrat.

Bret avait prévu la publication du dossier dans un numéro spécial qui paraîtrait au printemps.

Pour l'heure, les séances avaient été suspendues durant les fêtes de Thanksgiving, laissant tout loisir au directeur artistique et à l'équipe rédactionnelle de commencer à réfléchir sur le choix des photos, les textes ainsi que sur la maquette.

Hillary ne pouvait qu'être soulagée de cette trêve inespérée qui lui permettait de mettre de la distance entre elle et l'homme qui, nuit et jour, hantait ses pensées.

Elle s'était attendue à un accueil glacial le lendemain de la soirée qu'elle et Bret avaient passée ensemble, mais il n'en fut rien. Egal à lui-même, Bret lui avait témoigné la même attention moqueuse et désinvolte qu'à l'accoutumée. Et jamais il n'avait fait la moindre allusion déplacée à cette malheureuse soirée et à la scène qui avait suivi. A tel point que la jeune femme s'était demandé si elle n'avait pas rêvé leur folle étreinte et les paroles blessantes qu'il lui avait infligées.

Elle souffrait en silence du détachement dont il faisait preuve à son égard, tentant vainement d'oublier le flot d'émotions que ses caresses avaient éveillé.

Hillary regardait par la fenêtre le voile gris que le ciel avait tendu au-dessus de la ville, nuançant chaque bâtiment d'une teinte lugubre en parfait accord avec son humeur mélancolique. Les arbres, nus à présent, offraient au regard leur silhouette noire et squelettique tandis que de petites touffes d'herbe éparses, résistant encore aux assauts de ce début d'hiver, avaient troqué le vert radieux de l'été contre un jaune pâle.

Une vague de nostalgie, aussi soudaine que violente, l'enveloppa tout entière. Elle eut envie des champs de blé dorés de son pays, ondoyant sous le soleil implacable de l'été.

Elle alla chercher un disque sur l'étagère et le plaça sur sa chaîne stéréo, se remémorant avec tristesse les propos de Bret au sujet de ses goûts musicaux et la perspicacité avec laquelle il l'avait percée à jour. Le souvenir de leurs corps passionnément enchevêtrés suscita une vague d'émotions qui lui fit réaliser que ce qu'elle éprouvait pour cet homme allait au-delà de la simple attirance physique.

Elle repoussa cette pensée de toutes ses forces : tomber amoureuse ne faisait pas partie de ses projets immédiats et encore moins s'il s'agissait de Bret Bardoff !

Cela ne pourrait lui apporter qu'humiliations et désespoir.

Mais elle avait beau tenter de se raisonner, elle ne pouvait effacer de sa mémoire les yeux gris qui la déshabillaient, la voix chaude et profonde qui murmurait à son oreille.

Elle se laissa tomber dans un fauteuil, en proie à la plus grande confusion.

La nuit était déjà bien avancée lorsque la jeune femme regagna son appartement. Elle avait dîné en compagnie de Lisa et Mark, s'appliquant à cacher sous une prétendue conscience professionnelle son manque d'appétit. Toute la soirée, elle avait accroché à ses lèvres un sourire de circonstance et ce fut avec un soulagement intense qu'elle referma sa porte derrière elle.

Elle s'apprêtait à ôter son manteau lorsque la sonnerie du téléphone retentit, déchirant le silence de la nuit.

— Allô, dit-elle d'une voix lasse en décrochant le combiné.

— Bonsoir, Hillary, répondit une voix qu'elle ne connaissait que trop bien. Vous étiez sortie ?

La jeune femme remercia le ciel que Bret ne puisse entendre son cœur battre la chamade.

— Bonsoir, monsieur Bardoff, articula-t-elle aussi posément que possible. Vous appelez toujours vos employés à une heure aussi tardive ?

Bret feignit d'ignorer le ton mordant d'Hillary.

— Vous m'avez l'air de bien mauvaise humeur ! Vous avez passé une mauvaise journée ?

— Excellente, au contraire, mentit-elle. Je viens juste de rentrer d'un dîner avec un ami. Et vous ?

— Magnifique ! En plus j'adore ce repas de Thanksgiving où je peux me gaver de dinde !

— Vous m'appelez pour me parler de votre menu ou vous aviez quelque chose d'important à me dire ?

Sa voix s'était durcie à l'idée de Bret et de Charlène partageant ce repas de fête dans un restaurant élégant de la ville.

— Eh bien, à vrai dire, j'aurais aimé boire un verre avec vous pour célébrer ces quelques jours de repos. Et je me disais que s'il vous restait de ce délicieux whisky…

Prise de court, Hillary sentit la panique la gagner.

— Non… je veux dire oui…, balbutia-t-elle. En fait, il m'en reste mais il est tard et…

— Vous avez peur ? l'interrompit Bret.

— Absolument pas ! répliqua Hillary trop vivement. Je suis éreintée et je m'apprêtais à aller me coucher lorsque vous avez appelé.

— Vraiment ?

La jeune femme put sentir l'amusement pointer dans la voix de Bret.

— Vraiment. Et si vous pouviez cesser de vous moquer de moi sans arrêt…

— Désolé, affirma-t-il d'une voix qui manquait de conviction. Mais vous prenez la vie tellement au sérieux ! Eh bien, tant pis ! Je ne viendrai pas taper dans votre réserve d'alcool.

Il marqua un temps d'arrêt et reprit, sûr de lui :

— En tout cas pas ce soir. Bonne nuit, Hillary. A lundi.

— Bonne nuit, murmura-t-elle, emplie de regrets sitôt qu'elle eut raccroché le combiné.

Elle balaya la pièce du regard et éprouva l'envie irrépressible d'avoir Bret à ses côtés, de le toucher, de l'embrasser. Mais eût-elle possédé son numéro personnel, elle pouvait difficilement le rappeler et lui avouer qu'elle avait décliné sa proposition, poussée par un ego malmené.

Elle tenta de se persuader que c'était mieux ainsi et que le meilleur moyen d'oublier ce qu'elle qualifiait de toquade était de mettre le plus de distance entre eux.

— De toute façon, conclut-elle à voix haute, Charlène correspond beaucoup mieux à son style. Je ne pourrai jamais rivaliser avec une femme aussi sophistiquée, qui parle probablement couramment français, pour qui les grands crus n'ont aucun secret et à qui il faut plus d'une coupe de champagne avant qu'elle ne s'effondre.

Le samedi suivant, Hillary retrouva Lisa dans un restaurant chic de leur quartier, espérant que cet interlude agréable chasserait ses états d'âme.

— Excuse-moi, dit-elle en s'asseyant en face de son amie, je suis en retard, mais j'ai eu un mal fou à trouver un taxi.

Et avec la température qu'il fait dehors, la circulation est impossible !

— Ah oui ? commenta distraitement Lisa.

— Evidemment, amoureuse comme tu l'es, tous les paramètres sont faussés. Mais… je dois reconnaître que tu irradies la joie de vivre !

Lisa lui adressa un sourire rayonnant.

— C'est vrai que j'ai l'impression d'être aussi légère qu'une bulle. J'espère que tu ne me prends pas pour une folle.

— Mais non, bien au contraire ! Je suis si heureuse pour toi !

Les deux jeunes femmes passèrent la commande auprès du serveur et Lisa surprit Hillary en disant soudain :

— Quelquefois, j'aimerais vraiment avoir pour amie un laideron plein de verrues, avec un nez crochu.

— Mais enfin, Lisa, qu'est-ce qu'il te prend ?

— Eh bien, il me prend qu'il vient de rentrer l'homme le plus séduisant de la planète et qu'il n'a d'yeux que pour toi !

— Tu dois te tromper. Il cherche quelqu'un avec qui il a rendez-vous.

— Il a déjà quelqu'un avec qui il a rendez-vous accroché au bras. Ça ne l'empêche pas de te dévorer du regard, affirma Lisa en fixant le couple dont elle parlait. Non, non, ne te retourne pas, siffla-t-elle entre ses dents, il vient vers nous ! Surtout, reste naturelle, fais comme si de rien n'était.

— Lisa, reprends-toi, tu délires complètement ! dit Hillary que le comportement inhabituel de son amie amusait au plus haut point.

— Hillary ! Il semble que nous ne puissions plus nous passer l'un de l'autre, n'est-ce pas ?

Stupéfaite, Hillary reconnut la voix de Bret. Elle leva sur lui de grands yeux étonnés et lui adressa un sourire contrit.

— Bonsoir, monsieur Bardoff, parvint-elle à dire sans trahir le tumulte intérieur qui l'agitait. Mademoiselle Mason, ravie de vous revoir.

Charlène posa sur elle un regard glacial et hocha légèrement la tête en guise de salut.

— Je vous présente Lisa MacDonald. Lisa, voici Charlène Mason et Bret Bardoff.

Le nom de Bret Bardoff impressionna Lisa à tel point qu'elle s'exclama sans retenue :

— Le patron de *Mode* ! En chair et en os ! Je n'arrive pas à le croire !

Hillary fusilla son amie du regard, souhaitant de tout son cœur disparaître dans un trou de souris pour échapper à l'embarras dans lequel l'avait plongée la réaction de Lisa.

Elle coula un regard inquiet vers Bret mais celui-ci, qui paraissait s'amuser de l'admiration sans bornes que lui portait Lisa, lui adressait son plus charmant sourire.

— Vous savez, je suis une des plus ferventes lectrices de votre magazine ! poursuivit Lisa, indifférente au regard haineux dont elle était la cible. Il me tarde tant que le numéro « Spécial Hillary » paraisse ! Ce doit être un travail passionnant, non ?

— Disons que c'est une expérience… enrichissante. Qu'en pensez-vous, Hillary ?

— En effet, approuva la jeune femme en gardant un ton neutre.

Charlène, que l'intérêt trop manifeste de Bret pour Hillary contrariait au plus haut point, interrompit brutalement la conversation.

— Rejoignons notre table, Bret, veux-tu ? Et laissons ces jeunes femmes déjeuner tranquillement à présent.

Elle ponctua ses paroles d'un regard hautain destiné aux deux amies.

— Lisa, ravi d'avoir fait votre connaissance, déclara Bret sans se départir de son sourire ravageur. Quant à vous, Hillary, à bientôt.

Hillary parvint non sans mal à murmurer quelque chose qui ressemblait vaguement à un au revoir et plongea le nez dans sa tasse de thé, espérant que Lisa aurait la bonne idée de ne pas s'étendre sur cette rencontre.

Mais c'était mal la connaître.

— Waouh ! s'extasia celle-ci, tu m'avais caché qu'il était irrésistible ! Tu as vu ce sourire ? J'étais littéralement hypnotisée !

Dieu du ciel ! songea Hillary. Etait-il possible qu'il charme ainsi toutes les femmes qu'il croisait ?

— Tu n'as pas honte ? se moqua Hillary. Je te rappelle que tu es censée être amoureuse !

— Mais je le suis ! Ça ne m'empêche pas d'être sensible au charme ravageur de cet homme !

Elle coula un regard soupçonneux à son amie.

— Ne me dis pas que toi, il te laisse indifférente ? Je te connais trop bien pour croire une chose pareille !

Hillary poussa un profond soupir.

— Non, c'est vrai, admit-elle. Je ne suis pas insensible au charme irrésistible de M. Bardoff. C'est justement pour cela que je cherche à me prémunir contre ses effets dévastateurs.

— Il ne t'est pas venu à l'esprit que cette attirance pouvait être réciproque ? Je te rappelle que tu ne manques pas de charme non plus, tout de même !

— Tu n'as pas remarqué la rousse qui l'accompagne partout, enroulée à son bras comme le lierre s'accroche à un mur de pierre, ou tu le fais exprès ?

— Sûr que celle-là, on ne peut pas la rater ! Non mais tu as vu un peu la façon dont elle me regardait ? Comme si elle attendait de moi que je me lève pour lui faire la révérence ! Elle se prend pour « Sa Majesté la Reine des Cœurs » ?

— Tu ne crois pas si bien dire ! Elle est parfaitement assortie à « Sa Majesté l'Empereur ».

— Pardon ?

— Rien, rien… Tu es prête ? Alors partons d'ici, tu veux bien ?

Puis sans attendre de réponse, elle se leva et se dirigea vers la sortie, talonnée de près par son amie.

Le lundi suivant, Hillary se rendit au studio à pied, goûtant avec une joie d'enfant aux premiers flocons de neige de ce mois de décembre. Nez en l'air, elle offrait son visage à la douce caresse des flocons, se remémorant les immenses étendues d'un blanc immaculé de son Kansas natal, les balades en traîneau ou encore les concours de bonshommes de neige.

C'est tout excitée et l'humeur badine qu'elle retrouva son acolyte.

— Salut, vieux schnock ! Tes vacances se sont bien passées ?

Peter leva sur elle un regard empreint d'admiration. Enveloppée dans un long manteau assorti d'une toque en fourrure qui accentuait l'éclat de ses yeux et son teint de porcelaine rosi par le froid mordant, elle était outrageusement belle.

— Regardez-moi ce que cette première neige m'amène ! Tu es sublime ! Une publicité vivante pour des vacances d'hiver !

Hillary esquissa une petite moue moqueuse et se débarrassa de son manteau.

— Tu es vraiment incorrigible, Peter ! Tu ne pourras donc jamais voir les gens et les choses autrement qu'à travers l'objectif d'un appareil photo ?

— Déformation professionnelle, sans doute. June trouve que j'ai un sens de l'observation hors du commun.

Hillary leva les sourcils, signe chez elle d'un profond étonnement.

— June ?

— Oui... heu... je lui ai appris quelques rudiments sur le sujet.

— Je vois.

Face au ton ironique d'Hillary, Peter crut bon de se justifier.

— Oui. Elle... elle s'intéresse à la photographie.

— Ah, insista Hillary d'un air entendu. Et bien sûr, vos conversations restent strictement professionnelles.

— Ça va, Hil, lâche-moi un peu, tu veux bien ? grommela Peter en recentrant son intérêt sur l'appareil qu'il avait en main.

Mais Hillary, qui ne comptait pas en rester là, s'approcha de son ami et le serra dans ses bras.

— Embrasse-moi, vieux renard. Je suis si contente pour toi !

Peu habitué à ces manifestations de tendresse, Peter se dégagea promptement de l'étreinte amicale d'Hillary et lui demanda d'un ton bourru :

— Comment se fait-il que tu sois déjà là ? Tu as une bonne demi-heure d'avance.

— Tu remarques l'heure qu'il est, maintenant ? C'est

nouveau, ça ! le taquina-t-elle. J'ai pensé que je pourrais jeter un coup d'œil aux nouvelles épreuves.

Peter indiqua d'un vague signe de tête son bureau, disparaissant à moitié sous une multitude de dossiers.

— Là-bas. Et laisse-moi finir mes réglages, à présent.

— Bien, Maître, plaisanta Hillary en se dirigeant vers le bureau.

Après avoir passé en revue les différents clichés, elle en brandit un en direction de Peter. C'était une des photos prises sur le court de tennis.

— Je veux un tirage de celle-ci, Peter. J'adore le côté combatif qui en ressort !

Mais le photographe, absorbé par ses mises au point, n'entendait déjà plus rien, totalement oublieux de la présence de la jeune femme.

— « Mais certainement, ma chérie, dit Hillary en singeant son ami. Tout ce que tu voudras. Regarde un peu cette position. Parfaite. Et cet air d'intense concentration, digne d'un grand champion. On te croirait prête pour Wimbledon ! »

— « Merci, Peter, minauda Hillary en jouant à présent son propre rôle. Mais arrête un peu… Tous ces compliments… Tu vas finir par me faire rougir ! »

— Vous savez qu'on enferme des gens pour moins que ça, lui susurra soudain une voix à l'oreille.

Hillary sursauta, lâchant le cliché qu'elle avait à la main.

— Nerveuse avec ça, ajouta la voix. Très mauvais signe.

Hillary pivota pour se trouver nez à nez avec Bret. Instinctivement, elle eut un mouvement de recul. La situation lui parut soudain si grotesque qu'elle lui adressa un sourire désarmant d'ingénuité.

— Vous m'avez fait peur. Je ne vous ai absolument pas entendu arriver.

— Excusez-moi. Mais vous étiez si absorbée par votre dialogue…

— Quelquefois, Peter est si accaparé par ce qu'il fait que je suis obligée de faire la conversation toute seule.

Elle pointa un long doigt fin vers lui.

— Non mais regardez-le ! Il ne s'est même pas aperçu de votre présence !

— Je ne m'en plaindrai pas, murmura Bret d'une voix enjôleuse en repoussant derrière l'oreille de la jeune femme une mèche de cheveux rebelle.

Ce geste tendre lui fit l'effet d'un électrochoc. Le sang se mit à battre violemment à ses tempes.

— Ah ! Salut, Bret, dit Peter en reprenant pied avec la réalité. Il y a longtemps que tu es là ?

Hillary laissa échapper un profond soupir, ne sachant trop si elle devait l'attribuer à du soulagement ou à de la frustration.

L'hiver était à présent bien installé, semblant étirer sans fin ses journées froides et tristes.

Cela n'empêchait pas Hillary et Peter de progresser plus vite que prévu, prenant une nette avance sur l'emploi du temps initial. Ils estimaient même pouvoir boucler leur travail avant Noël. Le contrat d'Hillary s'achevant trois mois plus tard, elle se demanda ce qu'il adviendrait d'elle durant ce laps de temps. Bret déciderait peut-être de lui rendre sa liberté, mais cela lui parut bien improbable. Il ne voudrait certainement pas la voir travailler pour des concurrents tant que son projet n'aurait pas vu le jour. Il allait sans doute s'employer à lui trouver autre chose.

Mais après tout, songea-t-elle, rêveuse, pourquoi ne pas profiter de ces deux mois de liberté pour ne rien faire ? Etrangement, cette éventualité la séduisit, elle, l'hyperactive. Certes, elle adorait son métier qui, bien que parfois éreintant, était source de grandes satisfactions. Et il n'était pas question qu'elle l'abandonne. Du moins pas durant les dix prochaines années. Ensuite, elle verrait. Le moment serait alors venu de songer sérieusement à sa vie amoureuse. Elle choisirait un homme charmant, attentionné, quelqu'un de sérieux avec qui elle se marierait et bâtirait des projets d'avenir.

Curieusement, cette perspective d'avenir la rendit triste et mélancolique.

Une effervescence inhabituelle régna au sein du studio durant la deuxième semaine de décembre. Hillary devant incarner une jeune mère, elle partageait la vedette avec un bébé de huit mois.

On avait consacré une partie du studio à l'aménagement de ce qui devait être un salon et la séance promettant d'être plus difficile qu'à l'accoutumée, Peter, accompagné de Bret, en vérifiait le moindre détail. Hillary regarda pensivement les deux hommes échanger des idées sur la façon de mettre en scène ce tableau bien particulier, puis elle alla rejoindre la jeune maman qui tenait dans ses bras l'enfant qui allait devenir le sien durant quelques minutes.

Elle fut à la fois troublée et amusée par la ressemblance qui existait entre elle et lui. Andy, c'était son nom, avait des cheveux aussi sombres que les siens et ses yeux étaient du même bleu profond. N'importe qui aurait pu jurer qu'elle était la mère de cet enfant.

— Vous savez qu'il n'a pas été facile de trouver un bébé ayant les mêmes expressions que vous ? dit Bret en rejoignant Hillary qui s'était assise, le petit Andy fermement calé contre sa poitrine.

Il contempla un instant la jeune femme qui, riant aux éclats, faisait sauter l'enfant sur ses genoux.

— Il est trop mignon ! Vous ne trouvez pas ? demanda-t-elle en frottant sa joue contre les cheveux soyeux du bébé.

— Si, il est magnifique, approuva Bret. Et la ressemblance avec vous est tellement frappante ! On croirait qu'il est réellement votre fils !

Une ombre passa sur le visage d'Hillary qui baissa les yeux, cachant ainsi le malaise diffus que ses paroles avaient provoqué.

— C'est troublant en effet, murmura-t-elle. Tout est prêt ?

— Oui.

— Alors, allons travailler, Andy, dit-elle en se levant, l'enfant bien calé sur la hanche.

— N'oublie pas que je veux de la spontanéité, lui indiqua Peter avant de démarrer la séance. Alors fais ce qui te vient naturellement à l'esprit. Joue avec lui…

Peter s'interrompit, troublé par le regard expressif que l'enfant posait sur lui.

— C'est drôle, on dirait qu'il me comprend.

— Evidemment qu'il te comprend ! se rengorgea Hillary, adoptant le ton d'une maman transportée de fierté. C'est un enfant très intelligent, qu'est-ce que tu crois !

— Alors, ne perdons pas de temps ! Avec des petits de

cet âge, on ne peut pas travailler des heures d'affilée, il va nous falloir plusieurs pauses.

« Mère et fils » s'assirent sur le bout de moquette installé pour la circonstance dans un coin du studio et Hillary s'amusa à empiler des cubes qu'Andy s'employait à démolir dans de grandes effusions de joie. Tous deux étaient si absorbés par leur jeu qu'ils ne prêtaient aucune attention à Peter qui, tournant inlassablement autour d'eux, actionnait en permanence le déclencheur de son appareil.

Hillary, à présent allongée sur le ventre, avait entrepris la construction d'une tour lorsque l'attention du petit garçon fut attirée par une mèche de ses longs cheveux balayant le sol. Il l'enroula autour de ses petits doigts potelés et la porta à sa bouche.

La jeune femme délaissa alors les cubes pour rouler sur le dos. Puis elle prit l'enfant et le hissa à bout de bras au-dessus de sa tête, à la grande joie de celui-ci qui trouvait ce nouveau jeu à son goût.

Elle l'installa ensuite confortablement sur son ventre, le laissant découvrir avec fascination les boutons en nacre de son chemisier et tenter vainement de les défaire. C'est alors qu'il passait sa menotte sur le visage de la jeune femme que, de nouveau, un vague sentiment de nostalgie la submergea.

Elle se releva, tenant précieusement ce petit corps chaud contre le sien, et la raison de sa mélancolie lui apparut soudain comme une évidence : elle voulait un enfant. Un enfant d'un homme qu'elle aimerait, une petite boule de tendresse qui nouerait ses bras autour de son cou.

Elle serra Andy plus fort contre elle et ferma les yeux tandis qu'elle caressait de sa joue la peau douce de l'enfant. Lorsqu'elle les rouvrit ce fut pour croiser le regard pénétrant de Bret.

La réalité la frappa alors de plein fouet : c'était cet homme qu'elle aimait, de lui qu'elle désirait un enfant. Et il était inutile de se voiler la face plus longtemps.

Sous le choc de sa découverte, elle détourna les yeux, toute chancelante. Comment une telle chose avait-elle pu se produire ? Il n'était pourtant pas dans ses projets immédiats de tomber amoureuse. Il lui fallait du temps pour tenter de comprendre ce qui lui arrivait.

Ce fut avec un immense soulagement qu'elle accueillit le signal de la pause. En grande professionnelle qu'elle était, elle parvint à afficher un sourire éclatant qui démentait le tumulte intérieur qui l'agitait.

— Magnifique ! s'extasia Peter. Vous avez fait du beau travail tous les deux !

« Du travail ! songea amèrement Hillary. Ce n'était pas du travail. Je n'ai fait que vivre un fantasme. »

Toute sa carrière, sa vie même, ne relevaient-elles pas du fantasme ?

Les petits braillements aigus que poussa Andy à ce moment-là la ramenèrent sur terre, l'empêchant fort à propos d'analyser plus profondément ses réflexions. Le moment était mal choisi pour mener à bien une introspection, si nécessaire soit-elle !

— L'installation du nouveau décor va prendre une bonne heure, Hil, déclara Peter. Tu devrais en profiter pour manger quelque chose avant de te changer.

Hillary acquiesça d'un signe de tête, soulagée à la perspective d'avoir un peu de temps à elle pour tenter de rassembler ses esprits.

— Je vous accompagne, dit Bret sur un ton qui n'entendait pas être discuté.

— Non ! riposta vivement Hillary en prenant son manteau au vol et en se pressant vers la sortie.

Puis notant l'air surpris que sa réaction avait provoqué, elle précisa, radoucie :

— Je voulais dire que ce n'est pas la peine. Je suppose que vous avez des tonnes de choses à faire et qu'il vous faut certainement repasser à votre bureau.

— Je vous remercie de vous inquiéter du travail qu'il me reste à faire, railla Bret, mais voyez-vous, il m'arrive aussi, de temps en temps, de m'arrêter pour me nourrir.

D'un geste autoritaire, il lui prit son manteau des mains et l'aida à l'enfiler, s'attardant au creux de ses épaules. Le simple contact des mains de Bret à travers l'étoffe électrisèrent ses sens, lui brûlèrent la peau. Elle eut un imperceptible mouvement de recul et se raidit légèrement.

— Mais ce n'était pas mon intention de vous importuner, dit-il d'une voix douce qui contrastait étrangement avec son regard d'acier. Ne cesserez-vous donc jamais de me soupçonner des pires intentions ?

Hillary ne répondit pas, acceptant en silence sa présence à son côté. Ils marchèrent un moment sur les trottoirs recouverts d'une fine pellicule de neige et, sans trop savoir comment, elle se retrouva assise à côté de Bret dans sa luxueuse limousine.

Tandis qu'ils longeaient Central Park, elle s'appliqua à calmer les battements désordonnés de son cœur et à engager une conversation de courtoisie.

— Regardez comme c'est beau ! dit-elle en désignant les arbres du parc scintillant de mille feux sous l'effet d'un pâle rayon de soleil. J'adore la neige. Tout semble si pur, si limpide ! C'est un peu comme...

— Chez vous ? anticipa Bret.

— Oui, répondit-elle en se sentant faiblir sous le regard métallique dont il l'enveloppait.

Chez elle, songea-t-elle avec mélancolie. Avec cet homme, ce pourrait être n'importe où. Mais il ne le saurait jamais. Elle garderait ce secret enfoui au plus profond d'elle-même, tel un trésor caché dans une forteresse.

Dans le petit restaurant où ils s'étaient attablés, Hillary continua à alimenter la conversation, s'estimant incapable de supporter la moindre minute de silence qui pourrait s'installer entre eux. Et qui pourrait trahir son lourd secret.

— Tout va bien, Hillary ? s'enquit Bret, devinant que ce bavardage incessant cachait quelque chose. Je vous sens nerveuse.

Durant un instant qui lui parut une éternité, Hillary, paniquée, redouta qu'il puisse lire dans ses pensées et la percer à jour.

— Non, non, tout va bien, parvint-elle à dire d'une voix admirablement calme. Je suis simplement très excitée à l'idée que l'article va bientôt paraître et j'avoue qu'il me tarde de voir le résultat de notre collaboration.

— Si c'est le nombre de tirages de ce numéro spécial qui vous inquiète, je crois être bien placé pour vous rassurer.

Sa voix était cassante, son regard plus dur que jamais.

— Vous allez être propulsée aux sommets, lui prédit-il. La télé, les journaux vont s'arracher vos services et les offres vont pleuvoir. Vous pourrez même vous permettre de vous montrer exigeante. C'est merveilleux, non ? N'est-ce pas ce que vous avez toujours voulu ? insista-t-il méchamment.

— Bien sûr, acquiesça Hillary avec plus d'enthousiasme qu'elle n'en ressentait. Je mentirais si je soutenais le contraire et je vous suis très reconnaissante de l'opportunité que vous m'avez offerte.

— Ne me remerciez pas, dit-il d'un ton tranchant. Ce travail est le résultat de toute une équipe et vous n'aurez pas volé les bénéfices que vous allez en retirer.

Il se leva brusquement et jeta sur la table de quoi régler l'addition.

— Et à présent, conclut-il toujours aussi froidement, j'aimerais que nous partions. Comme vous me l'avez fait remarquer tout à l'heure, j'ai du travail qui m'attend.

Hillary hocha la tête en silence, se demandant ce qui avait bien pu provoquer la colère froide de Bret Bardoff.

Hillary retint son souffle et alla contempler son reflet dans le miroir de la loge. Ses doutes s'évanouirent sitôt qu'elle vit la soie fine et vaporeuse dessiner discrètement ses formes minces et souligner sans vulgarité la rondeur de ses seins.

Lorsqu'elle avait déballé le court négligé de soie qu'elle devait porter pour cette dernière séance, elle s'était montrée réticente. Certes, elle avait admis qu'il était magnifique mais elle avait douté de son effet sur elle.

C'est donc parfaitement rassurée qu'elle quitta la loge, sa beauté naturelle sublimée par le vêtement léger qui flottait derrière elle.

Elle attendit quelques instants que Peter ait mis la dernière touche au décor qu'il avait conçu et admira au passage le talent de l'artiste. Il avait imaginé une pièce dont les éclairages étaient si tamisés qu'ils donnaient l'illusion qu'un rayon de lune s'y profilait et qu'ils conféraient à l'endroit une ambiance aussi chaleureuse que romantique.

— Ah ! Tu es prête, dit-il en levant le nez sur elle, réalisant enfin sa présence.

Il fixa la jeune femme, muet d'admiration.

— Tu me surprendras toujours, commenta-t-il lorsqu'il eut recouvré la voix. Tu es tout simplement sublime ! Je te garantis que tous les hommes vont tomber amoureux de toi et que toutes les femmes vont te jalouser à mort.

Hillary éclata de rire et le rejoignit sur le plateau. C'est en se retournant qu'elle vit Bret arriver, Charlène suspendue à son bras.

Leurs regards s'accrochèrent un instant puis celui de Bret glissa ostensiblement sur le corps parfait qui s'offrait à lui.

— Vous êtes magnifique, Hillary !

— Merci, répondit la jeune femme, consciente du regard glacial dont Charlène accompagna le compliment de son compagnon.

Elle reçut ce regard haineux comme une douche froide et regretta amèrement que Bret ait emmené avec lui sa rousse incendiaire.

— Nous allions juste commencer, annonça Peter qui, sans même s'en rendre compte, rompait fort à propos le silence lourd d'hostilité qui venait de s'instaurer.

— Faites comme si nous n'étions pas là, dit tranquillement Bret. Charlène voulait juste se faire une idée de ce projet qui m'occupe tant.

Une pointe de jalousie vrilla le cœur d'Hillary. L'association de leurs deux noms lui fit réaliser qu'ils formaient un vrai couple et lui rappela douloureusement que les sentiments qu'elle éprouvait pour Bret n'étaient pas réciproques.

— Viens par ici, Hil, commanda Peter en plaçant la jeune femme sous la lumière indirecte d'un des projecteurs.

Ses courbes parfaites se révélèrent alors aux regards indiscrets des visiteurs.

— Parfait, apprécia Peter qui mit le ventilateur en marche.

La légère brise artificielle fit joliment voleter les cheveux d'Hillary autour de son visage et plaqua la soie contre son corps, soulignant un peu plus ses formes impeccables.

Peter regarda dans le viseur et, satisfait, commença à mitrailler son modèle tout en lui donnant des directives.

— C'est bon là, vas-y ! Maintenant soulève tes cheveux. Parfait, tu vas tous les rendre fous !

Hillary s'exécutait, se pliant docilement aux exigences du photographe.

— Regarde l'objectif, Hil. Regarde-le amoureusement, comme si tu regardais l'homme que tu aimes. Imagine qu'il va arriver, qu'il va te prendre dans ses bras.

A ces mots, un frisson parcourut Hillary et c'est tout naturellement vers Bret que son regard se porta.

— Allons, Hillary, je veux voir la passion éclairer tes yeux, pas la panique ! Recommence !

Alors, le miracle se produisit. Lentement, elle autorisa ses rêves à prendre le pas sur la raison et vit Bret dans l'œil de l'appareil. Un Bret dont le regard s'allumait de désir mais aussi d'amour. Elle le revit la serrer contre son torse puissant, ses lèvres chaudes écraser les siennes tandis que ses mains parcouraient sa peau frémissante. Et lorsque sa bouche quitta sa bouche, ce fut pour lui murmurer les mots qu'elle désirait ardemment entendre.

— Tu l'as, Hil, tu l'as ! s'exclama Peter, au comble de la satisfaction.

Hillary reprit durement contact avec la réalité tandis que Peter continuait à s'enthousiasmer.

— Tu as été formidable, mon chou ! Moi-même je suis tombé sous le charme !

Hillary inspira profondément, espérant dissiper au plus vite ces images qui la troublaient au-delà du raisonnable.

— Eh bien, nous pourrions nous marier et t'acheter plein de nouveaux appareils photo, plaisanta-t-elle en se dirigeant vers sa loge.

La voix aiguë de Charlène qui se voulait ensorcelante la stoppa dans son élan.

— Ce négligé est une pure merveille ! Bret, chéri, il me le faut absolument !

Bret, qui n'avait d'yeux que pour Hillary, marmonna distraitement :

— Mmm ? Oui, oui, bien sûr. Si tu veux, Charlène.

L'assentiment de Bret fit à Hillary l'effet d'un coup de poignard. Bouleversée, elle le fixa quelques secondes, puis se précipita hors de la pièce.

Ce ne fut que dans l'intimité de sa loge qu'elle laissa libre cours à son chagrin. Cette nuisette était à elle, elle se l'était appropriée durant cette séance particulière. C'est dans cette tenue qu'elle avait imaginé Bret l'aimer et lui avouer son amour pour elle. Et désormais, c'est Charlène qui la porterait, sur elle qu'il promènerait des doigts impatients.

Elle ferma les yeux et refoula les sanglots qui lui nouaient la gorge. Comment pouvait-il lui faire une chose pareille ?

La peine céda soudain la place à la colère. Si c'était cela qu'ils voulaient, eh bien, ils l'auraient ! Et elle se chargeait de le leur donner en main propre !

Elle ôta le négligé à coups de gestes rageurs puis, après s'être rhabillée à la hâte, elle retourna dans le studio.

Bret s'y trouvait seul, nonchalamment installé derrière le bureau de Peter.

Hillary, portée par une rage froide, s'avança dignement vers lui et laissa tomber la boîte sur le bureau encombré.

— Pour votre amie. Mais d'abord, il faudra le faire nettoyer.

Elle lui tourna le dos, s'apprêtant à repartir aussi dignement qu'elle était venue, lorsqu'une main ferme agrippa solidement son poignet.

— Quelque chose ne va pas, Hillary ? s'enquit posément Bret.

— Tout va très bien au contraire, claironna-t-elle d'une voix faussement enjouée.

— Laissez tomber ce petit jeu, voulez-vous. Je vois bien que vous êtes contrariée et je veux savoir pourquoi.

— Contrariée ? s'écria-t-elle, ivre de colère de ne pouvoir se libérer de la poigne de Bret. De toute façon, en admettant que je le sois, cela ne vous regarde pas ! Il n'est pas stipulé dans mon contrat que je doive justifier mes états d'âme, que je sache !

Si Bret lâcha le poignet de la jeune femme, ce ne fut que pour la prendre par les épaules et la secouer afin de calmer sa colère croissante.

— Arrêtez ! Vous allez me dire ce qui vous arrive, oui ?

— Eh bien, oui, je vais vous le dire ! Vous débarquez dans le studio, en terrain conquis, votre petite amie au bras et il suffit d'un battement de cils pour que vous cédiez à tous ses caprices ! Mais ce négligé m'appartient !

Bret la considéra un instant, stupéfait.

— Et c'est pour cette raison que vous vous mettez dans un état pareil ? Grands dieux, mais gardez-la, cette nuisette, ce n'est pas un problème !

— Cessez de me parler sur ce ton paternaliste ! vociféra-t-elle. Vous n'achèterez pas ma bonne humeur à coups de cadeaux ! Et gardez votre générosité légendaire pour quelqu'un qui saura l'apprécier. Maintenant, si vous voulez bien me lâcher, je voudrais partir.

— Vous n'irez nulle part tant que vous ne vous serez

pas calmée et que nous ne serons pas allés au fond du problème.

Les yeux d'Hillary se remplirent soudain de larmes.

— Vous ne comprenez pas…, dit-elle, la voix étranglée de sanglots. Vous ne comprenez rien.

— Hillary, murmura Bret en essuyant du revers de la main les larmes qui, à présent, roulaient sans retenue sur les joues de la jeune femme. Ne pleurez pas, je vous en supplie.

Mais les pleurs redoublèrent.

— Je ne comprends pas comment une simple nuisette peut vous mettre dans un état pareil. Tenez, dit-il en lui tendant la boîte, reprenez-la. Charlène n'en a pas besoin, elle en a des dizaines.

Ces derniers mots, prononcés dans le but de dédramatiser, eurent l'effet inverse et ravivèrent la colère d'Hillary.

— Je n'en veux plus et je ne veux plus la voir ! s'écria-t-elle, la voix entrecoupée de sanglots. Et j'espère que vous et votre fiancée en ferez bon usage !

Puis, prenant Bret de court, elle saisit son manteau au passage et se rua dehors.

Elle se mit à arpenter le trottoir, luttant contre le froid qui l'assaillait de toutes parts.

« Quelle idiote j'ai été, rumina-t-elle. Pourquoi me suis-je acharnée ainsi sur ce malheureux bout de tissu ? »

Mais ce n'était pas plus stupide que de s'attacher à un type arrogant, insensible et qui en aimait une autre.

Elle s'apprêtait à héler un taxi lorsque deux bras robustes la firent se retourner. Elle se retrouva contre la veste en cuir de Bret.

— J'en ai assez de vos crises d'hystérie et je ne supporte pas qu'on me plante là de cette manière.

Hillary le brava du regard, nullement impressionnée par le calme menaçant de sa voix.

— Nous n'avons plus rien à nous dire, monsieur Bardoff.

— Et moi je crois, au contraire, que nous avons encore beaucoup à nous dire.

— De toute façon, je ne pense pas que vous puissiez comprendre. Vous n'êtes qu'un homme, après tout !

Elle le vit inspirer profondément avant de reprendre d'une voix qui se voulait égale :

— Sur ce dernier point, vous avez raison. Je suis un homme.

Et comme pour justifier son propos, il la plaqua contre lui et l'embrassa passionnément, la forçant à répondre à son baiser.

Le temps n'eut soudain plus aucune prise sur eux et chacun se laissa aller à savourer les lèvres de l'autre, indifférents aux passants qui les bousculaient.

Lorsque Bret relâcha son étreinte, Hillary s'écarta de lui et déclara d'un ton neutre :

— Eh bien, maintenant que vous m'avez prouvé que vous étiez un homme, je vais pouvoir partir.

— Non. Vous allez me suivre gentiment jusqu'au studio et nous allons reprendre notre discussion.

— La discussion est terminée.

— Pas tout à fait, décida-t-il en l'agrippant par le bras.

Il ne fallait pas qu'elle cède. Pas maintenant. Elle était trop vulnérable, il lirait en elle comme dans un livre ouvert.

— Vraiment, Bret, dit-elle, fière du calme qu'elle parvenait à afficher, je détesterais me faire remarquer en pleine rue, mais si vous vous obstinez à vous comporter en homme des

314

cavernes, je n'hésiterai pas une seconde : je me mettrai à hurler, et croyez-moi, je peux hurler très fort.

— Vous ne feriez pas ça ?

— Si. Sans hésiter.

— Hillary, gronda-t-il d'une voix sourde, nous avons des choses à mettre au clair.

— Bret, tout cela a pris des proportions démesurées. C'était stupide, alors restons-en là, voulez-vous ?

— Pourtant, ça n'avait pas l'air si stupide tout à l'heure.

Hillary sentit sa mince carapace défensive se craqueler et elle conclut vivement :

— Soyez gentil, Bret. Mettez cela sur le compte de nos tempéraments sanguins et n'y voyez rien d'autre.

— Très bien, dit Bret. Je capitule… Pour le moment.

Hillary poussa un soupir de soulagement. Il était grand temps qu'elle le quitte, sans quoi, elle ne jurerait plus de rien.

Son œil avisé ayant repéré un taxi à l'angle de la rue, elle porta ses doigts à la bouche et émit un bref sifflement aigu, censé attirer l'attention du chauffeur.

Bret refoula l'hilarité qui le gagnait.

— Décidément, vous êtes une femme étonnante !

La réponse d'Hillary se perdit dans le bruit de la portière qu'elle claqua sur elle.

5.

Noël approchait à grands pas, la ville avait revêtu ses plus beaux atours. Hillary, le cœur en fête, observait par la fenêtre le ballet incessant des voitures et celui des piétons qui se pressaient dans les rues scintillant de mille feux.

Elle s'amusa à suivre des yeux les gros flocons qui, telles des plumes d'oreillers éventrés, allaient s'écraser au sol et sur les toits.

Elle n'avait pas revu Bret depuis des jours et le tournage étant achevé, ses chances de le revoir étaient minces.

Une vague de tristesse assombrit son humeur joyeuse. Elle secoua la tête, bien déterminée à ne pas laisser ses états d'âme gâcher le plaisir qu'elle éprouvait à l'idée de retrouver les siens. Car demain, elle retournait chez elle. Et c'était exactement ce qu'il lui fallait pour oublier le trop séduisant Bret Bardoff. Dix jours loin de lui devraient suffire à panser ses plaies et à envisager sérieusement un avenir d'où il serait définitivement exclu !

Des coups frappés à la porte la détournèrent de son poste d'observation.

— Qui est-ce ? s'enquit-elle, la main sur la poignée, prête à ouvrir.

— Le Père Noël, plaisanta une voix qu'elle reconnut immédiatement.

— B... Bret... c'est vous ? balbutia-t-elle.

— On ne peut rien vous cacher, n'est-ce pas ?

Il marqua une courte pause et reprit :

— Vous comptez me faire entrer ou me laisser sur le palier toute la nuit ?

— Excusez-moi, dit Hillary en s'empressant de déverrouiller la porte.

Comme à son habitude Bret affichait la plus grande décontraction. Négligemment appuyé contre le chambranle de la porte, il détailla avec une admiration non dissimulée la silhouette longiligne de la jeune femme que moulait une robe d'intérieur de velours ivoire.

— Puis-je entrer ?

— Bien sûr, répondit Hillary en s'effaçant pour le laisser passer. Mais je vous rappelle que le Père Noël est censé entrer dans les maisons par la cheminée.

— C'est exact, mais celui-ci est particulier et il boirait volontiers, pour se réchauffer, un verre de ce fameux whisky que vous gardez pour vos amis.

Puis, sans attendre d'y être invité, il retira son manteau et le posa négligemment sur le dossier d'une chaise.

— Moi qui croyais que les Pères Noël ne buvaient que du lait ! ricana Hillary.

— Et moi je suis persuadé qu'ils ont tous une flasque d'alcool caché dans leur joli costume rouge.

— Ce que vous pouvez être cynique, parfois ! dit la jeune femme en allant dans la cuisine.

Bret, qui lui avait emboîté le pas, se tenait à présent sur le seuil et la regardait lui servir un verre de scotch.

— Bravo ! Vous avez fait des progrès, on vous prendrait

pour une vraie professionnelle ! Mais vous allez bien trinquer avec moi, tout de même.

Hillary esquissa une moue de dégoût.

— Non, ce truc a le même goût que le savon avec lequel on m'a lavé la bouche un jour !

— Je ne vous ferai pas l'affront de vous demander pour quelle raison vous avez eu droit à une telle punition, dit Bret en lui prenant le verre des mains. En revanche je vais vous demander de m'accompagner, je déteste boire tout seul.

Hillary renonça à discuter et prit un pichet de jus d'orange dans le réfrigérateur. Elle s'en servit une généreuse rasade et porta un toast en l'honneur de son invité avant de regagner le salon, Bret sur les talons.

— Peter m'a dit que vous partiez dans le Kansas demain ? s'enquit ce dernier en prenant place dans le canapé tandis qu'Hillary s'asseyait prudemment sur une chaise en face de lui.

— C'est exact. Je resterai là-bas jusqu'au 2 janvier.

— Eh bien, levons notre verre à Noël et à la nouvelle année, alors. Je serai de tout cœur avec vous lorsque sonneront les douze coups de minuit.

— Je n'en suis pas si sûre. A mon avis, vous aurez autre chose à faire qu'à penser à moi, riposta-t-elle d'une voix lourde de reproches.

Elle se détesta aussitôt de faire preuve d'une si grande faiblesse dès lors qu'elle se trouvait en présence de Bret.

Mais celui-ci fit mine de n'avoir rien remarqué et sirota une gorgée de son whisky avant d'adresser à la jeune femme un de ses sourires renversants dont il avait le secret.

— Je trouverai bien une minute, ne vous inquiétez pas !

Hillary plongea le nez dans son verre, refoulant à grand-peine les commentaires désagréables dont elle brûlait de l'abreuver.

— J'ai un cadeau pour vous, reprit-il d'un ton désinvolte en se levant pour aller chercher un petit paquet dans la poche de sa veste.

Hillary le considéra un instant, sans voix.

— Oh, mais… je ne savais pas… C'est que… je n'ai rien pour vous, balbutia-t-elle, embarrassée.

— Vraiment ? plaisanta Bret, amusé de la voir rougir.

— Non, Bret, je ne peux pas accepter, ce ne serait pas correct !

— Eh bien, imaginez juste que c'est le présent d'un empereur à l'un de ses sujets.

Tout en prononçant ces mots, il prit le verre de la main d'Hillary et à la place, y déposa le petit paquet.

— Vous avez bonne mémoire, dit la jeune femme, souriant à l'allusion.

— C'est vrai, je n'oublie jamais rien, admit-il d'un air entendu. Mais je vous en prie, ouvrez votre paquet, je sais que vous en mourez d'envie.

— Vous avez raison, je ne peux pas résister à un cadeau de Noël. C'est une fête que j'adore !

Elle déchira avec fébrilité l'élégant emballage et retint son souffle à la vue des boucles d'oreilles serties de saphirs qui étincelaient dans leur écrin de velours.

— Je les ai choisis parce qu'ils me rappelaient le bleu profond de vos yeux. J'aurais trouvé criminel qu'ils appartiennent à quelqu'un d'autre que vous.

— Ils sont magnifiques ! Vraiment magnifiques ! s'extasia Hillary lorsqu'elle put de nouveau parler. Mais vous n'auriez pas dû…

— Je n'aurais pas dû, l'interrompit Bret, mais vous êtes heureuse que je l'aie fait.

Hillary afficha un sourire radieux.

— Oui, admit-elle humblement. C'est une attention si délicate. Je ne sais comment vous remercier.

— Moi je sais, déclara Bret en aidant la jeune femme à se lever de son siège.

Il la prit tendrement dans ses bras et effleura ses lèvres d'un baiser. Hillary sembla hésiter puis céda à la douce pression de cette bouche chaude sur la sienne. Après tout, c'était une jolie façon de le remercier.

Lorsque leurs lèvres se quittèrent, Hillary s'écarta légèrement de Bret mais celui-ci resserra son étreinte et lui murmura :

— Il y a deux boucles d'oreilles.

De nouveau sa bouche prit possession de celle de la jeune femme, cette fois plus passionnément. Il se grisa de son corps souple contre le sien, de ses bras graciles noués autour de son cou, de ses longs doigts fins qu'elle passait dans ses cheveux.

— Quel dommage que vous n'ayez que deux oreilles, ironisa Bret pour masquer la vive émotion qu'il ressentait.

Hillary, qui s'était blottie avec délice contre son torse, tentait de rassembler ses esprits.

— S'il vous plaît, Bret, je n'ai plus toute ma raison quand vous m'embrassez comme ça.

— Vraiment ?

Sa bouche effleura d'un baiser les cheveux soyeux d'Hillary.

— C'est très intéressant, mais très dangereux aussi, d'avouer une chose pareille. Je pourrais être tenté d'en profiter.

320

Il s'interrompit de nouveau, semblant hésiter, puis lui susurra à l'oreille :

— Mais pas cette fois.

Il relâcha son étreinte et, sans plus de commentaires, alla vider son verre d'un trait. Puis il enfila son manteau et se dirigea vers la porte.

— Joyeux Noël, Hillary, lui dit-il dans un dernier regard.

— Joyeux Noël, Bret, murmura-t-elle en retour.

Le cœur chaviré, elle fixa un long moment la porte qui venait de se refermer sur l'homme qu'elle aimait.

Hillary laissait avec bonheur la bise glaciale lui mordre le visage tandis qu'elle s'extasiait sur le bleu lumineux d'un ciel parfaitement vierge de tout nuage. Enfin, elle était chez elle !

Elle considéra la vieille ferme de son enfance, s'abandonnant, pour un court instant, au flot de souvenirs qui l'assaillaient. Le cœur débordant de joie, elle poussa la porte d'entrée et se dirigea vers la cuisine.

— Tom ! entendit-elle sa mère crier, qu'est-ce que tu fais ?

Elle était en train d'essuyer ses mains sur son tablier blanc, lorsque la surprise la cloua sur place : la mince silhouette de sa fille se découpait dans l'encadrement de la porte.

— Hillary ! Ma chérie !

Hillary courut se blottir contre sa mère.

— Oh, maman ! C'est si bon de rentrer à la maison !

Si Sarah Baxter nota la note de désespoir dans la voix de sa fille, elle se garda bien de tout commentaire. Dans un geste tendre, elle l'enveloppa de tout son amour.

— Eh bien, tu n'as pas grossi ! lui dit-elle lorsqu'elle se détacha d'elle pour mieux la regarder.

La voix de Tom Baxter, qui venait de pousser la porte donnant sur le jardin, s'éleva, grave et chaude :

— Mais regardez-moi ce que le vent de New York nous amène ! s'exclama-t-il, visiblement ravi de serrer à son tour sa fille contre son cœur.

Hillary inspira profondément les odeurs mêlées d'herbe coupée et de chevaux, qui étaient toute son enfance.

— Laisse-moi un peu te regarder, lui dit à son tour son père en la repoussant légèrement. Tu es magnifique, ma chérie ! N'est-ce pas, Sarah, que notre fille est magnifique ?

Plus tard, lorsqu'elle rejoignit sa mère dans cette même pièce, elle s'étourdit des odeurs familières qui s'en dégageaient et qui lui firent réaliser le chemin parcouru depuis son départ. Ses pensées la ramenèrent alors vers Bret et elle caressa d'un geste machinal les précieux saphirs dont elle ne se séparait jamais. Elle détourna la tête, espérant que les larmes qui lui brouillaient la vue avaient échappé à la sagacité maternelle.

Le matin de Noël, les rayons du soleil qui filtraient à travers les persiennes réveillèrent Hillary. Elle s'étira paresseusement dans son lit de jeune fille, les yeux encore lourds de sommeil. Elle s'était attardée à discuter avec ses parents la veille au soir, mais une fois couchée, elle n'était pas parvenue à s'endormir. Le visage de Bret l'avait hantée une bonne partie de la nuit et elle avait eu beau fixer son attention sur les ombres inquiétantes qui dansaient au plafond, rien n'y avait fait. Sans cesse, il était revenu, lui faisant ressentir le vide aigu de son absence.

Il fallait qu'elle se résigne : elle l'aimait. Et elle le détestait de ne pas lui rendre son amour. Bien sûr, il la désirait et ne s'en cachait pas. Mais désirer n'est pas aimer.

Comment avait-elle pu tomber si facilement dans le piège de l'amour, elle qui s'en était toujours parfaitement défendue ? Comment avait-elle pu tomber amoureuse d'un homme aussi arrogant, exigeant, présomptueux, bref, qui à lui seul réunissait tous les défauts qu'elle exécrait ?

« C'est Noël, et je n'ai pas l'intention de laisser Bret Bardoff me gâcher la journée », se dit-elle fermement dans une dernière tentative d'autopersuasion.

Forte de cette bonne résolution, elle bondit hors du lit, enfila sa robe de chambre et descendit rejoindre ses parents.

L'heure suivante se passa dans la joie et la bonne humeur, chacun ouvrant les cadeaux qui lui étaient destinés, remerciant et embrassant à grands coups d'exclamations.

Un peu plus tard dans la journée Hillary éprouva le besoin d'aller prendre l'air et c'est avec une joie enfantine qu'elle s'appliqua à faire craquer la mince pellicule de glace sous ses bottes. L'air était piquant, un vrai froid d'hiver, et elle resserra contre elle la veste qu'elle avait empruntée à son père. Elle rejoignit celui-ci dans la grange et sans un mot, se mit à mesurer le blé, retrouvant naturellement les automatismes de son enfance.

— Finalement, tu y es restée attachée à cette terre !

Ces mots, lâchés par son père pour plaisanter, allèrent droit au cœur d'Hillary qui acquiesça.

— Oui, je crois qu'au fond, je suis restée une fille de la campagne.

Le voile de tristesse qui passa à ce moment-là dans son regard n'échappa pas à Tom Baxter.

— Hillary, qu'est-ce qui ne va pas ? demanda-t-il gentiment.

Hillary poussa un profond soupir.

— Je ne sais pas. Quelquefois, j'ai l'impression d'étouffer à New York. Trop de bruit, trop de monde…

— Ta mère et moi pensions que tu étais heureuse là-bas.

— Je l'étais… Enfin, je le suis… C'est une ville terriblement excitante, si colorée, si vivante ! Mais parfois, les grands espaces, le calme d'ici me manquent. Cette impression de paix…

Elle secoua la tête, repoussant l'image des yeux gris qui s'imposait à elle.

— Ce n'est rien, papa. Un peu de fatigue, sans doute. Je viens juste de terminer un travail dans lequel je me suis beaucoup investie.

— Hillary, si tu n'es pas heureuse et si je peux t'aider…

L'espace d'un instant, Hillary éprouva la tentation de s'abandonner contre cette épaule et de s'épancher. Parler de ses doutes, de ses frustrations. Mais à quoi bon ? Que pourrait son père au fait qu'elle était malheureuse parce qu'elle s'était entichée d'un homme pour qui elle n'était rien de plus qu'un agréable divertissement doublé d'un produit commercial inespéré ?

Elle lui adressa un pauvre sourire destiné à le rassurer.

— Merci. Mais vraiment, ce n'est pas grave. Une légère déprime due au stress de ces derniers jours. C'est courant dans le métier. Bon, je te laisse, je vais nourrir les poules, conclut-elle en s'éclipsant rapidement.

Lorsqu'elle regagna la maison, une chaude atmosphère y régnait, des cris d'enfants surexcités se mêlaient à des voix d'adultes enthousiastes et toute cette joyeuse effervescence combla momentanément le vide qui la hantait. Mais lorsque le dernier invité fut parti, elle retarda le moment d'aller se coucher et alla se pelotonner dans un fauteuil, fixant d'un air morne la guirlande électrique qui clignotait inlassablement entre les branches du sapin.

Comment Bret avait-il passé cette journée ? Dans son club de loisirs avec des amis qui lui ressemblaient ou seul avec Charlène, peut-être. En tout cas, à cette heure tardive ils devaient être en tête à tête devant un bon feu de cheminée, Charlène blottissant dans les bras de Bret son corps à moitié nu dans son beau négligé.

Elle repoussa de toutes ses forces cette vision qui lui faisait l'effet d'un coup de poignard dans le cœur. Mais rien n'y fit : toute la nuit, jalousie et profond désespoir se relayèrent pour la ronger.

Les jours s'écoulaient, paisibles, et peu à peu la routine rassurante qui rythmait ses journées lui rendit sa joie de vivre. Avec le vent frais du Kansas, les premiers signes de la dépression qui s'annonçait s'envolèrent. Elle prenait plaisir à faire de longues promenades dans la campagne vallonnée de son enfance.

Les gens des villes ne pourraient jamais comprendre ce qu'elle éprouvait. Comment serait-ce possible, quand on avait pour seul horizon des tours d'acier et de béton ? Comment pourraient-ils ressentir cet amour viscéral qui la liait à cette terre ? Sa terre. Riche d'histoire et de passé. Et lorsqu'elle ne serait plus là, et que d'autres générations lui auraient succédé, le paysage, lui, resterait inchangé. Les champs de blé s'étendraient toujours à perte de vue, et la terre riche et fertile nourrirait toujours ses habitants, année après année.

J'aime cette terre, clama-t-elle à voix haute, j'aime la faire couler entre mes doigts et la fouler de mes pieds nus. J'aime son odeur lourde, entêtante. C'est elle qui a fait de moi cette fille simple que je suis restée.

Allait-elle pour autant renoncer à sa carrière pour s'installer ici ? Non. Elle était jeune, sa voie était tracée désormais. Elle retournerait à New York.

Reprenant le chemin de la ferme elle décréta fermement que Bret Bardoff n'était pour rien dans cette décision.

A peine venait-elle de rentrer que la sonnerie du téléphone se mit à retentir. Sans prendre le temps de retirer sa veste elle décrocha le combiné.

— Allô ?

— Bonjour, Hillary.

— Bret ?

Une petite douleur aiguë lui transperça le cœur, l'empêchant de respirer.

— Bravo, railla Bret, comme à son habitude. Comment allez-vous ?

— Bien, je vais très bien, répondit Hillary, prise au dépourvu. Je… je ne m'attendais pas à vous entendre. Il y a un problème ?

— Un problème ? Non. C'était juste pour me rappeler à vous. Je ne voudrais pas que vous oubliiez de regagner cette bonne ville de New York.

— Je n'oublie pas. Pourquoi ? Vous avez quelque chose à me proposer ?

— Oui, j'aurais bien une ou deux choses…, rétorqua-t-il d'une voix lourde de sous-entendus.

326

Il marqua une légère pause, puis, reprenant tout son sérieux, s'enquit :

— Impatiente de vous remettre au travail ?

— Heu… Oui, oui… Je ne voudrais pas perdre la main.

— Je vois.

« Cela m'étonnerait beaucoup », songea Hillary, l'estomac noué par la frustration.

— Eh bien, nous verrons cela lorsque vous serez rentrée. Ce serait en effet un sacré gâchis de ne plus exploiter votre talent et votre beauté !

Il s'exprimait lentement, comme s'il avait déjà en tête un projet à lui soumettre.

— Je ne doute pas que vous allez nous trouver un contrat bien juteux, affirma-t-elle en adoptant le ton professionnel de Bret.

— Mmm. Vous rentrez à la fin de la semaine ?

— Oui.

— Je vous rappellerai d'ici là. Mais ne vous inquiétez pas, vous affronterez bientôt de nouveau les objectifs, puisque c'est ce que vous voulez.

— Très bien. Je… eh bien… merci d'avoir appelé.

— Je vous en prie. Je vous verrai à votre retour.

— Oui. Bret…

Elle cherchait désespérément un moyen de le retenir, de l'entendre encore prononcer son nom, de reculer le moment où le manque de lui la submergerait de nouveau.

— Oui ?

Elle ferma les yeux, détestant sa lâcheté qui lui fit dire :

— Rien. J'attends de vos nouvelles.

327

— Vous en aurez.

Puis d'une voix radoucie il ajouta avant de raccrocher :

— Passez une bonne fin de séjour.

6.

Dès qu'Hillary fut de retour elle passa un coup de fil à Peter. Ce fut une voix féminine qui lui répondit.

— Excusez-moi, j'ai dû me tromper de numéro, dit-elle en s'apprêtant à raccrocher.

— Hillary, c'est June.

— June ! répéta-t-elle, confuse. Com… comment allez-vous ? Vous avez passé de bonnes vacances ?

— Très bonnes, et vous ? Peter m'a dit que vous étiez dans votre famille.

— Oui. C'est si bon de retourner au pays de temps en temps.

— Ne quittez pas, je vais chercher Peter.

— Ce n'est pas la peine, je…

Mais déjà la voix de Peter se faisait entendre à l'autre bout du fil.

— Cesse de te confondre en excuses, Hil, l'interrompit-il. June est juste venue me donner un coup de main pour classer mes dossiers.

Il apparut clairement à Hillary que la relation entre les deux jeunes gens était sérieusement avancée pour que Peter autorise June à mettre le nez dans ses précieux documents.

— Je voulais juste que tu saches que j'étais rentrée. Au cas où…

— Pourquoi ne passes-tu pas un coup de fil à Bret ? Je te rappelle que tu es toujours sous contrat avec lui.

— Il connaissait la date de mon retour. S'il a besoin de moi, il sait où me trouver, répliqua-t-elle d'un ton qu'elle voulait dégagé.

Plusieurs jours s'écoulèrent avant que Bret ne contacte Hillary. La neige, qui semblait ne jamais vouloir s'arrêter de tomber, avait tenu la jeune femme confinée dans son appartement, rendant encore plus difficile sa réadaptation à la vie urbaine. Elle passait le plus clair de son temps le nez collé à la vitre, luttant contre le profond désespoir qui la gagnait de nouveau.

La présence de Lisa, venue dîner chez son amie de façon tout à fait impromptue, la tira momentanément de sa mélancolie. Les deux femmes se trouvaient dans la cuisine, Hillary occupée à rincer une salade sous l'œil attentif de Lisa, lorsque le téléphone se mit à sonner.

D'un mouvement du menton désignant le combiné, Hillary signifia à son amie de répondre à sa place.

— Lisa MacDonald, l'entendit-elle se présenter. Vous êtes bien chez Mlle Baxter qui viendra vous parler dès qu'elle aura les mains libres.

Hillary éclata de rire en se précipitant dans la pièce.

— Lisa ! Je ne peux jamais te faire confiance !

— Tiens, dit-elle en lui tendant le récepteur, je ne sais pas qui c'est mais il a une voix incroyablement sexy !

— Merci et remplace-moi dans la cuisine, ce sera ta punition.

Lisa s'éclipsa en adressant à son amie une petite moue de dédain.

— Ne faites pas attention, dit Hillary à son mystérieux interlocuteur, mon amie adore faire des plaisanteries de ce genre.

— Ne vous excusez pas, c'était de loin la conversation la plus censée que j'ai eue aujourd'hui.

Hillary réalisa au moment même où elle l'entendit à quel point cette voix lui avait manqué.

— Bret ?

— Bingo !

Hillary devina sans peine le sourire moqueur qui flottait à cet instant sur les lèvres de Bret.

— Bienvenue dans l'enfer de cette jungle de béton, poursuivit-il. Alors, comment s'est terminé votre séjour ?

— Bien... très bien, balbutia Hillary.

— Je m'en serais douté.

Hillary fit un effort surhumain pour tenter de retrouver le sang-froid que la voix de Bret avait instantanément réduit à néant.

— Et vous ? Vous avez passé de bonnes vacances ?

— Très agréables bien que, sans doute, beaucoup plus calmes que les vôtres.

— Certainement très différentes en tout cas, ne put-elle s'empêcher de commenter aigrement.

— Quoi qu'il en soit, tout cela est derrière nous à présent, trancha Bret. Je voudrais vous parler d'un projet pour ce week-end.

— Ce week-end ? répéta bêtement Hillary qui se sentit tout à coup stupide.

— Oui, un séjour en montagne.

— En montagne ?

— Pourriez-vous cesser de répéter tout ce que je dis comme un perroquet, Hillary ? Avez-vous prévu quelque chose entre vendredi et dimanche ?

— Eh bien, je…

— Quelle conversation fascinante ! commenta-t-il avec une pointe d'impatience.

Hillary tenta vainement de faire preuve d'un peu plus d'à-propos.

— Non, c'est-à-dire… rien de vraiment important. Je…

— Parfait, la coupa-t-il. Vous avez déjà skié ?

— Dans le Kansas ? railla Hillary qui sentait tout son aplomb lui revenir. Je croyais qu'il fallait des montagnes pour skier.

Mais Bret sembla ne pas avoir remarqué le ton ironique d'Hillary et poursuivit sur sa lancée :

— J'ai quelques idées de photos dans la neige. Je possède un chalet dans le massif des Adirondacks, près du lac Georges, c'est un endroit merveilleux, vous verrez ! Nous pourrions faire d'une pierre deux coups et combiner travail et détente.

— Nous ? protesta faiblement Hillary.

— Allons, allons ! Pas de panique ! Je vous vois déjà rougir à l'autre bout du fil. Je n'ai pas l'intention d'abuser de vous, vous savez, quoique… l'idée me paraisse intéressante.

Hillary l'entendit soudain éclater d'un grand rire sonore.

— Très drôle, en effet, commenta-t-elle avec une certaine raideur. D'ailleurs, je crois me souvenir que ce week-end je me suis déjà engagée, donc…

La voix de Bret se fit cassante.

— Je vous rappelle que vous avez signé un contrat qui vous lie à moi pour encore deux mois. Et ne vous plaignez pas, vous vouliez travailler, je vous ai trouvé du travail.

— C'est vrai, mais…

— Relisez votre contrat, Hillary. Et détendez-vous, nous ne serons pas seuls. Peter et June seront là pour vous protéger de mes avances malvenues, et Bud Lewis, mon directeur artistique, nous rejoindra un peu plus tard.

Empêtrée dans un flot d'émotions contradictoires, Hillary ne sut si elle était soulagée ou déçue.

— Je… enfin, le magazine, rectifia Bret, vous fournira les tenues adéquates. Je passerai vous chercher à 7 h 30. Soyez prête à partir.

— Oui, mais…

Ses mots se perdirent dans le silence du combiné. Bret avait raccroché sans même lui laisser une chance d'émettre une objection ou de trouver un prétexte pour décliner sa proposition.

— Qu'est-ce qui t'arrive ? s'enquit Lisa, venue la rejoindre. Tu as l'air complètement abasourdie !

— Je vais passer le week-end à la montagne, répondit machinalement Hillary, comme pour elle-même.

— A la montagne ? Avec l'homme à la voix envoûtante ?

— Oui, mais c'est professionnel. En fait, c'était Bret Bardoff, j'ai signé un contrat avec lui, alors tu sais, ce genre de week-ends…, conclut-elle d'un ton faussement désinvolte.

Hillary achevait sa deuxième tasse de thé lorsque la sonnette de la porte d'entrée retentit, annonçant l'arrivée de Bret.

— Bonjour, Hillary. Prête pour la grande aventure ?

Il avait troqué le costume strict de l'homme d'affaires contre une tenue décontractée qui adoucissait ses traits. Hillary, sous le charme de ce nouveau style, l'invita à entrer, puis elle alla mettre sa tasse dans l'évier avant d'endosser son manteau. Ce fut lorsqu'elle plaça sur ses cheveux sa toque en fourrure qu'elle eut conscience du regard pénétrant que Bret posait sur elle.

— Je suis prête, nous pouvons partir, déclara-t-elle, une pointe de nervosité dans la voix.

Tous deux se baissèrent en même temps pour prendre la valise qu'Hillary avait posée près du canapé et lorsque leurs doigts se frôlèrent, la jeune femme esquissa un mouvement de recul. Bret eut un petit sourire engageant et lui prit la main pour la conduire jusqu'à la porte.

La circulation étant fluide à cette heure matinale, il leur fallut peu de temps pour sortir du cœur de la ville et prendre la direction du nord. Bret conduisait d'une main sûre tout en bavardant gaiement de choses et d'autres et Hillary se surprit à apprécier d'être là, détendue, confortablement installée à côté de cet homme qui, tant de fois, avait chamboulé ses sens au point de lui faire perdre tous ses repères.

Lorsqu'ils attaquèrent les faubourgs de la ville, avec ses petits quartiers si pittoresques, Hillary eut du mal à croire qu'ils étaient toujours à New York, elle qui ne connaissait de la mégapole que Manhattan et ses environs immédiats.

Se sentant parfaitement en confiance, elle fit part de ses impressions à Bret qui s'empressa de lui donner quelques détails.

— New York n'est pas faite que de gratte-ciel, vous savez. Pour peu qu'on s'y hasarde, on y trouve aussi des vallées, des montagnes, des forêts, un paysage très varié, en fait.

— Jusqu'à présent je ne l'avais jamais envisagée autrement que comme l'endroit où je travaille, admit-elle en se tournant légèrement pour affronter son regard. Un endroit bruyant, vibrant d'une agitation permanente si frénétique et si épuisante que quelquefois, je n'aspire qu'à une chose : retourner chez moi pour m'y gorger de silence.

— Et chez vous, ce n'est pas ici, n'est-ce pas ? demanda Bret, l'air soudain pensif.

Hillary ne répondit pas et se perdit dans la contemplation du paysage. Tout était si nouveau pour elle ! Lorsque le massif des Catskills se profila devant eux, elle ne put retenir un petit cri d'admiration.

— Regardez ! s'écria-t-elle en tirant spontanément sur la manche de Bret.

Ce dernier lui adressa ce petit sourire en coin qu'elle aimait tant et qui lui chavirait le cœur.

— Je vais peut-être vous paraître idiote, mais lorsqu'on n'a toujours connu que de vastes étendues de champs de blé, un paysage pareil, c'est comme une révélation !

— Je ne vous trouve pas idiote, Hillary, lui dit-il d'une voix douce. Au contraire, je trouve votre spontanéité tout à fait charmante.

Et sans qu'Hillary ne s'y attende, il prit sa main et en embrassa tendrement la paume. Une onde de désir parcourut alors le corps de la jeune femme. Si elle s'était désormais accommodée des moqueries et des sarcasmes dont elle était l'objet, elle craignait de ne pouvoir résister bien longtemps à ces accès de gentillesse auxquels il ne l'avait pas habituée. Décidément cet homme était dangereux. Beaucoup trop dangereux. Il fallait qu'elle se ressaisisse et qu'elle ne baisse pas la garde !

La voix de Bret brisa le silence, la tirant des profondes réflexions dans lesquelles elle était plongée.

— Je prendrais bien un café. Qu'en pensez-vous ? Vous n'aimeriez pas un thé bien chaud ?

— Si, répondit-elle en feignant la plus grande décon-traction.

Bret entra dans le petit village de Catskill et gara la voiture devant la devanture d'un café. Hillary ne pouvait détacher son regard des cimes enneigées.

— Elles paraissent beaucoup plus hautes qu'elles ne sont en réalité, la renseigna Bret. En fait, elles ne sont qu'à quelques centaines de mètres au-dessus du niveau de la mer. Rien à voir avec les Rocheuses ou les Alpes, par exemple.

Puis, enlaçant ses doigts à ceux d'Hillary, il la guida à l'intérieur du café où ils s'installèrent autour d'une petite table de bois.

— Un café pour moi et un thé pour madame, dit Bret à la serveuse venue prendre la commande. Vous avez faim, Hillary ?

— Pardon ? Heu… non, en fait, si. Un peu.

Les gargouillis de son estomac lui rappelaient qu'elle n'avait rien mangé depuis la veille au soir.

— Alors deux tranches de cake, ordonna Bret. Vous verrez, il est divin !

— Ce n'est pas exactement ce que j'avais en tête, protesta Hillary qui aurait préféré manger un pamplemousse.

— Hillary chérie, ce n'est pas une tranche de cake qui va affecter votre silhouette ! Et de toute façon, ajouta-t-il avec une pointe d'impatience, quelques kilos supplémentaires ne vous feraient pas de mal.

— Vraiment ? rétorqua-t-elle en relevant fièrement le menton. Pourtant jusqu'à présent personne ne s'est plaint de mon poids, que je sache !

— Et ce n'est pas moi qui vais commencer, rassurez-vous. J'ai toujours adoré les femmes grandes et minces. Comme vous.

Tout en parlant il se pencha vers elle et repoussa une mèche de cheveux qui lui tombait sur le visage.

Hillary décida d'ignorer sa remarque et le geste qui l'accompagnait et d'adopter un ton désinvolte.

— Je ne me souviens pas d'avoir fait un jour un aussi joli trajet. Nous sommes encore loin ?

— A peu près à mi-chemin, l'informa Bret en ajoutant un nuage de lait à son café. Nous arriverons vers midi.

— Et les autres ? Comment viennent-ils ?

— Peter et June viennent ensemble, dans la même voiture. Je suis d'ailleurs étonné que Peter ait autorisé June à voyager en compagnie de son précieux matériel.

— Vraiment ?

— Cela ne me regarde pas, mais j'ai cru remarquer que notre photographe préféré avait un petit faible pour ma secrétaire, confia Bret en mordant à pleines dents dans sa part de cake. Il a l'air de beaucoup apprécier sa compagnie depuis quelque temps.

— Je crois que vous avez raison. Lorsque j'ai appelé Peter l'autre jour, June était en train de classer des dossiers que personne avant elle n'avait eu le droit de toucher. A mon avis, les fiançailles ne sont pas loin.

La voix d'Hillary se teinta de soulagement, tandis qu'imitant Bret, elle se jetait avec appétit sur son gâteau.

— Je n'arrive pas à le croire ! Peter amoureux d'une vraie femme, en chair et en os !

— Qui n'est pas, un jour ou l'autre, touché par la grâce de l'amour, mon chou ?

Hillary plongea le nez dans sa tasse, évitant soigneusement d'approfondir la question.

Lorsqu'ils reprirent la route, Hillary, bercée par le ronronnement régulier du moteur, se perdit de nouveau dans la contemplation du paysage, laissant Bret entretenir une conversation qu'elle avait de plus en plus de mal à suivre. Elle s'enfonça un peu plus dans son siège et ferma les yeux, s'abandonnant jusqu'à ne plus entendre la voix chaude et grave de son compagnon.

Lorsqu'elle étira langoureusement son corps engourdi, ils avaient quitté la nationale pour emprunter une petite route de montagne toute bosselée. Les premières brumes du sommeil dissipées, elle réalisa avec embarras que sa tête reposait sur l'épaule de Bret.

— Excusez-moi, dit-elle en se redressant vivement, les joues en feu. Je me suis endormie ?

— On peut le dire comme ça, oui. Vous avez dormi un peu plus d'une heure.

— Une heure ! répéta-t-elle, incrédule. Où sommes-nous ? J'ai dû rater des paysages magnifiques, marmonna-t-elle avec une pointe de regret.

— Nous venons de passer Schenectady et nous sommes sur la route qui mène au chalet.

— C'est si beau ! s'extasia-t-elle, à présent tout à fait éveillée.

La petite route qui serpentait le long d'un torrent traversait une forêt dont les arbres, totalement recouverts d'une épaisse couche de neige scintillante, s'élançaient majestueusement vers un ciel d'un bleu limpide.

— Tous ces arbres… C'est… comment dire ? Magique ! commenta Hillary, fascinée par le spectacle que lui offrait la nature.

— Les arbres, ce n'est pas ce qui manque ici, en effet.

— Cessez de vous moquer de moi, prévint Hillary d'une

voix faussement menaçante en avisant le petit sourire ironique qui flottait sur les lèvres de Bret. Tout cela est si nouveau pour moi !

— Je ne me moque pas de vous, rétorqua-t-il en lui caressant tendrement l'épaule. Au contraire, j'adore votre enthousiasme, c'est si rare, de nos jours.

Parvenus à destination, Bret gara sa voiture dans une petite clairière prévue à cet effet, et la vue du chalet se fondant parfaitement dans l'écrin que lui formait le paysage arracha à Hillary de nouveaux cris d'admiration.

— Venez voir de plus près, l'invita Bret qui, sorti le premier, lui prit la main pour la guider vers la maison.

Ils laissaient leurs pas s'enfoncer avec délice dans la neige vierge, écoutant religieusement le ruissellement d'un torrent qui dévalait, à proximité, les pentes escarpées de la montagne.

— Cet endroit est merveilleux ! Absolument merveilleux ! proclama Hillary qui, ayant lâché la main de Bret, tournoyait gaiement dans la neige. C'est si sauvage, si intact ! Si... fabuleusement primitif !

— Quelquefois, lorsque la pression est trop forte, je viens me réfugier ici, lui confia Bret, les yeux soudain perdus dans le vague. Je me laisse aller à la paix ambiante et j'oublie tout : les réunions, les contrats, les responsabilités.

Hillary considéra Bret en silence, surprise par une telle confession. Jamais elle n'aurait pu imaginer un homme pareil délaisser ses nombreuses activités professionnelles ainsi que les plaisirs de la ville pour venir se terrer ici et profiter du calme et de la tranquillité qu'un tel endroit avait à offrir. Pour elle, il était l'incarnation même de l'homme d'affaires implacable, exigeant de ses employés qu'ils obéissent à ses ordres au moindre claquement de doigts. Elle reconnut avec une pointe de satisfaction que la face cachée qu'il venait de lui dévoiler le rendait plus humain et qu'elle ajoutait une touche supplémentaire à sa séduction naturelle.

Elle prit soudain conscience du regard pénétrant qu'il avait posé sur elle et, de nouveau, son cœur s'emballa.

— En outre, c'est un endroit parfaitement isolé, ajouta Bret sur un ton beaucoup plus badin qui alarma brusquement la jeune femme.

Elle se trouvait là, au milieu de nulle part, seule avec un homme qu'elle connaissait à peine, ignorant totalement si elle pouvait lui faire confiance. Bien sûr, il lui avait assuré que Peter et June allaient les rejoindre, mais pourquoi le croirait-elle, après tout, elle n'avait même pas vérifié auprès de Peter. Et s'il avait manigancé toute cette mise en scène pour mieux la prendre au piège ? Que ferait-elle si jamais…

Bret, qui semblait avoir deviné ce qui la tourmentait, dissipa ses craintes d'une voix moqueuse.

— Calmez-vous, Hillary, dit-il en riant, je ne vous ai pas kidnappée, les autres seront bientôt là pour protéger votre vertu. Enfin… s'ils ne se perdent pas, parce que vous avouerez que cet endroit n'est pas facile à trouver. J'espère que je leur ai donné les bonnes indications.

Puis coupant court à d'éventuelles objections, il prit Hillary par la main et la conduisit à l'intérieur du chalet.

La porte d'entrée ouvrait directement sur un vaste salon dont les larges baies vitrées laissaient entrer le soleil à flots. Hillary admira les hauts plafonds qui, soutenus par d'énormes poutres apparentes, ajoutaient à l'impression d'espace. Un majestueux escalier de bois menait à une mezzanine qui surplombait toute la largeur de la pièce et le mobilier, rustique mais confortable, invitait à paresser devant l'énorme cheminée en pierre qui occupait presque tout un pan de mur.

Des tapis ronds aux couleurs vives recouvraient partiellement le plancher de bois clair, accentuant la note chaleureuse qui émanait de l'endroit.

— C'est magnifique, Bret ! commenta Hillary en se dirigeant tout droit vers les immenses baies pour jouir de la vue qui s'offrait au regard. C'est quand même formidable d'être à l'intérieur tout en ayant l'impression de se trouver à l'extérieur, non ?

Elle se raidit imperceptiblement au contact des mains de Bret, qui cherchaient à la débarrasser de son manteau.

— Quel est votre parfum ? lui susurra-t-il en lui massant délicatement la nuque. J'adore cette odeur, légère, envoûtante.

Hillary avala péniblement sa salive, les yeux rivés sur la vitre.

— C'est… C'est un mélange de pomme et de vanille, parvint-elle à articuler au prix d'un effort surhumain.

— N'en changez jamais, lui recommanda Bret, il vous va à merveille.

Puis changeant subitement de ton, il annonça gaiement :

— Je meurs de faim. Pas vous ? Qu'est-ce que vous diriez d'aller nous ouvrir une boîte de conserve pendant que j'allume un bon feu dans la cheminée ?

— Volontiers, acquiesça la jeune femme en souriant. Je n'aimerais pas être responsable d'un malaise hypoglycémique. Où est la cuisine ?

— Là-bas, indiqua Bret en pointant du doigt une porte au fond du salon.

Hillary pénétra dans une pièce pleine de charme, où étaient suspendues des dizaines de casseroles rutilantes, en cuivre. Elle observa, un moment perplexe, la cuisinière antédiluvienne qui trônait contre un mur, puis réalisa après examen qu'il s'agissait d'un modèle d'électroménager des plus moderne. Elle alla fouiner dans le cellier qui jouxtait la cuisine et y trouva de quoi confectionner un repas qui, à défaut d'être gastronomique, serait tout à fait honorable.

Elle était affairée à verser une boîte de soupe dans une casserole quand elle entendit les pas de Bret résonner dans le couloir.

— Vous avez été rapide ! s'exclama-t-elle lorsqu'il fut près d'elle. Vous deviez être un jeune scout très efficace !

— En fait, j'ai l'habitude de toujours disposer des bûches dans l'âtre avant de quitter la maison. Ainsi, lorsque je reviens, je n'ai plus qu'à craquer une allumette, et le tour est joué !

— Quel homme organisé vous faites ! observa Hillary en allumant un des brûleurs sous la casserole.

Bret s'approcha doucement d'elle et glissa ses bras autour de sa taille.

— Mmm, ça sent bon ! Dites-moi, Hillary, vous cuisinez bien ?

Troublée par le corps de Bret plaqué contre le sien, Hillary éprouva quelques difficultés à répondre sur un ton dégagé :

— Il n'est pas nécessaire d'être un fin cordon-bleu pour ouvrir une boîte de conserve, vous savez !

Ces derniers mots s'étranglèrent dans sa gorge au contact des lèvres que Bret se mit à promener sur sa nuque.

— Je crois que je vais aller faire du café, murmura-t-elle en tentant mollement de se libérer des bras qui l'enserraient.

Mais l'étreinte se resserra tandis que la bouche de Bret se faisait plus pressante.

— Je croyais que vous aviez faim, protesta-t-elle faiblement, les jambes soudain chancelantes.

— J'ai terriblement faim, confirma-t-il en lui mordillant le lobe de l'oreille. Une faim de loup.

Il enfouit son visage dans le creux de son épaule et aventura ses mains sous le pull de la jeune femme.

— Non, Bret, gémit Hillary qui sentait voler en éclats les barrières qu'elle avait soigneusement érigées autour d'elle.

Mais tandis qu'elle essayait d'échapper à l'étau qui la retenait prisonnière, Bret la retourna d'un mouvement brusque et, l'obligeant à lui faire face, écrasa passionnément ses lèvres conte les siennes.

Il fit passer dans ce baiser le désir intense qu'il avait d'elle, libérant l'instinct sauvage qui sommeillait en lui et l'animait à ce moment-là. Semblant perdre tout contrôle, il l'embrassait furieusement, désespérément, l'entraînant avec lui dans la violence de sa passion. Hillary se sentait chavirer, prête enfin à céder à l'appel de ses sens, offrant son corps aux caresses qui se faisaient plus audacieuses. Elle se donnait à présent sans réserve, plongeant avec délice dans un tourbillon de volupté jusque-là inconnue.

Bret jura au bruit de portières qui claquèrent brusquement. Il déposa un baiser chaste sur les cheveux de sa compagne et déclara d'un ton résigné :

— Je crois que nous pouvons ouvrir une boîte de soupe supplémentaire.

7.

La voix et les rires enjoués de Peter et de June leur parvinrent de l'extérieur. Bret s'écarta à regret du corps brûlant d'Hillary et alla accueillir ses invités, laissant la jeune femme reprendre ses esprits et tenter de se recomposer une attitude.

Le corps pressant de Bret contre le sien avait éveillé en elle des émotions insoupçonnées et elle était à présent consciente du fait que s'ils n'avaient pas été interrompus par l'arrivée de leurs amis, elle aurait cédé à ses avances sans protester. Son désir pour lui avait été incontrôlable et incontrôlé. Jamais son corps ne s'était embrasé à ce point et, pour la première fois, elle avait éprouvé un besoin vital, presque désespéré, de sombrer sans réticence dans le tourbillon de plaisir qui l'avait submergée.

Encore maintenant, le souvenir de leur étreinte la laissait toute tremblante et flageolante.

Elle pressa ses mains sur ses joues brûlantes et retourna s'occuper du repas, espérant que des tâches aussi triviales que celles-ci l'aideraient à retrouver un semblant d'équilibre.

— Je vois qu'il a déjà fait de vous son esclave ! s'exclama June en pénétrant dans la pièce, les bras chargés d'un énorme sac en papier. Pas de doute, c'est bien un homme !

— Bonjour, June, répondit Hillary en tournant vers la

nouvelle venue un visage en apparence calme et serein. Qu'y a-t-il dans ce sac ?

— Quelques produits frais : du lait, du fromage, enfin, bref, de quoi tenir le coup si jamais nous étions bloqués par la neige.

— Toujours aussi efficace, à ce que je vois, commenta Hillary dans un sourire.

— Je n'y peux rien, je suis née comme ça, riposta June en soupirant.

Lorsqu'elles eurent fini de préparer le déjeuner, elles mirent le couvert dans la salle à manger, et tous les quatre s'installèrent gaiement sur les bancs qui encadraient une immense table de bois, dévorant de bon appétit leur repas frugal.

Hillary, toujours sous le coup de l'émotion qu'elle venait de vivre, regardait Bret avec un certain recul, s'offensant de le voir discuter avec ses hôtes comme si de rien n'était. Mais après réflexion, elle jugea que c'était lui qui avait raison et elle se mêla à la conversation de bon cœur.

Les deux femmes quittèrent la table lorsque Bret et Peter se lancèrent dans une conversation technique sur l'art et la manière de photographier un sujet. Elles montèrent à l'étage repérer la chambre qui leur était dévolue et qu'elles allaient partager. C'était une pièce tout aussi pleine de charme que le reste de la maison où l'impression d'espace était renforcée par les larges baies qui offraient une vue panoramique sur les monts enneigés. Partout, comme dans les autres pièces, le bois dominait, conférant au lieu une atmosphère chaleureuse qu'accentuaient les lampes de chevet en cuivre qui encadraient les deux lits jumeaux recouverts de couvre-lits en patchwork.

Hillary s'affaira à ranger ses vêtements dans l'armoire, tandis que June se laissait lourdement tomber sur son lit.

— Cet endroit n'est-il pas merveilleux ? dit-elle en étirant langoureusement les bras au plafond. Si loin de tout ! Finalement, il ne me déplairait pas d'être bloquée ici jusqu'au printemps.

— Ce serait envisageable seulement si Peter avait prévu de prendre des pellicules pour deux mois. Sinon… c'est la dépression nerveuse assurée !

Hillary s'interrompit, le temps de sortir de la valise apportée par Bret un pantalon de ski rouge vif assorti d'une parka de la même couleur.

— Eh bien ! Avec ça, on ne risque pas de me rater sur les pistes ! commenta-t-elle après avoir inspecté sa tenue d'un œil professionnel.

— Il n'y aura plus qu'à vous peindre le nez en jaune et on vous prendra pour un cardinal géant ! plaisanta June, mains négligemment croisées sur la nuque. Non, rassurez-vous, ajouta-t-elle en voyant l'air sceptique d'Hillary, cette couleur est parfaite ! Elle va à merveille avec votre teint et votre couleur de cheveux. Et d'ailleurs, le patron ne commet jamais de faute de goût.

Un bruit de portières qui claquaient attira leur attention et elles se précipitèrent à la fenêtre pour voir débarquer Bud Lewis accompagné de… Charlène.

— Enfin… presque jamais, conclut June d'une voix lugubre.

Stupéfaite, Hillary retourna à sa valise, déballant le reste de ses affaires à coups de gestes rageurs.

— Bret ne m'avait pas dit que Mlle Mason devait venir, dit-elle en refoulant à grand-peine la colère qui la submergeait.

— A mon avis, il n'était pas au courant, murmura June.

Il va peut-être la renvoyer dans ses foyers, ajouta-t-elle d'un air mauvais.

Hillary referma d'un coup sec sa valise vide.

— Ou peut-être sera-t-il content de la voir.

— Eh bien, en tout cas, ce n'est pas en restant ici que nous le saurons, déclara June, péremptoire, en entraînant Hillary à sa suite. Venez, allons voir.

La voix suave de Charlène parvint aux deux femmes tandis qu'elles descendaient l'escalier qui menait dans le salon.

— Tu es sûr que cela ne te dérange pas que je sois venue te rejoindre, Bret ? J'avais tellement envie de te faire la surprise !

Hillary pénétra dans la pièce au moment où Bret haussait les épaules dans un mouvement signifiant que peu lui importait la décision de Charlène. Il était assis dans une causeuse installée face à la cheminée et semblait ignorer le bras possessif que sa compagne avait passé sous le sien.

— Je croyais que tu détestais la montagne, dit-il en lui adressant un petit sourire distrait. Et si tu tenais tant que cela à venir, tu aurais pu me le demander au lieu de raconter à Bud une histoire abracadabrante.

— Oh, chéri, minauda Charlène, c'était un petit mensonge de rien du tout ! Une petite intrigue amusante, rien de plus.

— Espérons que ta « petite intrigue » ne va pas être source de « gros ennui ». Nous sommes bien loin de Manhattan ici, tu sais.

— Je ne m'ennuie jamais avec toi, Bret, poursuivit Charlène, de la même voix exagérément douce et enjôleuse qui avait le don d'exaspérer Hillary.

Son sourire se figea en une moue crispée lorsqu'elle capta le regard de Bret qui se fixait sur Hillary. Après des échanges de bienvenue faussement enthousiastes, cette dernière choisit de garder ses distances et alla s'installer à côté de Bud, à l'opposé de Bret et Charlène.

Celle-ci, qui avait de nouveau reporté toute son attention sur son compagnon, entendait bien marquer un peu plus son territoire.

— J'ai bien cru que nous n'arriverions jamais, se plaignit-elle en se blottissant amoureusement contre Bret. Je me demande bien pour quelle raison tu es allé acheter cette maison perdue au milieu de cette nature hostile ! Il n'y a que de la neige, des arbres, des rochers, et il fait si froid ! renchérit-elle en se serrant un peu plus contre lui. Heureusement que je suis venue, qu'est-ce que tu aurais fait tout seul ici ?

— J'aurais trouvé de quoi m'occuper, répondit Bret en allumant nonchalamment une cigarette. Et puis je ne me sens jamais seul ici. Pour peu qu'on s'y intéresse, la montagne grouille de vie : les écureuils, les lièvres, les renards ne manquent pas par ici.

— Ce n'est pas précisément le genre de compagnie auquel j'aurais pensé, murmura Charlène du bout des lèvres.

— Je n'en doute pas, mais pour moi, ce sont de véritables compagnons, amusants et peu exigeants. Je peux rester des heures devant cette baie vitrée et je ne suis jamais aussi heureux que lorsque je vois passer un daim ou un ours à portée de main.

— Des ours ? Il y a des ours ? ! Mais c'est horrible !

— De vrais ours ? s'enquit Hillary à son tour, les yeux brillants d'excitation. Pas des grizzlis, quand même ?

Bret lui adressa un petit sourire amusé.

— Non, des ours bruns, Hillary, mais ils sont tout aussi impressionnants que les grizzlis. En ce moment, ils sont en pleine période d'hibernation.

— Dieu soit loué ! souffla Charlène, sincèrement soulagée.

Bret ignora la remarque de cette dernière pour se tourner vers Hillary.

— Vous semblez prendre goût aux joies de la montagne, je me trompe ?

— Non, j'adore ce côté sauvage, indompté, où l'environnement est resté intact, préservé de toute modernisation anarchique ! approuva la jeune femme avec enthousiasme. Le cœur même de la nature, sur des kilomètres et des kilomètres !

— Eh bien ! Quel enthousiasme délirant ! railla méchamment Charlène.

Hillary foudroya cette dernière d'un regard qui en disait long sur l'estime qu'elle lui portait.

— Hillary est originaire du Kansas, expliqua Bret qui avait vu les feux de la colère s'allumer dangereusement dans le regard de la jeune femme. Elle n'avait jamais vu de montagnes avant aujourd'hui.

— Comme c'est touchant ! continua à ironiser Charlène. Je comprends qu'ayant probablement été élevée dans une petite ferme perdue au milieu de champs de maïs, vous soyez attachée à des valeurs aussi primitives.

Le coup bas que Charlène venait de lui porter ne fit qu'accroître sa colère.

— Vous avez parfaitement raison, mademoiselle Mason, rétorqua-t-elle en réprimant à grand-peine la rage qui bouillonnait en elle, sauf sur deux points : la ferme de mes parents est immense et puisque votre culture citadine semble limiter votre horizon à la seule ville de New York, je tiens à vous informer que nous ne vivons plus à l'âge préhistorique depuis longtemps. Nous avons même l'eau courante dans nos maisons ! Quant à l'amour que je peux porter à ma terre natale, je conçois que vous ne puissiez même pas envisager une telle éventualité.

— Eh bien, je vous laisse volontiers vos plaisirs ruraux. Moi, je continuerai toujours à préférer le confort et la richesse culturelle des grandes villes !

Hillary se leva d'un bond, désireuse de mettre un terme à cette conversation stérile. Il lui fallait mettre de la distance entre elle et cette femme superficielle avant que les choses ne s'enveniment de façon irréversible.

— Je vais faire un tour avant qu'il ne fasse nuit, annonça-t-elle en se dirigeant vers la porte.

Bud lui emboîta précipitamment le pas.

— Je vous accompagne !

Puis, se penchant vers la jeune femme, il lui murmura avec des airs de conspirateur :

— J'ai été enfermé avec elle toute la journée, j'ai besoin de prendre l'air !

Hillary accueillit cette remarque dans un grand éclat de rire et tous deux quittèrent la pièce, bras dessus bras dessous, sous l'œil noir de Bret.

Une fois dehors, ils poussèrent un profond soupir libérateur avant de ricaner comme deux adolescents enchantés du tour pendable qu'ils venaient de jouer.

Poussés par le même élan, ils s'enfoncèrent dans la forêt, empruntant un sentier qui longeait le torrent tumultueux. Les quelques rayons de soleil qui parvenaient à filtrer à travers les arbres faisaient étinceler l'épais tapis de neige qui crissait sous chacun de leurs pas.

Ils s'arrêtèrent bientôt, partageant dans un silence religieux l'assise presque confortable d'une plate-forme rocheuse.

— C'est beau, souffla Bud, émerveillé.

Hillary opina d'un hochement de tête.

— J'ai l'impression de redevenir un humain normal, pas comme avec cette femme ! Je me demande ce que le patron peut bien lui trouver !

— Moi aussi, murmura Hillary comme à elle-même.

Lorsqu'ils reprirent le chemin de la maison, le soleil déclinait doucement, embrasant le paysage de sa lumière pourpre.

Ils riaient comme de vieux complices en pénétrant de nouveau dans le salon.

— Vous n'avez donc aucune jugeote pour revenir ainsi à la nuit tombée, dit Bret d'une voix glaciale.

Hillary, qui avait ôté une de ses bottes, sautillait comme un moineau pour tenter de garder un équilibre précaire.

— Nous ne sommes pas allés bien loin, riposta-t-elle tandis que Bud se précipitait pour passer un bras secourable autour de sa taille. Et puis, n'exagérez pas, ce n'est pas encore tout à fait la nuit.

— Nous ne risquions rien, renchérit Bud, nous avions laissé nos traces de pas dans la neige.

— La nuit tombe brutalement ici et si l'on n'y prend garde, on peut se perdre facilement, s'entêta Bret.

— Comme vous pouvez le voir, nous ne nous sommes pas perdus. Aucune raison de paniquer, donc, répliqua sèchement Hillary. Où est June ?

— Dans la cuisine. Elle prépare le dîner.

— Eh bien, je vais aller l'aider, dit-elle en adressant à Bret un sourire resplendissant.

Puis elle quitta la pièce, laissant Bud affronter seul l'humeur massacrante de son patron.

*
* *

— Nous, les femmes, n'arrêtons jamais ! soupira Hillary en rejoignant June qui s'affairait déjà à déballer des tranches de viande de leur emballage.

— Allez expliquer ça à notre amie Charlène. Elle était « si fatiguée par le trajet difficile qu'elle est allée se reposer avant le dîner », déclara June en imitant la voix haut perchée de Charlène.

— J'aime autant ça, de toute façon, murmura Hillary. Au fait, qui nous a désignées comme cuisinières permanentes ? Je suis sûre que ce n'est pas une clause de mon contrat.

— C'est moi.

— Vous vous êtes délibérément portée volontaire ?

— Oui, je préfère, expliqua June en fouillant dans les placards. J'ai eu un aperçu des talents culinaires de Peter, et franchement, je ne voudrais pas risquer de nouveau une intoxication alimentaire. Bret ne sait même pas comment s'y prendre pour faire bouillir de l'eau ; quant à Bud, je le connais suffisamment pour affirmer qu'il vaut mieux ne pas tenter le coup !

— Je vois, commenta Hillary en se résignant à mettre la main à la pâte.

La cuisine se mit alors à résonner gaiement du bruit des ustensiles utilisés et du bavardage incessant des deux femmes. Peter, qui commençait à trouver le temps long, passa soudain la tête dans l'entrebâillement de la porte.

— Je meurs de faim ! claironna-t-il. C'est bientôt prêt ?

En guise de réponse, June lui mit d'autorité une pile d'assiettes entre les mains.

— Va mettre la table, ça t'occupera l'esprit. Tu verras, tu auras beaucoup moins faim.

— Je savais bien que j'aurais dû rester à l'écart de cette pièce, ronchonna Peter en disparaissant avec son lourd fardeau.

— J'ai vraiment un appétit d'ogre, ici, commenta Hillary entre deux bouchées, lorsque tous furent attablés. Ce doit être le grand air.

Le sourire entendu qu'elle surprit alors sur le visage de Bret la ramena quelques heures en arrière et ses joues s'empourprèrent violemment. Elle plongea le nez dans son verre de vin et en but une longue gorgée.

Le dîner se termina gaiement et ce fut dans une joyeuse confusion que tous se levèrent pour débarrasser le couvert, sous le commandement impérieux de June.

— Je vous rappelle que c'est moi le patron, la taquina Bret. C'est donc moi qui suis censé donner les ordres.

— Pas jusqu'à lundi, protesta June en le poussant vers la sortie.

Charlène se pendit au bras de son compagnon, profitant ainsi de l'occasion qui lui était donnée de se soustraire aux corvées ménagères.

— Je me suis retenue pour ne pas lui coller ma main sur la figure à celle-là ! commenta June en regardant le couple disparaître. Quelle mijaurée !

Les esprits apaisés et l'ordre rétabli, tous se retrouvèrent un peu plus tard dans le salon pour un dernier verre. Hillary refusa le brandy que lui tendait Bret et, confortablement installée dans une chauffeuse, elle se perdit dans la contemplation du feu qui crépitait joyeusement dans la cheminée. Les coudes sur les genoux, la tête entre les mains, toute pensée cohérente déserta bientôt son esprit et elle laissa son imagination dériver au gré des flammes.

La voix de Bret, venu se glisser à côté d'elle, la tira de la douce torpeur dans laquelle elle était plongée.

— Vous semblez bien loin de nous, Hillary. Comme hypnotisée.

— C'est exact, admit la jeune femme en lui souriant. Si on veut bien s'en donner la peine, on peut imaginer tant de jolies choses dans un feu de cheminée !

Elle inclina légèrement la tête de côté et pointa une flamme du doigt.

— Tenez, là, par exemple, je vois un château avec ses tourelles et là, un cheval, crinière au vent.

— Et moi, ici, je vois un vieil homme dans un fauteuil à bascule, murmura tendrement Bret.

Hillary tourna la tête vers lui, surprise qu'il ait interprété la même chose qu'elle.

Bret dardait sur elle un regard si pénétrant qu'elle se leva, chancelante et en proie à la plus vive émotion.

— La journée a été longue, déclara-t-elle d'un ton qu'elle s'appliqua à garder neutre. Il est temps que j'aille me coucher si je ne veux pas que Peter me reproche d'avoir le teint brouillé demain matin.

Puis après avoir souhaité une bonne nuit à l'assemblée, elle se retira sans laisser à Bret l'opportunité d'émettre la moindre objection.

Lorsque Hillary ouvrit les yeux le lendemain matin, elle sut à la faible clarté qui régnait dans la chambre que le jour venait à peine de se lever mais qu'elle ne se rendormirait pas. Elle s'était couchée la veille, convaincue que le tumulte intérieur qui l'agitait était l'assurance d'une nuit blanche passée à se torturer l'esprit. Pourtant, contre toute attente, elle avait sombré sans tarder dans un sommeil aussi profond que paisible.

Elle étira langoureusement son corps encore tout engourdi et s'assit, écoutant un moment la respiration régulière de

June qui dormait encore profondément. Puis, le cœur léger, elle se glissa hors de son lit et passa la tenue de ski prévue pour elle par Bret.

Elle descendit l'escalier à pas feutrés, tendit l'oreille mais aucun bruit ne lui parvint de la maison plongée dans un profond silence.

Elle enfila ses bottes et ses gants puis enfonça sa toque sur ses cheveux avant de sortir d'un pas décidé dans l'air glacial.

Un silence sépulcral régnait partout, renforçant le sentiment de solitude qu'éprouvait Hillary. Le cœur gonflé d'une joie intense, elle s'enfonça dans la forêt, s'enivrant de l'essence des sapins qui embaumait l'atmosphère. L'espace d'un instant, le temps suspendit son vol.

— Je suis seule au monde, décréta-t-elle d'une voix forte. La seule âme vivante sur terre !

Ivre de puissance et de liberté, elle se mit à courir dans la neige, ne s'arrêtant que pour tournoyer sur elle-même, bras écartés, ou pour prendre des brassées de neige qu'elle jetait en l'air et qui retombaient sur elle en gerbes fines.

— Je suis libre ! cria-t-elle à pleins poumons aux cimes enneigées environnantes.

Une fois de plus, elle s'extasia sur la beauté des montagnes majestueuses qui se dressaient devant elle, telles des sentinelles bienveillantes, et elle décida qu'un nouvel amour était né, similaire à celui qui la liait à sa terre natale : celui, éternel, qu'elle éprouverait désormais pour cet endroit.

Portée par une jubilation enfantine, elle se remit à courir, ne s'arrêtant que pour se laisser tomber, haletante, sur le tapis moelleux, bras en croix. Elle se perdit dans le bleu éblouissant de pureté du ciel jusqu'à ce qu'une paire d'yeux gris rieurs se penche sur elle.

— Je peux savoir ce que vous faites, Hillary ?

— Un ange, répondit-elle en souriant à Bret. C'est facile. Il suffit de vous laisser tomber et de bouger vos bras et vos jambes de cette façon.

Pour preuve, elle lui fit une démonstration de ce qu'elle avançait.

— Le problème se pose quand l'ange doit se lever. Cela demande une agilité et un équilibre hors du commun.

Elle interrompit son discours et s'assit un instant, puis mettant tout son poids sur les talons tenta vainement de se relever.

— Aidez-moi, je manque un peu de pratique, dit-elle en s'agrippant au bras que Bret lui tendait.

Une fois debout, elle désigna l'empreinte que son corps avait gravée dans la neige et annonça fièrement :

— Vous voyez, rien de plus simple !

— Magnifique, en effet, approuva Bret. Je dois admettre que vous avez beaucoup de talent.

— Je sais, merci, ajouta-t-elle avec une arrogance feinte. Mais dites-moi, que faites-vous dehors à cette heure matinale ? Je croyais être la seule à m'être levée si tôt.

— Je vous ai vue danser dans la neige depuis la fenêtre de ma chambre et j'ai voulu savoir à quoi vous jouiez.

— En fait, j'exprimais ma joie d'être seule ici, dans ce décor de rêve.

— Vous savez, même si on le croit, on est rarement seul dans les montagnes. Regardez.

Hillary suivit du regard le doigt que pointait Bret derrière elle et, muette d'admiration, écarquilla ses grands yeux bleus. Un cerf, couronné de ses bois majestueux, posait sur eux un regard mêlé de crainte et d'indifférence.

— Il est magnifique ! murmura Hillary, sous le choc.

Comme pour accentuer l'admiration dont il était l'objet, le superbe animal releva fièrement la tête et disparut dans une succession de bonds gracieux.

— Oh, Bret ! s'exclama-t-elle. Je suis amoureuse ! Définitivement amoureuse de cet endroit ! Comme jamais je ne pourrai l'être d'un homme !

— Vraiment ? railla Bret en lançant dans sa direction une énorme boule de neige.

— C'est la guerre que vous voulez ? Eh bien, vous allez l'avoir ! riposta Hillary en bombardant à son tour Bret de fragiles projectiles qu'elle façonnait à la hâte.

Hilares, ils se mitraillèrent ainsi jusqu'à ce que l'écart entre eux devienne si réduit qu'Hillary choisit de battre en retraite. Mais c'était sans compter sur l'agilité de Bret qui, d'un bond, fut sur elle et la fit rouler dans la neige. Les yeux de la jeune femme pétillaient de joie tandis qu'à bout de souffle, elle tentait de se libérer de l'étau qui l'enserrait.

— C'est bon, vous avez gagné, Bret.

— Oui, tôt ou tard je finis toujours par l'emporter, et en tant que vainqueur, c'est à moi que revient l'honneur de choisir le gage. Et je crois que j'ai trouvé, murmura-t-il en effleurant les lèvres d'Hillary d'un baiser sensuel.

Puis ses lèvres se posèrent, légères, sur les paupières closes de la jeune femme avant de reprendre sa bouche, la forçant à répondre à son baiser devenu plus pressant.

— Quelle délicieuse créature vous faites, susurra-t-il en léchant à petits coups de langue les flocons plaqués sur ses joues gelées.

Puis rompant soudain la magie de l'instant, il ajouta d'une voix résignée :

— Les autres doivent nous attendre. Rentrons prendre le petit déjeuner avec eux.

Lorsque plus tard, Hillary se trouva de nouveau dans la neige, c'était cette fois pour sourire à l'objectif implacable de Peter.

— Reste là, Hil, commanda-t-il à la jeune femme qui obéit machinalement, l'esprit dans le vague.

Il lui semblait que cette séance n'en finissait pas et elle n'aspirait qu'à retrouver la douce quiétude du chalet pour déguster, confortablement installée devant la cheminée, un chocolat chaud.

— Hil, s'il te plaît, peux-tu redescendre sur terre deux minutes ? Je te rappelle que tu es censée laisser exploser ta joie.

— Puisse ton appareil geler sur place, grommela-t-elle entre ses dents tout en offrant à l'objectif un sourire resplendissant de bonheur.

— Arrête un peu de râler, Hil, dit Peter sans cesser de tourner autour de son modèle. Allez, ça ira pour aujourd'hui, annonça-t-il enfin.

Hillary se laissa tomber mollement dans la neige, feignant de s'évanouir de fatigue. Peter en profita pour actionner une dernière fois le déclencheur, provoquant l'hilarité offusquée de la jeune femme.

— Les séances sont plus longues, Peter, ou c'est juste une impression personnelle ?

— J'ai bien peur que cela ne soit qu'une impression, répondit Peter en passant la courroie de son appareil par-dessus la tête. Mais c'est normal, tu commences à prendre de l'âge, tes plus belles années sont derrière toi, à présent. Tu sais bien que dans ce métier, les mannequins sont rapidement sur le déclin.

Hillary se leva d'un bond et menaça Peter d'une poignée de neige.

— Je vais te montrer qui est sur le déclin, vieux schnock !

Ce dernier recula, plaçant une main qui se voulait protectrice devant son appareil photo.

— Ne fais pas ça, Hillary. Garde ton sang-froid, veux-tu ?

Puis sans laisser à la jeune femme le temps de riposter, il tourna les talons et prit la direction du chalet en courant. La boule de neige l'atteignit dans le dos et sitôt qu'Hillary l'eut rattrapé, elle grimpa sur son dos, ponctuant chacun de ses pas de petites tapes sur la tête.

— Alors, qui est sur le déclin à présent ?

— Hillary, supplia Peter en portant son fardeau aussi facilement que s'il s'agissait d'une plume, fais ce que tu veux, étrangle-moi, frappe-moi, mais surtout, surtout, fais attention à mon appareil photo.

Bret, venu à leur rencontre, interrompit la joyeuse complicité des deux amis.

— Alors, la séance est terminée ?

Hillary, haut perchée comme elle l'était, nota avec satisfaction qu'elle se trouvait à la même hauteur que Bret et qu'elle pouvait le regarder droit dans les yeux pour lui annoncer d'un air faussement navré :

— Monsieur Bardoff, j'ai bien peur qu'il nous faille trouver un nouveau photographe. Celui-ci a osé insinuer des horreurs sur mon compte.

— Je n'y peux rien si ta carrière touche à sa fin, ma chère, feignit de se défendre Peter. Et d'ailleurs, il est temps que tu te retires du métier, je crois bien que tu as pris du poids.

— Peter, je crois que tu ne me laisses pas vraiment le choix, je vais être obligée de te tuer.

— Si vous pouviez reporter à plus tard, intervint June

359

venue rejoindre le petit groupe sur le pas de la porte, parce que Peter ne le sait pas encore mais j'ai l'intention de l'emmener faire une promenade dans les bois.

— Très bien, concéda Hillary, cela me laissera le temps de réfléchir au meilleur moyen d'éliminer cet individu. Tu peux me faire descendre, Peter, je t'accorde un sursis.

Hillary regarda les amoureux s'éloigner, main dans la main, puis commença à se débarrasser de ses vêtements de ski.

— Vous avez froid ? s'enquit Bret d'une voix douce.

— Plus que ça, je suis congelée. Je n'ai jamais été très résistante au froid, vous savez, précisa-t-elle en époussetant la neige qui parsemait sa chevelure.

— Votre métier n'est pas fait que de sourires et de paillettes, n'est-ce pas ?

Puis sans qu'Hillary ne s'y attende, il prit son menton entre ses doigts, l'obligeant à le regarder fixement.

— Est-ce qu'il comble toutes vos attentes, au moins, reprit-il avec gravité, ou avez-vous l'impression qu'il vous manque quelque chose ?

— C'est mon métier, et je crois le faire bien.

— Ce n'est pas la question que je vous ai posée, Hillary, insista Bret. Est-ce vraiment ce que vous voulez faire ? Ou autrement dit, n'y a-t-il pas autre chose que vous voudriez faire ?

— Autre chose ? Vous ne trouvez pas que j'en fais assez comme cela ? riposta la jeune femme en haussant les épaules.

Bret, dépité, la considéra un instant en silence. Ce n'était pas la réponse qu'il attendait.

Hillary le regarda s'éloigner, troublée par la sensualité qui se dégageait de lui.

Le reste de l'après-midi se déroula dans le calme et la

sérénité. Hillary put enfin déguster le chocolat dont elle rêvait depuis le matin, confortablement installée devant la cheminée, tandis que Bret et Bud disputaient une impitoyable partie d'échecs. Tous trois parfaitement indifférents aux intrusions régulières de Peter qui, appareil en bandoulière, trouvait toujours une bonne raison de s'adonner à sa passion.

Charlène, quant à elle, restait obstinément cramponnée à son compagnon, affichant ouvertement le profond ennui qui la submergeait. C'est avec soulagement qu'elle vit la partie s'achever, puis elle entraîna Bret dans une promenade à travers les bois de laquelle elle rentra, un court moment plus tard, la mine renfrognée et se plaignant du froid intense qui régnait dans cette région reculée.

Elle n'apprécia pas plus le ragoût de bœuf qui fut servi au dîner et noya sa contrariété dans les verres de vin qu'elle se servait à intervalles réguliers.

Tout le monde ignora ses jérémiades et fit honneur au repas, chacun y allant de son commentaire sur les moments forts de la journée.

Puis Hillary et June se plièrent de bonne grâce à ce qui était devenu une habitude. Elles s'affairaient à ranger la cuisine, June décrétant qu'elle allait réclamer une augmentation, lorsque Charlène, passablement éméchée, fit irruption dans la pièce.

— Vous avez fini avec vos tâches ménagères ? demanda-t-elle, sarcastique.

— Oui, répondit June d'un ton glacial en empilant les assiettes dans le placard. Et nous vous remercions pour votre aide, on peut dire qu'elle nous a été précieuse.

— Si vous n'y voyez pas d'inconvénient, j'aimerais dire un mot en particulier à Hillary.

— Vous pouvez y aller, je n'y vois aucun inconvénient,

répliqua placidement June sans pour autant interrompre son rangement.

Charlène se tourna alors vers Hillary, occupée à nettoyer la cuisinière.

— Sachez que je ne supporterai pas plus longtemps votre attitude, lui dit-elle d'un ton plein d'arrogance.

— Parfait, riposta Hillary en lui tendant l'éponge dans un grand sourire, si vous voulez le faire vous-même…

— Je vous ai vue ce matin vous jeter à la tête de Bret.

— Vraiment ? Vous ne dormiez pas ?

— Bret m'a réveillée en se levant, lança-t-elle d'un ton mielleux qui ne laissait aucun doute quant à ce qu'elle voulait insinuer.

La flèche atteignit son but : Hillary ressentit une vive douleur lui vriller le cœur. Comment Bret pouvait-il passer si facilement des bras de Charlène aux siens ? Pour quelle raison prenait-il plaisir à l'humilier ainsi ? Elle ferma les yeux un instant, mortifiée à l'idée que le moment magique passé avec Bret n'avait en fait, aux yeux de celui-ci, aucune importance. Dans un sursaut de fierté, elle redressa crânement la tête et affronta sans ciller le regard vert triomphant que sa rivale dardait sur elle.

— Chacun ses goûts, lâcha-t-elle aussi indifféremment qu'elle le put tout en haussant négligemment les épaules.

Les masques tombèrent soudain et toute retenue la désertant, Charlène lança violemment le contenu de son verre sur la jeune femme.

— Ça suffit comme ça ! explosa soudain June, indignée par le comportement, Charlène. Je vous préviens, vous ne vous en sortirez pas comme ça !

— Vous, je me charge de vous faire renvoyer ! éructa Charlène, au comble de la colère.

— Vous pouvez toujours essayer, mais lorsque le patron saura ce que vous avez fait, je doute qu'il…

— June, arrête, l'interrompit Hillary.

— Mais enfin…

— S'il te plaît. Laissons Bret en dehors de tout ça, je préfère régler ce problème moi-même.

— Très bien, si c'est vraiment ce que tu veux.

La jeune femme jeta un regard dégoûté à Charlène et ajouta :

— Vous avez de la chance.

Sans plus attendre, Hillary quitta précipitamment la pièce, désireuse de retrouver la quiétude de sa chambre pour panser les plaies vives que Charlène avait ouvertes. Elle s'apprêtait à monter l'escalier lorsqu'elle croisa Bret qui avisa, perplexe, les taches de vin qui maculaient son pull.

— Eh bien, Hillary, que vous est-il arrivé ? Vous avez livré une bataille que, manifestement, vous avez perdue ?

— Je n'ai rien perdu du tout ! rétorqua-t-elle en passant devant lui pour grimper les marches.

Bret lui agrippa fermement le bras, l'empêchant de battre en retraite.

— Qu'est-ce qui ne va pas, Hillary ?

— Rien, s'entêta la jeune femme qui sentait ses forces l'abandonner dangereusement.

— Allons, Hillary, regardez-vous ! insista Bret en lui relevant le menton.

Hillary eut alors un brusque mouvement de recul qui laissa Bret sceptique.

— Ne jouez pas à ce petit jeu-là avec moi, Hillary, et dites-moi ce qui ne va pas, gronda-t-il d'une voix sourde en la forçant à le regarder dans les yeux.

— Rien, répéta-t-elle d'une voix glaciale, sans ciller. Et si vous pouviez cesser de me tripoter sans arrêt comme vous le faites…

Elle vit les yeux de Bret virer dangereusement au gris métallique et sentit ses doigts s'enfoncer douloureusement dans sa chair.

— Estimez-vous heureuse de ne pas être seule avec moi dans cette maison, siffla-t-il entre ses dents, sans quoi je vous aurais appris, acte à l'appui, le véritable sens du mot « tripoter ». Et ne vous inquiétez pas, je saurai à l'avenir ne pas froisser votre fragile innocence.

Hillary ne fit aucun commentaire et, relevant fièrement la tête, s'engagea dans l'escalier.

8.

Février avait tout doucement cédé la place à mars, pourtant le froid et la grisaille semblaient s'être donné le mot pour être toujours au rendez-vous. Depuis son retour de week-end, voilà plusieurs semaines, Hillary n'avait eu aucune nouvelles de Bret et n'en espérait plus.

Le numéro spécial de *Mode* qui lui était consacré avait paru et lorsqu'elle contemplait son reflet sur les pages glacées du magazine, elle ne se reconnaissait pas. La jeune femme souriante et heureuse de vivre qu'elle était alors n'existait plus. Hillary fixait une étrangère qui n'avait plus rien de commun avec elle.

La parution de ce numéro spécial avait connu un énorme succès, les magazines se vendant sitôt mis en rayon. Depuis, Hillary croulait sous des offres mirobolantes mais qu'elle ignorait royalement, poursuivant dans l'indifférence la plus absolue sa carrière telle qu'elle était auparavant. Toute ambition semblait l'avoir désertée et les jours passaient, la voyant ruminer un peu plus son vague à l'âme.

Un coup de fil de June qui lui demandait de se rendre de toute urgence au siège de *Mode* pour y rencontrer Bret mit fin à la longue période de léthargie dans laquelle elle était plongée. Elle hésita à obtempérer, mais la perspective, si elle

365

refusait, de voir débouler Bret chez elle à toute heure du jour ou de la nuit la décida à accepter.

Elle revêtit pour la circonstance un tailleur jaune paille qui épousait parfaitement ses formes et tira soigneusement ses cheveux en un chignon sur la nuque.

Elle jeta un coup d'œil critique dans le miroir mais l'élégante jeune femme qui s'y reflétait la conforta dans l'idée qu'elle avait fait le bon choix.

Dans l'ascenseur qui la conduisait au bureau de Bret, Hillary se contraignit à rester froide et distante et à afficher une attitude désinvolte. Des années d'expérience lui avaient appris comment cacher ses sentiments et ses états d'âme face à un objectif, il n'en serait pas autrement face à Bret Bardoff.

June, ravie de revoir la jeune femme, l'accueillit avec sa gentillesse coutumière.

— Vous pouvez y aller, il vous attend.

Hillary prit une profonde inspiration, plaqua un sourire de circonstance sur ses lèvres et entra dans l'arène.

— Bonjour, Hillary, dit Bret d'une voix policée sans daigner se lever de son fauteuil. Asseyez-vous, je vous en prie.

— Bonjour, Bret, dit-elle à son tour de la même voix lisse, se félicitant d'arriver à garder une désinvolture qu'elle était loin d'éprouver.

— Vous avez l'air en pleine forme, commenta platement Bret.

— Merci. Vous aussi.

Ces mots résonnaient, vides de sens, leur faisant soudain réaliser toute l'absurdité de la situation dont ils étaient prisonniers.

— J'étais en train d'étudier les résultats de notre opération. Cela dépasse largement tout ce que nous espérions.

— Oui, je suis heureuse que cela ait si bien marché.

Bret se plongea soudain dans l'étude attentive des photos et demanda :

— Laquelle de ces jeunes femmes êtes-vous, Hillary ? La sportive, la mondaine, la carriériste, l'épouse parfaite, la mère attentive, la séductrice ? Dites-moi, qui êtes-vous vraiment ?

Il fixa alors sur elle un regard pénétrant qui fit dangereusement vaciller toutes ses certitudes. Elle parvint néanmoins à simuler l'indifférence.

— Je ne suis que la projection de ce qu'un photographe me demande d'être. Vous êtes bien placé pour le savoir puisque c'est la raison pour laquelle vous m'avez embauchée. Je me trompe ?

— En fait, vous changez de personnalité sur commande.

— C'est en effet ce pour quoi je suis payée, oui.

Bret se cala confortablement dans son fauteuil et, doigts croisés, la regarda de nouveau intensément.

— J'ai entendu dire que vous crouliez sous les propositions. J'imagine que vous devez être débordée.

— C'est exact, dit Hillary, feignant, dans un flot de paroles ininterrompu, un enthousiasme délirant qu'elle était loin d'éprouver. Tout cela est si excitant ! Je n'ai pas encore décidé avec qui je vais signer, peut-être une grande marque de cosmétiques, je ne sais pas encore, car cela supposerait un contrat exclusif de trois ans et des spots publicitaires. D'ailleurs on m'a recommandé de prendre un attaché de presse pour m'aider dans mes choix, mais j'hésite, tout cela est si nouveau pour moi !

— Je vois. Si mes sources sont exactes, on m'a dit aussi que vous aviez été contactée par une chaîne de télévision.

Incapable de s'étendre sur les détails d'une proposition

qu'elle n'avait fait que parcourir rapidement, Hillary éluda d'un geste vague de la main.

— Oh oui, mais… ce serait un métier différent, alors je ne veux surtout pas me précipiter. Je préfère me donner le temps d'y réfléchir.

Hillary se félicita intérieurement pour ses talents, jusque-là inconnus d'elle, de comédienne.

Bret ne fit aucun commentaire et se leva, lui tournant le dos pour se perdre en silence dans la contemplation du panorama. Hillary observait fixement la silhouette qui se découpait à contre-jour, s'interrogeant sur ce que Bret avait en tête.

— Votre contrat avec moi s'achève, et je suis prêt à vous faire une nouvelle proposition, annonça-t-il au bout de quelques minutes. Mais il est bien évident que je ne pourrai jamais m'aligner sur les prix que vous a certainement proposés cette chaîne de télévision.

« Une offre, songea Hillary, heureuse que Bret ne puisse voir la déception se peindre sur son visage. Voilà donc pourquoi il m'a convoquée. Pour m'offrir un nouveau contrat ! »

Elle allait refuser, même si elle n'avait pas l'intention d'accepter les autres propositions qui lui avaient été faites. Compte tenu du trouble et de l'émotion que cet homme faisait naître dès lors qu'ils étaient ensemble, elle ne se sentait pas le courage d'entretenir avec lui des contacts quotidiens.

Elle se leva, puis répondit d'une voix calme et posée :

— J'apprécie beaucoup votre proposition, Bret, mais je dois songer à ma carrière. Je ne voudrais pas vous paraître ingrate, et sachez que je n'oublierai jamais ce que vous avez fait pour moi, mais…

Bret fit volte-face et la colère qu'elle lut dans ses yeux la dissuada de poursuivre.

— Je n'ai que faire de votre gratitude, Hillary ! Ni de vos jolies formules toutes faites, d'ailleurs.

Il saisit d'un geste rageur le numéro spécial de *Mode* et le lança sur le bureau.

— Tout ce que vous avez gagné, reprit-il en pointant du doigt le visage de la jeune femme qui figurait en couverture, vous ne le devez qu'à vous-même ! Je n'y suis pour rien ! Et vous le savez aussi bien que moi !

Il marqua un temps d'arrêt pour s'exhorter au calme, et poursuivit d'une voix plus maîtrisée :

— Je m'attendais que vous refusiez mon offre, néanmoins, sachez que si vous changiez d'avis, je serais prêt à négocier vos honoraires. Je vous souhaite bonne chance et… d'être heureuse.

— Merci, chuchota Hillary dans un sourire contrit avant de tourner les talons et de se diriger vers la porte.

— Hillary…

La jeune femme crispa la main sur la poignée qu'elle s'apprêtait à tourner et rassembla toute sa volonté pour faire face à Bret une dernière fois.

— Oui ?

— Au revoir.

— Au revoir, Bret, murmura-t-elle avant de franchir précipitamment la porte.

Tremblant comme une feuille, elle s'adossa au mur, sous le regard plein de sollicitude de June.

— Hillary ? Tout va bien ?

Hillary la regarda distraitement, semblant émerger de lointains limbes obscurs, puis hocha la tête.

— Oui… oui, tout va bien.

Elle quitta la pièce en courant, refoulant les sanglots qui lui nouaient la gorge.

C'est sans grand enthousiasme qu'Hillary héla un taxi quelques jours plus tard. Elle avait accepté la proposition de Peter et June de se rendre avec eux à une soirée que donnait Bud dans son superbe appartement de l'autre côté de la ville.

En ouvrant les yeux ce matin-là, elle avait fermement décidé de ne plus s'apitoyer sur son sort et de renouer avec ses amis en même temps qu'avec une vie sociale qui était autrefois son quotidien. Il était grand temps de se reprendre en main, avait-elle décrété, et rester dans son coin à ruminer des idées noires ne l'aiderait certainement pas à retrouver une vie normale.

Elle resserra contre elle l'étole destinée à la préserver des nuits encore fraîches de ce mois d'avril déjà bien entamé et s'engouffra dans la voiture qui venait de s'arrêter à sa hauteur.

C'est rassérénée et bien déterminée à passer une bonne soirée qu'elle arriva chez Bud où son hôte l'accueillit à bras ouverts, heureux de la voir renouer avec les plaisirs futiles de la civilisation. Il lui passa un bras amical autour des épaules et la conduisit au bar. Elle s'apprêtait à commander, comme à son habitude, un verre d'alcool largement dilué dans de l'eau lorsqu'un cocktail d'un joli rose vif attira son attention.

— Mmm, ça a l'air bon. Qu'est-ce que c'est ?

— Un planteur, l'informa Bud qui, sans même attendre son assentiment, lui en servait déjà un verre.

Hillary en goûta une gorgée, décréta que c'était délicieux et partit se fondre dans la foule des invités.

Elle allait de groupe en groupe, souriante, discutant avec les uns, plaisantant avec les autres, ravie du changement d'humeur qui s'opérait progressivement en elle. Déprime et vague à l'âme semblaient un lointain souvenir tandis que,

370

son troisième verre à la main, elle flirtait ouvertement avec un séduisant célibataire répondant au nom de Paul.

— Bonjour, Hillary, lui dit soudain une voix qu'elle ne connaissait que trop bien. Quelle bonne surprise de vous voir ici !

Elle fit volte-face et présenta à Bret un visage fermé. N'avait-elle pas accepté de se rendre à cette soirée à la seule condition que Bret n'y serait pas ? C'est en tout cas ce que lui avait certifié June auprès de qui elle avait pris la précaution de se renseigner. Elle lui adressa un sourire distrait, se demandant pour quelle étrange raison sa vue commençait à se troubler.

— Bonjour, Bret. Que nous vaut l'honneur de votre visite parmi les simples mortels ? railla-t-elle.

Bret considéra un instant les joues rosies et le regard vague de la jeune femme.

— Eh bien... disons que j'ai eu envie de m'encanailler un peu. En outre, c'est excellent pour mon image de me montrer sous un autre jour.

Hillary repoussa une mèche de cheveux qui lui barrait le visage et vida son verre d'un trait.

— Mmm... je vois. Et en termes d'images nous nous y connaissons tous les deux, n'est-ce pas ?

Elle se tourna ensuite vers son chevalier servant, qui se trouvait toujours à son côté, et lui demanda dans un sourire éblouissant :

— Paul, voulez-vous être un amour et aller me chercher un autre verre de cette excellente boisson ? C'est le punch qui se trouve sur cette table, là-bas.

Bret attendit que Paul se fut éloigné et prit le menton d'Hillary entre ses doigts, l'obligeant à le regarder droit dans les yeux.

— Combien en avez-vous bus, Hillary ? s'enquit-il d'un air soupçonneux. Je croyais que vous ne supportiez pas l'alcool.

— Ce n'est pas de l'alcool, c'est du jus de fruits ! Et je n'ai pas l'intention de m'arrêter là, parce que c'est un grand jour aujourd'hui : je fête ma renaissance !

Un sourire narquois flotta sur les lèvres de Bret.

— Compte tenu de votre regard, je parierais qu'il n'y a pas que des fruits là-dedans et je vous recommande vivement d'aller boire un café.

— Ce que vous pouvez être rabat-joie ! lui dit-elle en passant une main caressante sur sa chemise. Mmm... de la soie. J'ai toujours eu un faible pour la soie.

Puis sautant du coq à l'âne, elle s'écria :

— Peter est là ! Et devinez ? Il n'a pas pris son appareil photo ! Vous vous rendez compte ! Je ne le reconnais plus !

— Dans l'état où vous êtes, je doute que vous reconnaissiez votre propre mère, ironisa Bret.

— Ma mère, elle, ne prend jamais de photos ! annonça-t-elle triomphalement en buvant une gorgée du verre que Paul venait de lui apporter.

Elle l'agrippa soudain par le bras.

— Paul, allons danser, voulez-vous ? J'adore danser !

Puis elle se tourna vers Bret et lui tendit son verre.

— Tenez, soyez gentil de me le garder.

Elle se sentait merveilleusement bien, légère comme une bulle, et elle s'étonna même de s'être laissé troubler par Bret comme elle l'avait fait. Une agréable sensation de vertige la rendit un peu plus euphorique et son corps qui se mouvait langoureusement alla se plaquer un peu plus étroitement contre celui de son cavalier. Elle eut vaguement conscience de Paul lui murmurant quelque chose à l'oreille et elle laissa échapper un petit soupir de satisfaction en guise de réponse.

Lorsque la musique se tut, la main de Bret lui tapota l'épaule.

— Qu'y a-t-il ? Vous voulez danser vous aussi ?

— Ce n'est pas vraiment ce que j'avais en tête, répondit-il en la tirant par le bras.

— Mais je n'ai pas du tout envie de partir ! protesta Hillary en tentant de se dégager de l'emprise de Bret. Il est tôt et pour une fois, je m'amuse bien !

— Je vois, oui, dit Bret en resserrant son étreinte. Mais nous partons quand même.

— Je n'ai pas besoin de vous ! D'ailleurs, je suis sûre que ce cher Paul se fera une joie de me ramener.

— Je n'en doute pas une seconde, grommela Bret en poussant la jeune femme devant lui.

— Je veux danser encore, insista Hillary en venant se plaquer contre son torse. Vous voulez bien danser avec moi, Bret ?

— Pas ce soir, Hillary. J'ai bien peur que vous ne soyez plus en état de maîtriser quoi que ce soit.

Puis, la prenant par surprise, il la saisit par les hanches et la flanqua sur son épaule, se frayant ainsi avec son étrange fardeau un chemin parmi la foule compacte. Et provoquant, contre toute attente, l'hilarité de la jeune femme.

— C'est drôle ! Mon père avait l'habitude de me porter comme ça quand j'étais petite !

— Formidable !

Au passage, June tendit à Bret l'étole et le sac à main d'Hillary.

— Ça va aller, patron ?

— Il faudra bien, dit-il en s'éloignant dans le couloir.

Parvenu à la voiture, il laissa tomber Hillary sans ménagement sur le siège avant et lui tendit son étole.

— Mettez ça, lui ordonna-t-il.

En guise de réponse, elle lança son châle sur la banquette arrière et se cala confortablement contre le dossier.

— Je n'ai pas froid. Je me sens même merveilleusement bien.

Bret mit le moteur en marche et jeta à la jeune femme un regard amusé.

— Rien d'étonnant à cela ! Avec tout l'alcool que vous avez bu, vous pourriez réchauffer toute la ville de New York.

— Ce n'était que du jus de fruits, s'entêta Hillary. Oh, regardez ! s'exclama-t-elle en s'accoudant sur le tableau de bord. La lune ! Allons faire une promenade, ce sera tellement romantique !

Bret, qui s'était arrêté à un feu rouge, tourna la tête vers elle et dit fermement :

— Non.

— Décidément, ronchonna Hillary, vous n'êtes pas drôle !

Puis rejetant la tête en arrière elle se mit à chanter gaiement jusqu'à ce qu'ils arrivent devant sa résidence. Bret gara alors la voiture et lui demanda :

— Vous pensez pouvoir marcher ou faut-il que je vous porte de nouveau ?

— Evidemment que je peux marcher, s'offusqua Hillary. Cela fait même des années et des années que je peux marcher ! Regardez !

Après s'être extirpée, non sans difficultés, de son siège, elle se demanda pourquoi le sol était devenu subitement instable sous ses pieds, mais elle tint néanmoins à prouver ce qu'elle venait d'avancer.

— Vous voyez, dit-elle en titubant dangereusement. Equilibre parfait.

— Je vous félicite, vous êtes une merveilleuse funambule.

Il se précipita vers elle pour prévenir une chute inévitable et décida qu'il valait mieux la porter. Hillary s'abandonna, tête rejetée en arrière, et bras noués autour du cou de Bret.

— Je préfère quand vous êtes gentil comme ça, annonça-t-elle tandis que l'ascenseur commençait sa lente montée vers les étages. Vous savez ce que j'ai toujours voulu faire ?

— Non, répondit distraitement Bret. Hillary…, commença-t-il tandis que la jeune femme lui agaçait l'oreille du bout de la langue.

Elle l'interrompit en dessinant le contour de sa bouche d'un doigt léger.

— Vous avez la bouche la plus fascinante que j'aie jamais vue, murmura-t-elle.

— Hillary, arrêtez.

— Un beau visage, des traits réguliers, poursuivit-elle sans tenir compte des protestations de Bret, et des yeux… des yeux dans lesquels j'adore me perdre.

Elle nicha sa tête dans le creux de son épaule et promena ses lèvres le long de son cou.

— Mmm, votre parfum sent si bon !

Arrivé devant la porte, Bret parvint tant bien que mal à trouver la clé et à l'introduire dans la serrure.

— Hillary, si vous ne cessez pas immédiatement, vous risquez de me faire oublier que le jeu a des limites que je ne dois pas dépasser.

Une fois la porte enfin ouverte, il la referma sur eux et s'adossa un instant contre le mur pour reprendre son souffle… et ses esprits.

— Je croyais que les hommes aimaient qu'on les séduise, susurra Hillary d'une voix enjôleuse tout en frottant sa joue contre celle de Bret.

— Ecoutez, Hillary…

Mais la jeune femme lui ferma la bouche d'un baiser.

— J'adore vous embrasser, dit-elle avant de bailler discrètement et d'enfouir son visage contre sa poitrine.

— Hillary, pour l'amour du ciel !

Lorsque Bret, chancelant sous le poids de son fardeau devenu trop lourd, parvint enfin dans la chambre à coucher d'Hillary et qu'il voulut l'allonger, elle s'accrocha si désespérément à son cou qu'elle lui fit perdre l'équilibre et qu'il bascula avec elle sur le couvre-lit. Elle resserra alors son étreinte et reprit sa litanie de mots doux incohérents qu'elle n'interrompit que pour effleurer de sa bouche les lèvres de Bret.

Ce dernier jurait intérieurement, tentant de se dégager de son emprise.

— Hillary, vous ne savez plus ce que vous faites.

Pour toute réponse, elle ferma les yeux et lui sourit béatement.

Une fois libéré des bras qui le retenaient prisonnier, Bret entreprit de lui retirer ses chaussures.

— Vous portez quelque chose là-dessous ?

N'obtenant en guise de réponse qu'un murmure inaudible, il baissa la fermeture à glissière de sa robe et la passa par-dessus ses épaules.

— Je te ferai payer cette épreuve que tu m'infliges, dit-il à voix haute en luttant pour ne pas caresser la peau douce mise à nu sous le fin caraco de soie.

Il rabattit le couvre-lit sur le corps inerte de la jeune femme qui poussa un petit gémissement avant d'enfouir sa tête dans l'oreiller et de sombrer instantanément dans le plus profond des sommeils.

Bret écouta un instant la respiration régulière d'Hillary puis quitta la pièce en refermant la porte derrière lui.

« Je ne peux pas croire qu'il m'arrive une chose pareille, se dit-il. Bien possible que je me déteste demain matin. »

Il poussa un profond soupir et décida qu'un verre de scotch lui ferait le plus grand bien.

9.

Hillary se réveilla, hagarde, aux premiers rayons du soleil. Elle plissa les yeux et tenta de fixer son attention sur les objets familiers qui l'entouraient, mais la violente migraine qui lui vrillait les tempes l'en empêchait. Elle s'assit lentement sur le bord de son lit puis tenta de se lever mais sitôt qu'elle eut posé un pied par terre, elle fut prise de vertiges qui la forcèrent à retrouver la position allongée.

Après plusieurs tentatives, elle parvint, au prix d'un effort surhumain, à tituber jusqu'à sa penderie pour y prendre une robe de chambre.

Qu'avait-elle bien pu boire pour se retrouver dans un état pareil ? se demandait-elle en fouillant désespérément sa mémoire. Elle avisa sa robe pliée au pied de son lit. Elle ne se souvenait absolument pas de s'être déshabillée. Elle secoua la tête, perplexe. De l'aspirine, un jus d'orange et une bonne douche froide, voilà ce qu'il lui fallait pour se remettre d'aplomb ! Elle se dirigeait à petits pas lents vers la cuisine lorsque l'incompréhension la cloua sur place. Que faisaient cette veste et cette paire de chaussures d'homme sur le canapé de son salon ?

— Oh, mon Dieu ! s'écria-t-elle tandis qu'une partie de sa mémoire lui revenait.

Bret l'avait ramenée, et elle…

Elle frissonna au souvenir de sa conduite de la veille.

Que s'était-il passé ensuite ? Elle n'en savait fichtrement rien. Trop de pièces manquaient encore au puzzle.

— Bonjour, chérie.

Elle tourna lentement sa tête endolorie, et blêmit à la vue de Bret qui, en caleçon et torse nu, lui souriait tendrement. Ses cheveux encore mouillés attestaient du fait qu'il venait juste de sortir de la douche. « Ma douche », songea Hillary, horrifiée par ce que cela laissait supposer.

Il s'approcha d'elle et l'embrassa tendrement sur la joue, ce qui ne fit qu'accroître l'angoisse d'Hillary.

— Je vais préparer du café, annonça-t-il en se dirigeant vers la cuisine, Hillary sur les talons.

Il mit de l'eau à bouillir et s'approcha de nouveau de la jeune femme pour, cette fois, la prendre amoureusement par la taille.

— Chérie, tu as été merveilleuse, lui murmura-t-il à l'oreille.

Hillary l'écoutait en silence, mortifiée.

— Et toi, tu as aimé ? poursuivit-il de la même voix sensuelle.

— Eh bien, je… je… à vrai dire, je ne me souviens pas très bien.

Bret la fixa, incrédule.

— Tu ne t'en souviens pas ?! Mais comment as-tu pu oublier ? C'est impossible, voyons, tu as été si… si extra-ordinaire !

— Eh bien… Oh ! ma tête, gémit-elle en portant ses mains aux tempes.

— Ce n'est rien, la rassura Bret, plein de sollicitude. Juste une légère « gueule de bois ». Je vais m'occuper de toi, ma chérie.

— « La gueule de bois » ! Mais je n'ai bu que du punch !

— Certes, mais avec trois sortes de rhum.

— Du rhum ? Mais je croyais que…

— Hillary, il s'agissait d'un planteur, pas d'un cocktail de fruits sans alcool ! Et tout le monde sait que les planteurs se font avec du rhum blanc, du rhum brun et du rhum ambré.

— Je l'ignorais, sans quoi je n'en aurais jamais bu autant. Je n'ai vraiment pas l'habitude et vous… vous avez profité de la situation.

Bret la regarda, interloqué.

— Profité de la situation ? Moi ? Mais, ma chérie, c'est toi qui t'es montrée très… comment dire… entreprenante. Une vraie tigresse, conclut-il en lui adressant un clin d'œil lourd de sous-entendus.

— Mais c'est affreux ! explosa Hillary qui s'arrêta net, la douleur l'empêchant d'aller plus loin. Oh, mais que j'ai mal !

— Tiens, bois ça, commanda Bret en lui tendant un verre dans lequel finissait de pétiller un comprimé effervescent.

— Qu'est-ce que c'est ? s'enquit la jeune femme, méfiante.

— Bois, répéta Bret sans répondre à la question.

Hillary s'exécuta en grimaçant une moue de dégoût.

— Eh oui ! C'est le prix à payer quand on s'est enivré, mon amour.

— Je n'étais pas ivre, se rebiffa Hillary. Je n'avais pas les idées très claires, voilà tout ! Quand je pense que vous… que vous en avez profité pour…

— Hillary je peux jurer sur ce que j'ai de plus cher que c'est tout le contraire qui s'est produit.

380

— Je ne savais plus ce que je faisais !

— Je peux t'assurer que tu savais très bien ce que tu faisais, insista-t-il d'un air entendu.

— C'est affreux, je ne me souviens de rien, gémit-elle, au bord des larmes.

— Allons, détendez-vous, Hillary, dit Bret en reprenant leur vouvoiement habituel, signe que le jeu était terminé. Il ne s'est rien passé.

Hillary s'essuya les yeux du revers de la main.

— Que voulez-vous dire ?

— Que je ne vous ai pas touchée. Que vous êtes aussi pure et virginale qu'hier car je vous ai laissée pour venir dormir sur ce canapé exceptionnellement inconfortable.

— Vous n'avez pas… Nous n'avons pas… ?

— Non, répondit laconiquement Bret en versant l'eau bouillante dans la cafetière.

Le premier moment de soulagement passé, Hillary laissa éclater librement sa colère.

— Et pourquoi ne s'est-il rien passé ? Qu'est-ce que j'ai de si repoussant ?

Bret la considéra un instant, médusé, puis éclata de rire.

— Hillary, vous êtes vraiment pétrie de contradictions ! D'abord vous êtes désespérée parce que vous pensez que j'ai sali votre honneur et la minute d'après vous vous sentez offensée parce que je ne l'ai pas fait.

— Je ne vois pas ce qu'il y a de si amusant ! Vous m'avez délibérément laissée croire que je… que nous…

— Avons dormi ensemble ? suggéra gentiment Bret en sirotant son café. Non. Pourtant, je vous assure que vous l'auriez mérité. Vous m'avez rendu fou durant tout le trajet jusqu'à votre chambre.

Un sourire amusé flotta sur ses lèvres tandis que les joues d'Hillary s'empourpraient violemment.

— Et souvenez-vous bien de ce que je vais vous dire, reprit-il. Je connais peu d'hommes qui, comme moi, auraient renoncé à une folle nuit d'amour avec vous pour venir s'exiler sur cette misérable couche, alors si j'étais vous, dorénavant, j'éviterais de boire trop de punch aux fruits.

— Je jure bien de ne plus jamais toucher à un verre d'alcool de ma vie ! promit Hillary en se frottant de nouveau les tempes. Mais pour l'heure je prendrais volontiers un thé ou même un café, tiens !

La sonnerie stridente de la porte d'entrée lui vrilla les tempes en même temps qu'elle lui arracha un chapelet de jurons, inhabituel dans sa bouche.

— Je vous prépare un thé, offrit Bret qui s'amusait du langage ordurier de la jeune femme. Allez ouvrir.

Hillary obéit en traînant les pieds. Sur le seuil se tenait Charlène, le visage déformé par la haine, ses yeux verts lançant des éclairs.

— Je vous en prie, entrez donc, dit Hillary en s'effaçant pour la laisser passer puis en claquant la porte sitôt qu'elle eut franchi le seuil.

— J'ai entendu dire que vous vous étiez donnée en spectacle hier soir, affirma la nouvelle venue sur un ton glacial.

— Les nouvelles vont vite, à ce que je vois. Et je suis flattée que mon sort vous intéresse à ce point, ironisa Hillary.

— Votre sort ne m'intéresse pas le moins du monde. En revanche, je m'intéresse de près à celui de Bret. Il semblerait que vous ayez pris la fâcheuse habitude de vous jeter à sa tête, aussi suis-je venue vous dire que je n'ai pas l'intention de supporter cela plus longtemps.

Hillary réprima à grand-peine la colère qui la gagnait.

Elle feignit un bâillement tout en affichant l'expression du plus profond ennui.

— C'est tout ?

— Si vous croyez que je vais laisser une moins-que-rien dans votre genre salir la réputation de l'homme que je vais épouser, vous vous trompez lourdement.

L'effort que fit Hillary pour conserver une apparente indifférence raviva sa migraine avec plus d'intensité encore.

— Je vous présente mes félicitations, parvint-elle néanmoins à dire. Quant à ce pauvre Bret ce sont plutôt mes condoléances que je lui adresserai.

— Je vous briserai ! glapit Charlène. Je veillerai personnellement à ce que votre visage ne soit plus jamais photographié, vous m'entendez ? Plus jamais !

La voix traînante de Bret qui venait d'entrer dans la pièce en boutonnant sa chemise la cloua sur place.

— Bonjour, Charlène.

Interloquée, elle se retourna vers son compagnon. Son regard alla des vêtements froissés qu'il portait, à sa veste négligemment jetée sur le canapé.

— Bret ? Mais… mais que fais-tu ici ?

— Cela me paraît évident, non ? répondit ce dernier en se laissant tomber sur le canapé pour mettre ses chaussures. Et c'est bien pour vérifier, que tu as pris la peine de te déplacer jusqu'ici, je me trompe ?

« Il se sert de moi, pensa Hillary, en proie à un sentiment diffus où se mêlaient étroitement colère et souffrance. Il se sert de moi pour la rendre jalouse. »

Charlène détourna son attention de Bret pour déverser sa rage dévastatrice sur Hillary.

— Vous, ce n'est pas la peine de vous faire d'illusions ! Je le connais bien et je peux vous certifier que vous n'êtes pour lui qu'une aventure insignifiante ! Et lorsqu'il se sera lassé de vous, à la fin du week-end, c'est vers moi qu'il reviendra !

— Formidable ! rétorqua Hillary, à bout de patience. Et tant mieux pour vous ! Mais pour l'instant, je vous ai assez vu tous les deux, je vais donc vous demander de partir.

Elle pointa la porte d'un doigt rageur.

— Et tout de suite ! Dehors !

— Eh, une minute ! intervint Bret qui finissait de lacer ses chaussures.

— Bret, je vous conseille de ne pas vous en mêler ! aboya Hillary. Quant à vous, ajouta-t-elle en s'adressant à Charlène, j'en ai par-dessus la tête de vos scènes de jalousie. Alors, si vous y tenez vraiment, nous reprendrons cette intéressante conversation un autre jour, car franchement aujourd'hui, je ne suis pas en état de discuter de quoi que ce soit !

— Je ne vois aucune raison de m'abaisser à reprendre cette discussion avec vous, riposta Charlène qui avait recouvré tout son calme et sa froideur naturelle. Je vous l'ai dit, votre petite personne ne m'intéresse pas, et je doute qu'une petite intrigante de votre espèce intéresse beaucoup Bret.

— Intrigante ? Moi ? répéta Hillary d'une voix sourde en s'avançant lentement vers Charlène.

Bret, conscient du drame qui menaçait d'éclater, se leva et enlaça Hillary par la taille.

— Hillary, calmez-vous.

— Décidément, nous avons affaire à une vraie petite sauvage ! insista méchamment Charlène.

— Je vais vous montrer, moi, si je suis une sauvage ! hurla Hillary en se démenant désespérément pour se libérer de l'étau qui l'empêchait de se ruer sur son ennemie.

— Charlène, je te conseille vivement de te tenir tranquille, ou je ne réponds plus de rien.

Les paroles blessantes de Bret firent retomber instantanément la colère d'Hillary.

— Lâchez-moi, lui dit-elle fermement. Je ne la toucherai pas. Et sortez de chez moi, j'en ai plus qu'assez de vous deux. Je ne veux plus jamais vous voir ni l'un, ni l'autre. Et la prochaine fois que vous voudrez rendre votre petite amie jalouse, Bret, trouvez quelqu'un d'autre.

— Je ne m'en irai pas tant que vous n'aurez pas écouté ce que j'ai à vous dire, déclara Bret d'un ton péremptoire.

— Je ne veux plus vous écouter. C'est fini, vous comprenez ? Je veux juste que vous et votre amie sortiez d'ici pour ne plus jamais y revenir. Et maintenant allez vous-en, j'ai besoin d'être seule.

Bret se résigna à aller chercher sa veste.

— Très bien, nous partons, dit-il en fixant les yeux mouillés de larmes de la jeune femme. Mais je reviendrai, Hillary, ne croyez pas que nous en resterons là.

Hillary attendit que la porte se referme sur eux et essuya d'un geste brusque les larmes qui, à présent, roulaient sur ses joues sans retenue. Il pourrait bien revenir, décida-t-elle rageusement. Elle ne serait plus là.

Elle se précipita dans sa chambre, lança deux valises sur son lit et y entassa pêle-mêle tous les vêtements qui lui tombaient sous la main.

« J'en ai assez, se dit-elle, au comble de la colère. Assez de New York, de Charlène Mason mais par-dessus tout, assez de Bret Bardoff ! Je rentre à la maison. »

Une fois ses bagages bouclés, elle alla frapper chez Lisa, qui fixa, perplexe, le visage bouleversé de son amie.

— Hillary ? Que…

— Je n'ai pas le temps de t'expliquer, l'interrompit brutalement la jeune femme, je pars. Tiens, prends mes clés. Il y a des provisions dans le réfrigérateur et dans les placards, sers-toi, je ne reviendrai pas. Je m'occuperai de mes meubles et du bail plus tard. Je t'écrirai dès que je pourrai, conclut-elle en se dirigeant vers l'ascenseur.

— Mais enfin, Hil, dis-moi au moins où tu vas !

— Je rentre chez moi, répondit la jeune femme sans se retourner.

Si l'arrivée impromptue d'Hillary ne manqua pas de surprendre ses parents, ils n'en dirent rien et ne lui posèrent aucune question jugée indiscrète.

Elle reprit vite ses habitudes, se coulant sans difficulté dans la douce monotonie des jours. Une semaine passa ainsi, rythmée par les rudes travaux de la ferme et les longues plages de repos qu'elle s'accordait sous la véranda. Elle aimait laisser son esprit vagabonder à l'heure où tout est calme après une journée de dur labeur. Doucement bercée par le lent va-et-vient de la balancelle, elle se perdait de longues heures dans la contemplation du ciel étoilé.

— Je crois qu'il est temps que nous ayons une petite discussion, Hillary, lui dit un soir son père, venu la rejoindre.

Il s'assit à côté d'elle et passa un bras affectueux autour de ses épaules.

— Allons, dis-moi un peu pourquoi tu es venue ici sans t'annoncer.

Hillary poussa un profond soupir, prête à livrer ses secrets.

— Pour plusieurs raisons, avoua-t-elle en se blottissant contre son père. La principale étant que je suis fatiguée.

— Fatiguée ?

— Oui. J'en ai assez d'être photographiée sans arrêt, toujours

386

pimpante, d'exprimer des expressions que je suis souvent loin de ressentir et de toujours devoir composer. J'en ai assez de voir mon visage exhibé partout, j'en ai assez du bruit, de la foule. Je ne supporte plus ce monde superficiel, papa.

— Mais ta mère et moi avons toujours cru que c'était ce que tu voulais.

— Eh bien, je me suis trompée. Je me rends compte que ce n'est pas ce à quoi j'aspirais.

Elle scruta la profondeur de la nuit, tentant d'y trouver une réponse à ses interrogations.

— J'ai l'impression que je n'ai rien accompli de valable, tu comprends ?

— Tu n'as pas le droit de dire ça, Hillary ! Tu as travaillé dur pour en arriver là et aujourd'hui tu peux être fière de toi, de ta carrière. Comme ta mère et moi le sommes.

— Je sais que je dois ma réussite au seul travail que j'ai effectué, et je sais que j'ai fait du bon boulot. Ce que je veux dire c'est que lorsque j'ai quitté la maison, je voulais faire mes preuves, voir de quoi j'étais capable une fois livrée à moi-même. Je savais exactement ce que je voulais et où j'allais. Tout était bien ordonné dans ma tête et je n'ai pas dévié une seconde de la ligne de conduite que je m'étais fixée. Grâce à cette détermination, je suis parvenue au sommet, et nombre de femmes se damneraient pour être à ma place. Mais aujourd'hui, alors que je pourrais largement récolter les fruits de ce travail acharné, je réalise que ce n'est pas ce que je veux. Je ne veux plus jouer la comédie, papa.

— Eh bien, dans ce cas, tu as raison. Si tu en es à ce point il faut que tu arrêtes. Mais n'y aurait-il pas une autre raison que tu me cacherais ? Un homme, peut-être ?

— C'est fini, affirma Hillary, péremptoire. Nous n'étions pas du même monde.

— Hillary Baxter, gronda Tom, je t'interdis de penser des choses pareilles !

— Et pourtant c'est la vérité. Je ne me suis jamais vraiment intégrée à son mode de vie. Lui évolue dans un monde raffiné, basé exclusivement sur l'argent et le profit, alors que je suis restée la jeune femme simple que j'ai toujours été. Imagine un peu que je siffle pour appeler un taxi ! A New York ! Non, papa, regardons les choses en face, quel que soit le vernis que l'on peut acquérir, nous restons foncièrement ce que nous sommes.

Elle eut un petit haussement d'épaules désabusé et reprit :

— De toute façon, je n'étais rien pour lui.

— Eh bien, c'est qu'il manque singulièrement de discernement, commenta sobrement Tom Baxter en tirant sur sa pipe.

— Et toi, papa, tu manques singulièrement d'objectivité, conclut-elle en lui donnant un rapide baiser sur le front. Je monte me coucher, une rude journée nous attend demain.

L'air était pur et doux lorsque, quelques jours plus tard, Hillary sella son cheval pour une promenade matinale. Elle chevauchait, libre et légère, cheveux au vent, oubliant dans la plénitude de ce moment de bonheur les blessures qui lui avaient fait fuir New York. Gonflée d'une satisfaction toute terrienne, elle contemplait les champs de blé déroulant à perte de vue leurs épis ondulants et se gorgeait des odeurs typiques du printemps, offrant son visage aux douces caresses du soleil.

Comme elle aimait son pays ! Comment avait-elle pu le quitter un jour ? Pour chercher quoi ? La réponse lui vint spontanément. C'était elle, Hillary Baxter, qu'elle cherchait. Et maintenant qu'elle l'avait trouvée, qu'allait-elle en faire ?

— J'ai juste besoin d'un peu de temps, Cochise, murmura-t-elle à sa monture en se penchant pour lui flatter l'encolure. Juste un peu de temps pour rassembler les dernières pièces du puzzle.

Sous l'autorité d'Hillary le cheval prit docilement la direction de la ferme au pas, mais lorsqu'il arriva en vue de la bâtisse, il s'arrêta net et piaffa en tirant sur le mors.

— Oui, ça va, j'ai compris, Cochise, dit Hillary en riant.

D'un coup de talon imprimé dans les flancs de l'animal, elle le fit partir au galop. L'air vibrait du martèlement des sabots sur le sol aride, et Hillary, courbée sur sa monture, se laissait griser par la vitesse.

Ils approchaient de la maison lorsque la jeune femme avisa une silhouette masculine négligemment appuyée contre la barrière de l'enclos. La surprise fut telle qu'elle tira brutalement sur les rênes, obligeant Cochise à se cabrer dans un hennissement offusqué.

— Désolée, mon vieux, dit-elle en tapotant sa crinière pour le rassurer.

Manifestement, la distance qu'elle avait mise entre Bret Bardoff et elle n'avait pas suffi !

10.

— Bravo ! s'extasia Bret en se dirigeant vers eux. Jolie performance ! J'avais même du mal à discerner la cavalière de sa monture.

— Que faites-vous ici ? s'enquit Hillary sans préambule.

Bret caressa le museau de l'animal et répondit avec désinvolture :

— Je passais dans le coin alors j'ai pensé à venir vous saluer.

Hillary se laissa glisser de son cheval et balaya Bret d'un regard indifférent.

— Comment avez-vous su que j'étais ici ?

— C'est Lisa qui me l'a dit. Elle m'a entendu frapper chez vous.

Il parlait d'un ton détaché, laissant penser qu'il s'intéressait plus au magnifique hongre d'Hillary qu'à la teneur des réponses qu'il donnait.

— Il est vraiment superbe ! Et vous le montez à merveille.

— Oui, je sais comment le prendre, en effet, confirma-t-elle, vaguement contrariée par la complicité immédiate qui s'était instaurée entre Bret et son cheval.

— Votre ami a-t-il un nom ? demanda-t-il à la jeune femme tout en lui emboîtant le pas.

— Cochise, répondit-elle succinctement en réprimant l'envie qui la tenaillait de lui claquer la porte de l'écurie au nez.

Mais Bret, qui paraissait ne se rendre compte de rien, s'adossa nonchalamment contre le mur et regarda Hillary panser énergiquement l'animal.

— Je me demande si vous vous rendez compte à quel point la couleur de votre cheval vous va bien.

— Sachez qu'il ne me viendrait jamais à l'idée de choisir une monture pour des raisons aussi futiles, ironisa-t-elle sans interrompre sa tâche.

— Vous l'avez depuis longtemps ?

— Je l'ai eu à sa naissance.

— Ceci explique sans doute la formidable complicité qui existe entre vous.

Bret interrompit son interrogatoire et commença à fureter dans l'écurie, tandis qu'Hillary poursuivait la toilette de son cheval. Cela la dispensait de formuler les dizaines de questions qui se pressaient dans sa tête et qu'elle brûlait de poser à Bret.

Finalement, incapable de supporter le lourd silence qui s'était installé entre eux, elle délaissa sa tâche et sortit précipitamment du box, Bret sur les talons.

— Pourquoi vous êtes-vous enfuie ? lui demanda-t-il, explicitant enfin la vraie raison de sa visite.

Prise de court, Hillary improvisa rapidement une réponse.

— Je ne me suis pas enfuie. J'avais besoin de prendre du recul pour étudier les propositions qui m'ont été faites. Je ne voudrais pas commettre une erreur qui pourrait être fatale à ma carrière.

— Je comprends.

Elle ne sut dire si l'ironie perçue était réelle ou si elle était le fruit de son imagination.

— Je suis désolée mais je dois vous laisser, à présent. Il faut que j'aille aider ma mère à préparer le repas.

Mais le sort, ou plus exactement Sarah Baxter, en avait décidé autrement.

— Hillary, dit-elle après s'être approchée pour saluer Bret, profite donc de l'occasion pour faire visiter la ferme à ton ami. Je n'ai plus besoin de toi, tout est prêt.

— Je t'avais promis de faire une tarte, insista Hillary qui ne tenait pas à prolonger son tête-à-tête avec Bret.

Ignorant le ton suppliant de sa fille, Sarah persista :

— Si tu tiens vraiment à la faire, tu as encore du temps devant toi. Emmène donc Bret faire un tour avant le dîner.

Bret adressa un sourire victorieux à Hillary.

— Je crois que votre maman vient de m'inviter à partager votre repas.

Puis, se tournant vers Sarah qui regagnait la maison, il cria :

— J'accepte votre invitation avec plaisir, madame Baxter !

Furieuse contre sa mère et Bret qui avaient noué le contact si facilement, elle se résigna à faire visiter la ferme à ce dernier.

Elle s'arrêta à quelques mètres de là et lui demanda d'un ton mielleux :

— Vous préférez commencer par le poulailler ou par la porcherie ?

— Ça m'est égal, répondit Bret qui parut ne pas percevoir l'ironie qui perçait sous la question.

Contre toute attente, il se montra un compagnon très agréable,

392

s'intéressant aussi bien au jardin potager de Sarah qu'aux énormes machines agricoles de Tom. Lorsque son regard se porta sur les champs de blé qui s'étendaient à perte de vue, il arrêta Hillary en lui posant une main sur l'épaule.

— Maintenant, je comprends ce que vous ressentez, Hillary, murmura-t-il, émerveillé par l'océan doré qui s'étendait devant eux. C'est magnifique !

Hillary ne fit aucun commentaire.

Avant qu'elle ait pu émettre la moindre objection, Bret avait pris ses mains dans les siennes.

— Vous avez déjà vu une tornade ?

— Evidemment, rétorqua la jeune femme, on ne peut pas passer vingt ans de sa vie dans le Kansas sans avoir vu au moins une tornade.

— Ce doit être fascinant, non ?

— Assez, oui. Je me souviens d'en avoir vécu une alors que j'avais sept ans. Elle était annoncée depuis la veille et tout le monde s'affairait à mettre les bêtes en sécurité, à renforcer portes et fenêtres, bref à se tenir prêt à affronter le monstre. Moi, je me tenais là, sans pouvoir détacher les yeux de l'énorme spirale noire qui se dirigeait vers nous, totalement inconsciente du danger. Tout était si calme tout d'un coup, comme si la vie s'était arrêtée à ce moment-là pour toujours. Le silence était si pesant qu'il en était presque palpable. Tout d'un coup, mon père est arrivé en courant, il m'a hissée sur ses épaules et m'a emmenée rejoindre le reste de la famille dans l'abri anticyclonique. Quelques instants plus tard, la fin du monde s'abattait sur nous.

Bret avait écouté en silence, captivé par ce souvenir d'enfant. Il adressa à Hillary ce petit sourire en coin qui avait le don de la faire chavirer.

— Hillary, murmura-t-il, vous êtes adorable !

Elle ne répondit rien et cacha son embarras en fourrant nerveusement ses mains dans les poches de sa veste. C'est alors qu'ils approchaient de la ferme qu'elle trouva le courage de lui poser la question qui lui brûlait les lèvres :

— Vous êtes venu dans le Kansas pour affaires ?

— En quelque sorte, oui.

Agacée par le laconisme de sa réponse, elle éprouva le besoin d'être méchante.

— Comment se fait-il que vous vous soyez déplacé vous-même ? Vous auriez pu envoyer un de vos subalternes, comme vous avez l'habitude de le faire.

— Il y a des questions que je préfère traiter personnellement, répondit-il toujours aussi évasivement, sans prendre ombrage du ton sarcastique de la jeune femme.

Hillary haussa les épaules dans un mouvement désinvolte destiné à exprimer toute l'indifférence que lui inspirait cette conversation.

Comme à son habitude, Bret avait su sans peine s'intégrer à ce nouveau décor et Hillary, irritée, l'observait se fondre avec la plus totale décontraction dans cette famille nombreuse qui n'était pas la sienne. Au bout d'une demi-heure tout le monde l'avait adopté. Les deux belles-sœurs d'Hillary, sous le charme, l'écoutaient avec dévotion discuter avec Tom, ses deux frères le considéraient avec le plus grand respect et sa jeune sœur semblait déjà lui vouer une adoration éternelle.

Agacée par ce qu'elle considérait comme une intrusion, elle se retira dans la cuisine en marmonnant.

— Quelle parfaite fée du logis vous faites ! ironisa Bret qui l'avait rejointe. Oh, vous avez de la farine sur le nez.

Joignant le geste à la parole il essuya d'un doigt léger la fine pellicule blanche tandis qu'Hillary étalait sa pâte à grands coups de gestes nerveux.

— Quel genre de tarte faites-vous ?

— Une tarte meringuée au citron, répondit-elle en espérant que le ton cassant qu'elle avait adopté allait le dissuader de poursuivre.

— Mmm, j'adore ça ! Ce mélange d'acidité et de douceur. Un peu comme vous.

Il s'accouda nonchalamment au plan de travail et la regarda étaler avec adresse une seconde couche de pâte.

— Vous avez l'air de bien vous débrouiller.

— Oui, mais je préfère travailler seule.

— Qu'avez-vous fait de ce fameux sens de l'hospitalité, si caractéristique des gens d'ici ?

— Reconnaissez que vous ne m'avez guère laissé le temps de l'exprimer ! Vous maîtrisez si parfaitement l'art de vous imposer tout seul !

Elle donna un dernier coup de rouleau vengeur à sa pâte et reprit en le fusillant du regard :

— Pourquoi êtes-vous venu ? Pour vérifier par vous-même l'état de la ferme dans laquelle je vis ? Pour vous moquer de ma famille et faire un rapport hilarant à Charlène dès que vous serez de retour à New York ?

Piqué au vif, Bret laissa tomber son attitude désinvolte et saisit brutalement Hillary par les épaules.

— Je vous interdis de penser ça ! Avez-vous si peu d'estime pour les membres de votre famille que vous vous permettiez d'en parler ainsi ? Et contrairement à ce que vous pensez, je trouve cette ferme très impressionnante et les gens qui y vivent extrêmement sympathiques et chaleureux. D'ailleurs, je suis quasiment tombé amoureux de votre mère.

L'étonnement se peignit sur le visage de la jeune femme tandis que toute trace de colère la désertait.

— Excusez-moi, murmura-t-elle. J'ai été stupide.

Pour tout commentaire, Bret annonça d'une voix égale :

— Je crois qu'on m'attend pour un match de base-ball.

Hillary le regarda claquer la porte derrière lui et rejoindre ses frères qui, après l'avoir accueilli dans de grandes effusions enthousiastes, lui tendirent impérativement une batte et un gant.

Sarah, venue la rejoindre, entama une discussion qu'Hillary écoutait d'une oreille distraite et à laquelle elle répondait par des hochements de tête absents.

— Tu peux les appeler, lui dit soudain sa mère d'une voix plus forte qui la tira de la rêverie profonde dans laquelle elle était plongée.

Elle alla à la porte et, machinalement, émit un sifflement strident censé signaler à tous que le repas était prêt. A peine avait-elle retiré ses doigts de la bouche, qu'elle regrettait ce qu'elle venait de faire. Voilà qu'elle se comportait de nouveau comme une sauvage, donnant en ce sens raison à Charlène !

Lorsque à table, elle se retrouva assise à côté de Bret, elle tenta d'ignorer les battements désordonnés de son cœur et se mêla d'un air détaché à la conversation générale. Personne ne devait deviner le trouble qui l'habitait.

Un peu plus tard, alors que toute la famille se trouvait réunie dans le salon, Hillary se consacra à une course de voitures avec son neveu tout en observant à la dérobée le petit frère de celui-ci grimper sur les genoux de Bret. Ce dernier l'aida à s'installer sans pour autant interrompre la discussion passionnée qu'il menait avec Tom.

— Tu vis avec tante Hillary à New York ? demanda innocemment l'enfant.

Le bruit sec du petit camion qu'Hillary venait de laisser tomber sur le sol résonna étrangement dans toute la pièce.

— Je ne vis pas avec elle dans la même maison, mais je vis aussi à New York, répondit Bret avec simplicité, souriant du rouge qui montait aux joues d'Hillary.

— Tante Hillary m'a promis de m'emmener tout en haut de l'Empire State Building, ajouta-t-il, tout gonflé de fierté. Et je vais pouvoir cracher à des millions de kilomètres en bas. Tu peux venir avec nous si tu veux.

— J'adorerais vous accompagner, affirma Bret en ébouriffant les petites boucles brunes. Mais il faudra me dire quand vous comptez y aller.

— Je sais pas, mais tante Hillary m'a dit qu'on ira quand il n'y aura pas de vent sinon je serai tout éclaboussé, expliqua-t-il gravement du haut de ses six ans.

Un éclat de rire général accueillit le commentaire du petit garçon. Hillary se leva et le prit par la main.

— Viens avec moi dans la cuisine, nous allons voir s'il ne reste pas un morceau de tarte pour occuper cette jolie petite bouche.

La nuit commençait à tomber lorsque les frères d'Hillary et leur petite famille respective s'en allèrent. Elle s'attarda un moment sous la véranda, contemplant en silence la ligne d'horizon qui s'embrasait dans un majestueux mélange de pourpres. Elle ne se décida à rentrer que lorsque les étoiles se mirent à scintiller dans le ciel pur et les premiers criquets de la saison à déchirer le silence de la nuit.

On n'entendait, dans la maison redevenue étrangement calme, que le tic-tac régulier de la grosse horloge ancienne qui trônait dans le salon.

Hillary se pelotonna dans un fauteuil et suivit avec intérêt la partie d'échecs à laquelle se livraient son père et Bret. Elle ne pouvait détacher les yeux des grandes mains carrées de ce dernier qui déplaçaient judicieusement les pièces sur l'échiquier.

— Echec et mat, annonça soudain Bret.

Tom fronça les sourcils, doutant une seconde de ce qu'il venait d'entendre, puis esquissa le sourire satisfait de celui qui vient de se découvrir un adversaire à sa mesure.

— Félicitations, mon garçon, dit-il en tirant sur sa pipe. Vous avez joué finement et je viens de passer un excellent moment.

Bret se cala confortablement dans son siège et alluma une cigarette.

— Merci, Tom, sachez que le plaisir est réciproque. J'espère que nous nous donnerons l'occasion de disputer d'autres parties comme celle-là lorsque Hillary sera devenue ma femme.

La nouvelle, énoncée avec le plus grand détachement, eut l'effet d'une bombe dans le cerveau embrumé d'Hillary. Elle le regarda, bouche bée.

— Au point de vue financier, poursuivit Bret tout aussi nonchalamment, je peux vous assurer que votre fille sera définitivement à l'abri du besoin et si elle continue à travailler ce ne sera que parce qu'elle l'aura elle-même décidé. Pour sa satisfaction personnelle.

Tom, placide, écoutait en silence.

— J'ai bien réfléchi à tout cela, enchaîna Bret en exhalant une longue bouffée de fumée, et je suis sûr à présent que le moment est venu pour moi de me marier et de fonder une famille. Hillary correspond exactement à l'épouse qu'il me faut. Une forte personnalité, belle, intelligente, surprenante parfois ! Un peu trop mince, peut-être…, conclut-il avec humour.

Tom qui, jusque-là, avait ponctué la tirade de Bret de petits hochements de tête approbateurs afficha une mine navrée.

— Pourtant sa mère et moi nous sommes donné un mal de chien pour lui faire prendre quelques kilos !

— Il y a aussi la question de son caractère, ajouta Bret en feignant de peser les avantages et les inconvénients. Mais finalement, le sens de la repartie peut être considéré comme une qualité, et puis, j'aime les femmes qui ont de l'esprit.

Hillary se leva d'un bond, incapable d'en entendre plus.

— Comment osez-vous ? explosa-t-elle en se plantant, mains sur les hanches, entre son père et Bret. Comment osez-vous parler de moi comme si j'étais une vulgaire marchandise ! Et toi, mon propre père, comment peux-tu consentir sans réagir !

— Ai-je mentionné son mauvais caractère ? demanda Bret à Tom.

Ce dernier acquiesça d'un signe de tête.

— Espèce de prétentieux ! d'arrogant ! de...

— Prends garde, Hillary, l'interrompit placidement Bret, ne m'oblige pas à te laver la bouche avec du savon.

— Vous êtes complètement fou si vous avez cru une seconde que j'allais accepter de vous épouser ! vociféra Hillary. Plutôt mourir ! Alors, vous pouvez rentrer à New York vous occuper de vos chers magazines ! conclut-elle, ivre de rage, en claquant la porte derrière elle.

Bret tira de nouveau sur sa cigarette et se tourna vers Sarah.

— Je suis sûr que votre fille voudra se marier ici. Je vous laisse donc informer votre famille et vous occuper des préparatifs, moi je me charge de ses amis new-yorkais.

— D'accord, Bret, approuva Tom. Vous avez fixé la date ?

— Le week-end prochain.

L'ampleur de la tâche à accomplir en si peu de temps parut

déstabiliser Sarah : elle écarquilla les yeux, réfléchit deux secondes, puis replongea tranquillement dans son tricot.

— Vous pouvez compter sur moi.

Satisfait, Bret se leva.

— Hillary a dû se calmer à présent. Je vais la chercher.

Tom tapota sa pipe éteinte dans la paume de sa main et annonça :

— Dans la grange. Elle va toujours se réfugier dans la grange quand elle est contrariée.

Bret le remercia et quitta la pièce à grandes enjambées.

— Eh bien, Sarah, conclut Tom, il semblerait que notre fille ait trouvé chaussure à son pied.

Hillary arpentait la grange de long en large, fulminant encore contre son père et Bret.

« Pour un peu, il aurait demandé à inspecter l'état de la marchandise », enrageait-elle.

Elle se retourna, contrariée, au bruit de la porte qui grinçait sur ses gonds.

— Prête à discuter des préparatifs du mariage avec moi, chérie ? s'enquit Bret, toujours investi de son incroyable assurance.

— Je n'ai pas l'intention de discuter de quoi que ce soit avec vous ! glapit Hillary que le calme de Bret rendait hystérique. Je ne vous épouserai jamais, vous m'entendez ? Jamais, jamais, jamais ! Je préférerai épouser un… un… un nain à trois têtes !

— Pourtant, tu deviendras ma femme, riposta Bret sur le même ton, dussé-je pour cela te traîner par les cheveux jusqu'à l'autel.

— J'ai dit non, affirma Hillary en le défiant du regard. Et vous ne m'y obligerez pas !

— Vraiment ?

400

Pour preuve de ce qu'il avançait, il plaqua la jeune femme contre lui et lui ferma la bouche d'un baiser.

— Ne m'approchez pas ! siffla-t-elle en le repoussant brutalement. Ne m'approchez plus jamais !

— Comme tu voudras, dit Bret.

D'un geste sec qui la déséquilibra il l'envoya rouler dans l'épaisse réserve de foin odorant.

— Sale brute ! éructa Hillary en essayant vainement de se relever pour se jeter sur lui.

Mais la paille épaisse qui la retenait prisonnière l'empêchait de faire tout mouvement cohérent.

— Je n'ai fait qu'obéir à tes ordres, chérie. D'ailleurs, ajouta-t-il en se laissant tomber à son côté, je dois avouer que je t'aime mieux en position allongée.

Elle détourna la tête alors que la bouche de Bret cherchait la sienne.

— Vous ne pouvez pas faire ça, protesta-t-elle faiblement, frissonnant sous les lèvres qui, à présent, effleuraient sa gorge.

— Si, je peux, susurra-t-il en capturant la bouche qui s'était dérobée quelques instants auparavant.

S'abandonnant enfin, Hillary noua ses bras autour du cou de Bret et répondit passionnément à son baiser.

— Et maintenant, murmura ce dernier en repoussant d'un geste tendre une mèche de cheveux qui lui barrait le visage, acceptes-tu de m'épouser ?

Hillary ferma les yeux.

— Je n'arrive pas à réfléchir. Je n'arrive jamais à réfléchir quand je suis dans tes bras.

— Tu n'as pas besoin de réfléchir, chuchota-t-il tandis que ses doigts agiles faisaient sauter un à un les boutons de son corsage. Dis-moi simplement « oui », poursuivit-il en caressant la poitrine libérée et offerte à ses mains. Dis-moi simplement « oui » et tu auras tout le temps de réfléchir.

— Très bien, répondit-elle en gémissant de plaisir sous les caresses de Bret, tu as gagné. J'accepte de devenir ta femme.

— Parfait, dit-il simplement en reprenant ses lèvres.

Hillary essaya vainement de lutter contre la vague de désir qui la submergeait et qui semblait lui faire perdre toute pensée cohérente.

— Bret, protesta-t-elle mollement, tes méthodes ne sont pas très loyales.

Il haussa les épaules et resserra un peu plus son étreinte.

— Il en va de l'amour comme de la guerre, ma chérie : pour gagner, il faut savoir user de subterfuges, pas toujours loyaux, je te l'accorde.

Puis adoptant un ton grave qu'Hillary ne lui connaissait pas, il poursuivit :

— Je t'aime, Hillary. J'aime tout en toi. Ta pensée m'obsède, jour et nuit.

Hillary se sentit fondre de bonheur. Combien de fois avait-elle espéré ces mots ! Elle couvrit le visage de Bret de petits baisers tendres.

— Oh, Bret, je t'aime tant moi aussi ! Je t'aime si fort que parfois, cela en est même douloureux. Quand nous nous sommes connus, je pensais que… Enfin… quand Charlène m'a laissé entendre que vous aviez passé la nuit ensemble dans ton chalet, je…

— Attends une minute, et écoute-moi bien, la coupa Bret en prenant son visage entre ses mains. Que les choses soient bien claires, lorsque je t'ai rencontrée, j'avais déjà quitté Charlène, mais elle ne voulait rien savoir. Elle continuait à faire comme si de rien n'était !

Il marqua une pause, le temps de lui sourire et de l'embrasser, puis il reprit :

— A la minute où je t'ai vue dans le studio de Peter, je n'ai plus pu penser à aucune autre femme. Et j'étais déjà amoureux de toi avant même de te connaître.

— Comment ça ?

— Au travers de tes photos. Ton visage me hantait sans cesse.

— Et moi qui croyais que tu ne me prenais pas au sérieux !

Elle lui caressa tendrement les cheveux, attentive à ce qu'il s'apprêtait à dire.

— A vrai dire, au début, je pensais que ce n'était qu'une attirance physique. Je savais que je te désirais comme un fou, comme jamais je n'avais désiré une autre femme. Mais cette fameuse nuit, dans ton appartement, lorsque tu m'as révélé que tu n'avais encore jamais appartenu à un homme, quelque chose a basculé au fond de moi et j'ai réalisé que ce que j'éprouvais pour toi allait bien au-delà du simple désir physique.

— Pourtant tu ne m'as jamais laissée supposer le contraire.

— Tu semblais si peu concernée par une vraie relation. Tu fuyais chaque fois que je t'approchais de trop près, je ne voulais pas t'effrayer. J'ai compris qu'il te fallait du temps et c'est ce que j'ai essayé de te donner : du temps. Mais je peux t'avouer maintenant que ça n'a pas été facile et que j'ai bien manqué faillir à la promesse que je m'étais faite, lorsque nous nous sommes retrouvés tous les deux au chalet. Si Peter et June n'étaient pas arrivés à ce moment-là, les choses se seraient passées différemment.

Il s'interrompit de nouveau, dessinant du bout des doigts le contour du visage d'Hillary.

— Alors quand je t'ai entendue me cracher à la figure que tu ne voulais plus que je te tripote, j'ai failli t'étrangler de rage. Et d'incompréhension.

— Je suis désolée, Bret, j'étais en colère, je voulais que tu souffres autant que moi. Je pensais…

— Je sais aujourd'hui ce que tu pensais, mais j'ignorais alors ce que Charlène t'avait dit. Ensuite, j'ai cru que seule ta carrière t'importait, que tu n'avais pas de place dans ta vie pour autre chose ou pour quelqu'un. La dernière fois que nous nous sommes vus dans mon bureau, tu semblais si détachée, si indifférente, ne t'animant que lorsque nous avons évoqué les propositions que tu avais reçues.

— Je t'ai menti sur toute la ligne, lui murmura-t-elle en frottant sa joue contre la sienne. Aucune de ces offres ne m'intéressait, je les ai à peine lues. Je ne voulais que toi.

Bret, enfin apaisé, reprit son récit.

— Aussi lorsque June m'a finalement raconté la scène que Charlène t'avait faite au chalet et que je me suis rappelé la violence de ta réaction, j'ai commencé à comprendre. Les choses se mettaient peu à peu en place. C'est pour cette raison que je suis allé chez Bud, je voulais que nous en parlions.

Ce souvenir amena un sourire attendri sur ses lèvres.

— Mais tu n'étais pas vraiment en état d'entendre la déclaration d'amour que j'avais à te faire. Quand j'y repense, je me demande comment j'ai eu la force de te résister ! Tu étais si belle, si vulnérable !

Une nouvelle onde de désir le fit se pencher vers Hillary et prendre sa bouche tandis que ses mains dessinaient les courbes de son corps. Hillary se plaqua plus étroitement contre lui, prête enfin à se perdre avec lui dans les méandres du plaisir.

Mais un sursaut de conscience fit brusquement réagir Bret. Il s'écarta d'Hillary qui, elle, n'entendait pas renoncer si facilement aux promesses de volupté qu'elle avait pressenties et vint se blottir, enjôleuse, contre lui.

— Nous pouvons attendre encore un peu, chérie. Je ne pense pas que Tom Baxter apprécierait beaucoup que je prenne sa fille dans une meule de foin alors que nous ne sommes même pas mariés.

Il l'enlaça amoureusement et elle nicha spontanément sa tête contre l'épaule rassurante qu'il lui offrait.

— Hillary, reprit-il gravement, je ne peux pas te donner ce Kansas que tu chéris tant. Il faut que tu saches que nous ne pourrons pas vivre ici, en tout cas pas dans l'immédiat. Trop d'obligations me retiennent à New York et il y a des affaires que je ne peux tout simplement pas traiter d'ici.

— Oh, Bret…, commença Hillary.

Mais Bret ne la laissa pas poursuivre, trop anxieux de la convaincre. Il la serra un peu plus fort contre lui et reprit :

— Nous pourrions nous installer dans le Connecticut. Tu verras, c'est très beau et c'est la campagne aussi là-bas mais nous pourrons effectuer les trajets sans problème. Si tu le veux je t'achèterai une maison et tu pourras avoir tout ce que tu désires : un jardin, des chevaux, des poules, une demi-douzaine d'enfants. Nous reviendrons ici aussi souvent que nous le pourrons et puis nous irons passer de longs week-ends, juste toi et moi, dans le massif des Adirondacks que tu aimes tant maintenant !

Bret s'arrêta, alarmé par les larmes qui ruisselaient sur les joues d'Hillary.

— Ma chérie, ne pleure pas, l'implora-t-il en essuyant ses

yeux. Je ne veux pas que tu sois malheureuse. Je sais combien tu es attachée à ce pays.

— Oh, Bret, je t'aime ! Je ne suis pas malheureuse, au contraire je suis follement heureuse. Tu es si gentil, si attentionné ! Peu m'importe l'endroit où nous vivrons, pourvu que ce soit avec toi et pour toujours.

— Tu en es sûre, mon amour ?

En guise de réponse, elle lui adressa un sourire rayonnant de bonheur, puis lui ferma la bouche d'un baiser.

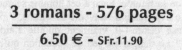

Les Best-Sellers Harlequin, c'est la promesse d'une lecture intense : romans policiers, thrillers médicaux, drames psychologiques, sagas, ce programme est riche d'émotions.

Ne manquez pas, ce mois-ci :

L'écho du passé, d'Emilie Richards • N° 259

Situé dans le droit fil d'*Un été en Virginie*, *L'écho du passé* transporte le lecteur à Toms Brook, petite ville nichée au cœur du Vieux Sud. Emilie Richards y donne vie au personnage d'Elisa Martinez, une jeune femme qui, contrainte de fuir un passé aussi tragique que violent, va trouver dans sa nouvelle ville le soutien et l'amour qu'elle n'espérait plus. Ecrit avec finesse et sensibilité, ce roman s'impose comme une saga bouleversante, nourrie de tragédie, d'émotion et d'espoir – qualités qui ont valu à Emilie Richards d'être surnommée « la nouvelle Danielle Steel ».

La mort à l'affût, de Heather Graham • N° 260

Actrice dans une série très en vogue, Kelly Trent a tout ce dont elle a toujours rêvé : la célébrité, la fortune, et des fans sans cesse plus nombreux. Mais lorsqu'elle commence à recevoir des lettres de menaces et qu'elle est victime d'un accident inexplicable qui manque lui coûter la vie, les producteurs de la série décident de se séparer d'elle quelque temps. Furieuse, Kelly est alors contrainte d'accepter un tournage sur une île déserte des Keys, en Floride, en attendant que l'enquête soit menée…

Nuit d'orage, d'Olga Bicos • N° 261

Psychothérapeute, Piper Jordan est depuis peu confrontée à un cas difficile : celui de Clayton Chase, un célèbre photographe frappé par la foudre un soir d'orage et retrouvé ensuite auprès du corps ensanglanté de sa femme. Face à cet homme secret et tourmenté, qui prétend n'avoir aucun souvenir du drame, Piper ne sait que croire : Chase désire-t-il vraiment qu'elle l'aide à retrouver la mémoire ? Le dangereux jeu de séduction qu'il entame avec elle n'est en effet pas pour la rassurer : malgré les apparences, l'homme pourrait bien n'être qu'un manipulateur machiavélique, prêt à se servir d'elle pour échapper à la prison…

La fille de l'assassin, de Metsy Hingle • N° 262

Tess Burns Abbott avait quatre ans lorsque, un soir, elle a découvert sa mère assassinée dans le salon de sa maison. A côté d'elle, l'arme du crime à la main, se tenait son père Jody…
Vingt-cinq ans ont passé. Confondu par le témoignage de sa fille, Jody Burns a été condamné pour meurtre. Tess, elle, a grandi auprès de ses grands-parents, refusant toujours de revoir son père malgré ses protestations d'innocence. Jusqu'au jour où elle apprend qu'il s'est suicidé en prison, et où une femme se met à la harceler au téléphone. Une femme qui lui répète que Jody Burns a en fait été assassiné, et qu'il était innocent du crime dont Tess l'a toujours cru coupable…

Moi & Emma, d'Elizabeth Flock • N° 263

« Moi, c'est Carrie. Carrie Parker. Enfin, avant, je m'appelais Carrie Culver, mais depuis que maman s'est remariée avec Richard, c'est comme ça : moi et Emma, on s'appelle Parker. Emma, c'est ma petite sœur. A nous voir, on le croirait pas, pourtant. Ses cheveux à elle sont tellement blonds qu'on dirait une balle de coton. Pas comme les miens. Et puis, elle a peur de rien, Emma. Sauf de Richard quand il devient très méchant… »
Récit déchirant et plein de sensibilité, Moi & Emma *conte la vie d'une petite fille confrontée à la violence familiale, et ses efforts désarmants de courage et de volonté pour échapper à cet enfer – jusqu'au drame final, stupéfiant et bouleversant…*

Crime et imposture, de Laura Van Wormer • N° 46 (Réédition)

Ecrivain à succès, Libby Winslow est désignée comme jurée lors du procès d'un fils de bonne famille, James Layton, accusé d'avoir assassiné un top model qui repoussait ses avances. Dans l'enceinte du tribunal, la jeune femme se lie alors d'amitié avec Alexander McCalley, un séduisant architecte retenu lui aussi comme juré dans cette affaire. Au fil des jours pourtant, Libby s'inquiète du comportement de plus en plus agressif de cet homme envers elle. Et lorsqu'elle s'avise que le tribunal aurait tout intérêt à vérifier l'identité de ses recrues, il est déjà trop tard…

Oui, je désire profiter de votre offre exceptionnelle. J'ai bien noté que je recevrai d'abord gratuitement un colis de 2 livres* ainsi que 2 cadeaux. Ensuite, je recevrai un colis payant de romans inédits régulièrement.

Je choisis la collection que je souhaite recevoir :

(☑ cochez la case de votre choix)

- ❏ **AZUR :** Z6ZF56
- ❏ **EMOTIONS** A6ZF53
- ❏ **BLANCHE :** B6ZF53
- ❏ **LES HISTORIQUES :** H6ZF53
- ❏ **PASSION :** R6ZF56
- ❏ **DÉSIRS :** D6ZF52
- ❏ **DÉSIRS/AUDACE :** D6ZF54
- ❏ **HORIZON :** O6ZF54
- ❏ **AMBRE :** P6ZF52
- ❏ **BEST-SELLERS :** E6ZF53
- ❏ **BEST-SELLERS/INTRIGUE :** E6ZF54
- ❏ **MIRA :** M6ZF52
- ❏ **JADE :** J6ZF52

*sauf pour les collections Désirs, Jade et Mira = 1 livre gratuit.

Renvoyez ce bon à : Service Lectrices Harlequin
BP 20008 - 59718 Lille Cedex 9.

N° d'abonnée Harlequin (si vous en avez un) ⌷⌷⌷ ⌷ ⌷ ⌷ ⌷ ⌷ ⌷ ⌷ ⌷ ⌷

Mme ❏   Mlle ❏   NOM _____

Prénom _____

Adresse _____

Code Postal ⌷⌷⌷⌷⌷⌷   Ville _____

Le Service Lectrices est à votre écoute au 01.45.82.44.26
du lundi au jeudi de 9h à 17h et le vendredi de 9h à 15h.

Composé et édité par les
éditions Harlequin
Achevé d'imprimer en juin 2006

BUSSIÈRE

GROUPE CPI

à Saint-Amand-Montrond (Cher)
Dépôt légal : juillet 2006
N° d'imprimeur : 61094 — N° d'éditeur : 12174

Imprimé en France